教育技术学专业主干课程系列教材

# 信息技术教育应用

王忠华　刘清堂　杨　琳　主编

科学出版社

北　京

# 内 容 简 介

　　本书是高等学校教育技术学专业主干课程系列教材之一。在编写过程中，结合当前教育信息化的理论与实践研究成果，力求从内容和形式上体现信息技术与教育教学深度融合的思想和教学观念。本书共分为 9 章，包括信息技术教育应用概述、信息技术教育应用的理论基础、信息化教学模式、信息技术支持下的接受式学习及案例、信息技术支持下的探究式学习及案例、信息技术支持下的合作学习及案例、信息技术赋能课堂教学创新应用、信息技术与课程整合的综合应用、信息技术教育创新应用与发展。

　　本书既可作为高等学校教育技术学专业本科生、教育硕士相关课程的教材或参考书，也可作为高等学校师范类专业公共选修课教材，还可供广大教师和教育技术工作者阅读、参考。

**图书在版编目（CIP）数据**

信息技术教育应用 / 王忠华，刘清堂，杨琳主编. —北京：科学出版社，2022.7

教育技术学专业主干课程系列教材

ISBN 978-7-03-072348-2

Ⅰ. ①信… Ⅱ. ①王… ②刘… ③杨… Ⅲ. ①计算机–辅助教学–高等学校–教材 Ⅳ. ①G434

中国版本图书馆 CIP 数据核字（2022）第 087076 号

责任编辑：乔宇尚　陈晶晶 / 责任校对：贾伟娟
责任印制：张　伟 / 封面设计：蓝正设计

**科 学 出 版 社** 出版

北京东黄城根北街 16 号
邮政编码：100717
http://www.sciencep.com

**北京中石油彩色印刷有限责任公司** 印刷
科学出版社发行　各地新华书店经销

\*

2022 年 7 月第 一 版　　开本：720×1000　1/16
2022 年 7 月第一次印刷　　印张：14 3/4
字数：294 000

**定价：49.00 元**
（如有印装质量问题，我社负责调换）

# 编　委　会

# "教育技术学专业主干课程系列教材"总序

　　教育技术学是研究信息技术环境下学与教的理论与实践规律的交叉学科。它以解决教育教学问题、提升学习效果为目标，聚焦于信息技术与教育教学深度融合的理论与方法。教育技术学是连接教学理论、学习理论与教学实践之间的桥梁，具有多学科交叉的特色及技术促进教育教学改革创新的主体学科方向。

　　20 世纪初期，广播、电视及电影等技术的发展对教育产生了巨大影响，视听教学和个性化教学在不同教育情境中得到广泛应用，教育技术学科在此基础上诞生。20 世纪后半叶，随着微型计算机和互联网技术的发展、应用和普及，教育技术实践呈现爆炸式增长，其潜在价值被进一步认可。进入 21 世纪，人工智能、大数据、移动网络、云计算、学习分析、大规模在线开放课程（MOOC）、混合现实和多模态采集（眼动、脑电、核磁等）等技术的飞速发展，给教育技术学科注入了新的活力，诞生了很多新的发展方向。

　　从世界范围看，不少发达国家和国际组织在部署教育发展战略时，都非常重视教育技术应用和专业人才培养。例如，美国教育部从 1996 年起就通过"国家教育技术规划"（National Education Technology Plan，NETP）不断指引着美国教育技术人才的培养方向；新加坡政府多年来高度重视教育技术人力资源储备，将其写进了该国的教育信息化发展规划。联合国教科文组织于 2019 年召开第二次教育信息化能力框架会议，为教育技术发展和人才培养方向提出了新的能力目标。

　　在不同的发展阶段，尤其是进入 21 世纪以来，我国也高度重视教育技术专业的发展和人才培养工作。《国家中长期教育改革和发展规划纲要（2010—2020 年）》明确提出信息技术对教育发展具有革命性影响，教育部《教育信息化十年发展规划（2011—2020 年）》明确提出信息技术与教育教学全面深度融合，教育部《教育信息化 2.0 行动计划》中明确指出：以教育信息化支撑引领教育现代化，是新时代我国教育改革发展的战略选择，对于构建教育强国和人力资源强国具有重要意义。应用人工智能、大数据、互联网等信息技术手段深化我国教育改革发展,进一步提升教育质量和促进教育公平,建设"人人皆学、处处能学、时时可学"的学习型社会,必须培养和汇聚一支面向我国新时代重大战略需求的教育技术专业人才队伍。

社会发展进入新时代,对教育技术学专业学生应该根据发展方向提出不同的培养目标:我们希望师范生能够进入重点或示范性学校,在各级教育体系中逐步成长为信息化教学骨干、学术带头人和专家型教育信息化建设者,能开展跨学科的交流和合作,促进信息技术与各学科的深度融合,带动各学科教师信息技术能力的提升;非师范生应该具有现代教育理念,可以在正式和非正式教育领域中担当教学系统规划设计师,在政府、企业和商业领域内作为培训专家、绩效管理专家和技术管理人才,也可以成为教育应用领域的新技术研究开发人员,引领和推动教育信息化实践与创新发展。

就目前来看,和学科快速发展形成鲜明对比的是,教育技术学专业主干课程的配套教材相对比较陈旧,许多经典教材都出版于十多年前,未能反映近十年来教育技术领域所涌现的新理论、新方法、新技术以及丰富的研究成果,也不能体现我国教育信息化发展现状、教育治理需求和人才培养目标的重大变化。同时,由于专业课程体系的调整,部分新增课程缺乏相应教材,也给高校教育技术学专业开展相关专业课程教学带来了诸多不便。因此,根据当前我国教育技术学专业的人才培养需要,建设具有鲜明时代特征、服务国家教育信息化发展的系列教材,具有重要意义。

针对上述专业发展需求,华中师范大学人工智能教育学部依托教育技术学专业组织编写了这套"教育技术学专业主干课程系列教材"。华中师范大学教育技术学专业为国家首批一流本科专业建设点,专业所隶属的教育学一级学科入选国家双一流建设学科,在全国第四轮学科评估中获评 A 档,专业人才培养具有"AI+教育"学科交叉、产学研协同共建的鲜明特色。这套教材是我校教育技术学国家一流专业建设的经验总结,教材内容为本专业骨干教师多年教学实践与科学研究的总结、凝练,反映出教学和科研的良性互动,体现了教育技术学专业的建设成果。

考虑到社会发展和人才培养的需要,我们编写的教材具有以下特点:①紧扣前沿,与时俱进。面向 21 世纪信息化教育和信息素养培养的新要求,展现了最新的教学研究成果。②目标明确，能力导向。对标教育技术学专业人才培养目标和毕业生能力要求，对课程内容体系进行了重构和优化。③问题引导，案例丰富。改变陈述式的讲解，用真实复杂的问题情境和大量鲜活的教学案例，培养学生高阶思维和应用理论知识解决教育教学实际问题的能力。④深入浅出，易于理解。提倡采用对话式的通俗语言，避免使用艰涩的学术术语，让学习者通过理解与学术沟通，符合现代学生的认知发展规律。

我们期望，这套教材的编写和出版，能够弥补教育技术学专业的教学建设和人才培养基础不足的缺憾，更希望对于教育技术学专业的发展产生积极的影响。当然，由于各种因素制约，一些新的学术成果也不是非常成熟，教材内容也难免存在一定的疏漏和不足。因此，希望教育技术学界的同人不吝赐教，指出教材中存在的问题，反馈教材使用的效果，使该套教材在教学实践中得到不断的修改和完善，借此推进教育技术学学科专业的发展和进步。同时，让我们在推动和促进教育现代化的战略中发挥更加重要的作用。

赵呈领

2021 年 8 月

# 前　　言

　　创新人才的培养是信息社会对教育提出的新要求，教育必须根据信息社会的发展要求进行变革。培养创新型人才是当代教育的根本目的。信息社会的发展不仅要求进行教育变革，同时也为教育变革创造了条件、提供了环境。各种信息技术在教育教学中的广泛应用，对创新人才的培养起到了重要的作用。信息技术给教育教学带来了哪些变化？信息技术环境下的教育教学如何开展？这些都是教育者长期以来一直关注的重要问题。

　　我国非常重视教育信息化对促进教育教学发展所起的重要作用。2010年国务院印发的《国家中长期教育改革和发展规划纲要（2010—2020年）》中明确指出"信息技术对教育发展具有革命性影响，必须予以高度重视"。自2012年教育部发布《教育信息化十年发展规划（2011—2020年）》以来，我国教育信息化进入快速发展阶段，取得了令人瞩目的成就。通过大力推进信息技术在教学过程中的普遍应用，促进信息技术与学科课程的整合，逐步实现教学内容的呈现方式、学生的学习方式、教师的教学方式和师生互动方式的变革。

　　"互联网+"、物联网、人工智能、大数据等信息技术的发展日新月异，不断推动着学校教育教学样态的创新与变革。我国教育信息化正逐步走向"融合与创新"的新的发展阶段。教师作为教育教学的组织者和引导者，是推动教育信息化发展的中坚力量，其信息化教学能力对优化课堂教学、转变学生学习方式具有重大影响。2014年教育部颁布的《中小学教师信息技术应用能力标准（试行）》对中小学教师的信息技术应用能力提出了基本要求和发展性要求。其中，应用信息技术优化课堂教学的能力为基本要求，主要包括教师利用信息技术进行讲解、启发、示范、指导、评价等教学活动应具备的能力；应用信息技术转变学习方式的能力为发展性要求，主要针对教师在学生具备网络学习环境或相应设备的条件下，利用信息技术支持学生开展自主、合作、探究等学习活动所应具备的能力。2018年4月，教育部印发了《教育信息化2.0行动计划》，指出到2022年基本实现"三全两高一大"的发展目标，即教学应用覆盖全体教师、学习应用覆盖全体适龄学生、数字校园建设覆盖全体学校，信息化应用水平和师生信息素养普遍提高，建成"互联网+教育"大平台。2018年6月，"师范生信息化教学能力标准与培养模式实证研究"课题组发布了《师范生信息化教学能力标准》，把师范生应具备的信息化教学能力划分为基础技术素养、技术支持学习、技术支持教学三大维度，每个维度下又细分为三个子维度。这对规范和引导我国师范生的信息化教学能力的培养具有重要意义。2019年2月，中共中央、国务院印发了《中国教育现代化2035》，提出了 2035 年我国教育的主要发展目标之一是建成服务全民终身学习的现代教育体系，指出了推进教育现代化的八大基本理念，并阐述了信息技术对信息时代教育变革的作用及实践方式。2019 年 3 月，教育部印发了《关于实施全国中小学教师信息技术应用能力提升工程 2.0 的意见》，明确指出"信息技术应用能力是新时代高素质教师的核心素养"。

　　本书结合教育信息化 2.0 时代对教师信息技术应用能力提出的新要求，以《师范生信息化教学能力标准》对师范生信息化教学能力的要求为导向，吸收了近年来教育信息化的最新理论与实践研究成果，设计了信息技术教育应用课程的内容体系。在学习内容设计上，重点围绕信息化教学模式这一核心，以案例分析为特色，以如何实现信息技术在教育中的有效应用为引领，设计了释义、解读、剖析、探究、实践、反思等丰富的教学活动形式，着力培养学生综合运用教育理论和信息技术解决教育教学实际问题的能力。

　　本书内容共分为 9 章。第 1 章对信息技术教育应用进行概述；第 2 章对信息技术教育应用的理论基础进行概要性论述；第 3 章介绍信息化教学模式；第 4 章介绍信息技术支持下的接受式学习及案例；第 5 章介绍信息技术支持下的探究式学习及案例；第 6 章介绍信息技术支持下的合作学习及案例；第 7 章讨论信息技术赋能课堂教学创新应用；第 8 章介绍信息技术与课程整合的综合应用；第 9 章介绍信息技术教育创新应用与发展。

　　本书在编写过程中参考、引用了大量的国内外研究成果和相关文献，主要来源已经在脚注或参考文献中列出，在此向这些成果和文献的作者表示诚挚的感谢！

　　本书是合作完成的成果，杨琳负责第 1、2 章内容的编写，王忠华负责第 3、4、5、6 章内容的编写，刘清堂负责第 7、8、9 章内容的编写，由王忠华负责全书的统稿。另外，华中师范大学人工智能教育学部的研究生马鑫倩、刘梦凡、王娇娇、翟璟、陈凯芳、吕雪淳、冯琴瑶、武玉玺、马欣宇、赖梦非等协助完成了本书部分资料的收集、整理以及校对等工作，在此一并表示感谢！

　　感谢科学出版社对本书出版的支持，感谢乔宇尚、陈晶晶编辑辛勤的付出！

编　者<br>2021 年 7 月

# 目　　录

# 第1章　信息技术教育应用概述

21世纪人类社会进入信息时代，信息技术在教育领域的应用也对教育教学产生了巨大的影响，我国目前已经进入教育信息化 2.0 的新发展阶段。那么什么是教育信息化？在教育信息化的发展过程中，信息化给教育带来什么改变？在教育中使用的信息技术有哪些？信息技术在教育中的应用经历了怎样的发展阶段？信息技术教育应用对教师提出了哪些新要求？本章从回答这些基本问题出发，概述信息技术的教育应用。

## 【知识地图】

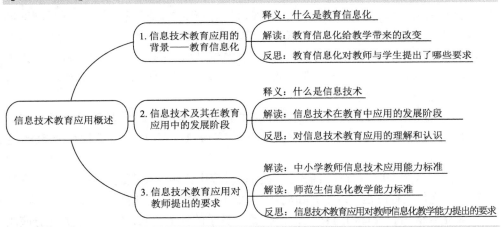

## 【学习目标】

本章围绕信息技术教育应用概述展开讨论，涉及教育信息化、信息技术教育应用的相关概念与发展阶段等。通过本章学习，学习者应达到如下学习目标。

1）知道教育信息化的内涵及发展阶段。

2）能用自己的话说出教育信息化给教学带来的改变。

3）知道信息技术的基本概念及其在教育中应用的发展阶段。

4）能说出信息技术教育应用对教师提出的新要求。

## 【学习导航】

本章的学习内容是信息技术教育应用概述。因此，对于本章的学习，你可以通过：

1）阅读有关教育信息化的相关文件和参考文献，学习我国教育信息化的政策文件，了解信息技术教育应用的背景和意义。

2）了解信息技术教育应用的不同发展阶段，探究信息化给教学带来的变化，加深对信息技术应用于教学的理解。

3）文献阅读和反思，进一步认识信息技术教育应用对教师与学生提出的新要求。

# 1.1　信息技术教育应用的背景——教育信息化

## 1.1.1　释义：什么是教育信息化

### 一、教育信息化的定义

人类社会进入 21 世纪，信息技术改变了人们的生产方式和生活方式。面对日趋激烈的国力竞争，世界各国普遍关注教育信息化在提高国民素质和增强国家创新能力方面的重要作用。《国家中长期教育改革和发展规划纲要（2010—2020 年）》明确指出："信息技术对教育发展具有革命性影响，必须予以高度重视。"为了推进教育信息化建设，2018 年教育部印发了《教育信息化 2.0 行动计划》。那么，到底什么是教育信息化呢？

教育信息化，通常是指与教育相关的信息技术的软硬件基础设施的建设，那么教育信息化领域的专家是如何定义教育信息化的呢？相关领域专家的主要观点如下。

南国农认为，所谓教育信息化，是指在教育中普遍运用现代信息技术，开发教育资源，优化教育过程，以培养和提高学生的信息素养，促进教育现代化的过程。[①]

李克东认为，教育信息化是指在教育与教学的各个领域，积极开发并充分应用信息技术和信息资源，培养适应信息社会需求的人才，以推动教育现代化进程。[②]

祝智庭认为，教育信息化是指在教育过程中比较全面地运用以计算机、多媒体和网络通信为基础的现代化信息技术，促进教育的全面改革，使之适应正在到来的信息化社会对于教育发展的新要求。[③]

虽然不同的学者对教育信息化做出了不同的诠释，但是可以达成以下几点共识：①实现教育信息化需要在教育领域全面应用技术；②教育信息化是以提高教育管理、教学的效果和效率为目的；③教育信息化对教育产生了重要的影响。

---

① 南国农. 教育信息化建设的几个理论和实际问题（上）[J]. 电化教育研究，2002，（11）：3-6.
② 李克东. 教育信息化与基础教育改革[J]. 广西教育，2004，（17）：20-22.
③ 祝智庭. 世界各国的教育信息化进程[J]. 外国教育资料，1999，（02）：79-80.

二、教育信息化的内涵

从信息时代对于教育变革的需求来看，教育信息化是促进教育现代化的重要手段。教育信息化是将信息技术普遍运用于教育教学的各个领域，以达到促进教育改革和教育发展，培养适应信息化时代的人才的目的。关于教育信息化的内涵，何克抗将教育信息化理解为，信息与信息技术在教育、教学领域和教育、教学部门的普遍应用与推广①。对于教育信息化的这一内涵，应当把握以下三点：①教育信息化包括信息与信息技术这两个方面在教育、教学中的应用与推广，而非仅仅指信息技术这一个方面在教育、教学中的应用与推广；②教育信息化在教育、教学中的应用与推广涉及教育、教学领域和教育、教学部门这两大范畴（前者侧重教育、教学的应用，后者侧重行政管理的应用），而非仅仅涉及教育、教学领域或教育、教学部门一个范畴；③教学活动是具有一定时空限制、一定组织形式并有教师参与的特定教育活动，教学是最重要也是最普遍的一种教育形式。教育信息化强调将信息与信息技术在整个教育领域和教育部门中应用与推广的同时，必须把重点放在教学领域（其中包括教学过程、教学资源、教学评价等几个方面）的应用与推广上。

三、教育信息化的发展阶段

我国教育信息化的发展经历了以下几个阶段。

（1）教育信息化的萌芽阶段——电化教育

从 20 世纪 20 年代开始，我国教育界开始将幻灯、无声电影及广播等技术用于国民教育。随着国家改革开放，各级各类学校开始逐步配置幻灯机、投影仪、录音机、电视机、广播等现代化教育设备并将其应用于教学中，教育部建立了各级电化教育机构。

（2）教育信息化的起步阶段——中小学计算机教育的推广及计算机辅助教育的普及

20 世纪 80 年代初，我国开始有计划地在中小学推广计算机教育。中小学开始购置设备，建设机房，进行师资培训，为后期的信息化发展奠定了基础。到 20 纪 90 年代，随着多媒体技术的发展，各级各类教育机构也开始建设相应的多媒体教学资源，配置多媒体教室，计算机代替了原有的幻灯机及投影仪，提高了教与学的效率。

（3）教育信息化的全面普及阶段——在线教育的普及应用

从 20 世纪末开始，随着网络技术的发展，"校校通""班班通""人人通"等工程的建设，基于网络的在线教育逐渐代替了原来的广播电视远程教学；"慕课"在高等教育中发挥了重要作用；基于网络的研究性学习、翻转课堂等教学方

---

① 何克抗. 迎接教育信息化发展新阶段的挑战[J]. 中国电化教育，2006，（06）：5-11.

式也被广泛应用到课堂中。

（4）教育信息化的繁荣阶段——信息技术与教育的深度融合

随着人工智能、大数据等信息技术的快速发展，教育部门构建了一体化的"互联网+教育"大平台，相关技术深度融入教育的全过程，全面推动改进教学、优化管理、提升绩效，提升教师与学生的信息素养，培养创新型人才。

### 1.1.2　解读：教育信息化给教学带来的改变

一、教育信息化改变了教学环境和教学方式

新一代高速光纤网络和 5G 移动网络使教学活动突破了时间和空间的限制；物联网将对教育环境和非在线的教学行为数据进行实时识别和收集；云计算促进了教育教学中的协作和共享，学生不仅可以在教室里、课堂上开展学习，也可以在网络的开放环境中学习交流；虚拟现实技术和多媒体技术使信息的表征更加多元化。信息化教学环境使得教学方式变得更加多样化，自主学习、协作学习、探究学习等学习方式比传统课堂更能体现"因材施教"，翻转课堂、智慧课堂则更注重学生能力和素养的提升。

二、教育信息化改变了教学内容

在信息化环境下，教学内容的获取、传递和处理方式都发生了变化。在传统教学环境中学习者获取教学内容的主要途径是教师或教材，传统的阅读记忆获取模式已经不能够应对知识更新的频率。信息化教学环境使得学生获取知识更加方便快捷，学生能够从更为广阔的互联网中获取信息，学生可以把更多的精力放在对知识的应用及创新能力和素养的提升上，教学内容的传递方式也从比较单一的书本模式变得更加多元化，教学内容的组织也从单一的线性排列变为超媒体结构。除此之外，信息技术融入教学当中，成为教学内容的一部分，提升信息素养也成为教学目标之一。

三、教育信息化改变了教师和学生的关系

在信息化教学环境下，教师和学生的关系发生了变化。教师渐渐从传统的知识传授者与灌输者的角色向学生的导师、意义建构的促进者等多种角色转变，而学生也从被动的知识接收者变为主动的知识建构者。

（1）教师和学生角色的转变

在传统教育环境中，学校是学习的主要发生地，教师控制学生学习的进程和内容。在信息化环境下，学生成为自身学习进程的主导者，个性化学习成为常态。教师的主要职能从"教"转变为"导"——引导、指导、辅导和教导。教师的主要作用在于激发学生的学习兴趣，努力促使学生将当前学习内容所反映的事物尽量和自己已经知道的事物相联系，通过设计、搜索并帮助学生获取相关的教学资源，以支持学生主动探索和完成所学知识的意义建构。学生是主动的学习者，在信息化环境下，投身于信息处理的过程中，学生可以利用丰富的信息化教学资源以及信息搜索工具、交流工具、认知工具等进行自主学习、合作学习、探究学习。学生作为学习的主体，不是被动地接受知识，而是主动进行知识的意义建构。

（2）教师和学生共同成为课程资源的开发者

在传统教育环境下，教师是学习资源的提供者、开发者，而学生主要是课程资源的使用者。在信息化教学环境下，学生不仅是课程资源的使用者，也是学习资源的开发者。"以学习者为中心"的教与学活动过程中由学习者或师生协同创建的生成性学习资源逐渐成为主流资源形态，并因其能够强化学习者的参与度、促进深度学习而受到了师生的广泛关注。生成性学习资源是指学习者在学习过程中自主或通过同伴互助、师生交流而生成的一切有价值的资源，包括学习者上传的与主题相关的拓展性资源及其在学习社区中的评论、反馈、反思、讨论、答疑等。

（3）教师是学生的学习顾问

信息化教学环境下，教师采用大数据、人工智能等信息化手段收集、分析学生的学习过程数据，为学生提供个性化的指导，从学生的"学"出发，诊断学生在完成学业方面的学术需求，帮助学生制定或选择某种能满足这些需求的计划，促进学生的有效学习，实现学生的个性化发展。学生则通过认知工具，阐释自己学习的内容，反思自己的学习过程和决策过程，实现自我协商，制定调控策略。

（4）教师和学生是学习共同体的参与者

信息化教学环境下，教学资源具有共享性、开放性等特点，学生在某些领域的知识或能力甚至可以超越教师，学生对教师专业发展的促进作用不可忽视。教师通过信息化手段建设师生合作共同体，运用网络来促进沟通、交流，以实现跨区域、机构、学科的个体间协作。学生则通过社交媒介，在学习成员之间的社会支持、示范和观察他人的学习绩效的基础上，实现知识和技能的共享。

### 1.1.3　反思：教育信息化对教师与学生提出了哪些要求

教育信息化给教育教学带来了改变，反思教育信息化对教师与学生的能力和素养提出的新要求。

（1）作为学生的学习引导者和学习顾问，教师应当具备哪些素养？

（2）作为课程资源的开发者，教师应当具备哪些素养？

（3）作为学习共同体的参与者，教师应当具备哪些素养？

（4）信息化教学环境下的学生应当具备哪些素养？

# 1.2　信息技术及其在教育中应用的发展阶段

## 1.2.1　释义：什么是信息技术

信息技术是一个范围十分广泛的概念，人们对于信息技术有不同的理解，有关信息技术的定义有很多，说法也不尽一致。但是，广义地说，一切与信息处理有关的技术，都可称为信息技术。信息技术的目的是扩展人的信息器官的功能，也就是完成信息的获取、传输、加工与再生、使用等。人的信息器官分为感觉器官、传导神经、思维器官、效应器官等四类。就技术的本质意义而言，信息技术是指能够扩展人的信息器官功能的一类技术。人类器官的信息功能与各类信息技术的对应关系如表 1-1 所示。

表 1-1　人类器官的信息功能与各类信息技术的对应关系

| 人类器官 | 信息功能 | 信息技术 |
| --- | --- | --- |
| 感觉器官 | 信息获取 | 感知与测量技术 |
| 传导神经 | 信息传输 | 通信技术 |
| 思维器官 | 信息加工与再生 | 计算机与人工智能技术 |
| 效应器官 | 信息使用 | 控制与显示技术 |

本书中的信息技术主要指现代信息技术（计算机技术、通信技术、网络技术、人工智能技术、虚拟现实技术等），即利用计算机技术、通信技术等实现获取信息、传输信息、存储信息、处理信息、显示信息等的一系列相关技术。

一、信息获取：感知与测量技术

人体通过如眼、耳、鼻、舌、皮肤等感觉器官感知与测量信息。信息的感知与测量是信息获取的第一个环节，现代信息获取技术包括各种信息的感知、测量和采集技术。信息的感知由各种传感器完成，如对压力敏感的力传感器、对温度状态敏感的热传感器、对湿度敏感的湿度传感器、对光敏感的光敏传感器、对声音敏感的声音传感器等。传感器把不同类型的原始信息转换成便于观察和计量的能量形式（通常是把非电量转换成电量），然后通过测量技术对可用的输出信息进行计量。

信息的获取技术在教育中得到广泛的应用。常见的应用包括：①教学资源和素材的采集。②利用物联网技术构建智能化的教学环境，自动控制教室的照明及温度等。③获取学习者的状态信息，如通过可穿戴设备感知学习者的身体状态，通过音视频技术获取学习者的面部表情，通过脑电波测量感知学习者的专注度和放松度，通过定位系统在移动学习过程中获取学习者所处的空间位置等。④实验数据的获取。在数字信息系统（digital information system，DIS）中，通过传感器收集实验中的相关信息，如距离、位移、温度、电压、电流等相关物理量，将其转换为可处理的信号输入计算机，经过相关软件的分析处理后，以多种形式实时显示在计算机的屏幕上。

二、信息传输：通信技术

信息传输是指信息的发送、传播、接收。光纤通信、卫星通信、移动通信、数字通信等现代通信技术的应用，提升了信息传输的可靠性，扩展了信息传输的容量，拓宽了信息传输的范围，加快了信息传输的速度。

通信技术应用到教育中，突破了空间与时间的限制，极大地实现了优质教育资源的共享，拓展了学习者的交流空间，也使得移动学习和泛在学习成为可能。

三、信息加工与再生：计算机与人工智能技术

信息加工包括对信息的编码、压缩、加密等，在此基础上，形成一些新的、更深层次的决策信息就是信息的再生。

信息加工与再生技术给教育带来了巨大的改变。数字化教育资源的处理提升了教学信息的存储和传递效率；信息管理技术提高了教育管理的效率；大数据为教育决策提供了科学的依据；人工智能技术提升了教与学的效率，改善了教育资源分布不均衡、费用高昂等问题，同时为个性化学习提供了有力的技术支持。

四、信息使用：控制与显示技术

信息的控制与显示技术用于扩展人的效应器官，增强信息的控制力和表现力。多媒体技术与增强现实（augmented reality，AR）、虚拟现实（virtual reality，VR）等技术丰富了教学资源的表现形式，使学习情境的创设有更多可能性。

### 1.2.2　解读：信息技术在教育中应用的发展阶段

从 20 世纪 90 年代中期以来，经二十多年信息技术教育应用的理论和实践研究，信息技术教育应用的形式和内容都有了长足的发展。根据信息技术教育应用的不同程度和深度，我国的信息技术教育应用大致分为三个阶段：信息技术作为教师教学的辅助工具；信息技术提供教育资源与环境；信息技术与教育教学深度融合。

一、信息技术作为教师教学的辅助工具

在 20 世纪 90 年代中期，随着多媒体计算机技术的发展，各级各类学校逐渐配备了集合多媒体计算机、音视频设备等硬件装备的多媒体教室。在这个阶段，多媒体设备部分代替了原来的黑板、挂图、幻灯、投影等传统媒体，教师利用多媒体课件开发工具和相关的教学素材，根据教学需要编写多媒体课件，利用多媒体技术动态、直观地呈现教学信息，激发学生的学习兴趣，突破时空限制，变抽象为具象，实时更新教学内容，达到突破重难点、提升教学效率的效果。而以知识点为分类线索的积件（integrableware）的出现，也大大提高了课件制作的效率。

在此阶段，多媒体课件借助计算机综合处理文本、图形、音频、视频、动画

等多种媒体表现形式，改变了教学媒体的传播形式，但是教学还是以课堂讲授为主，教学过程和传统课堂教学一样，学生仍然是被动的接受者、知识灌输的对象。信息技术的引入，只是部分代替了幻灯、投影、黑板、挂图等传统媒体的教学功能，提升了教学效率，但是对教学方式并没有实质性的改变。

二、信息技术提供教育资源与环境

随着网络技术的发展，计算机逐渐进入家庭，信息技术不仅作为教师的教学工具，也成为学生的学习工具，为教学提供丰富的资源与环境。在这一阶段，信息技术在教学中的应用包括以下几个方面。

（1）信息技术辅助个别化学习

随着计算机软件技术的飞速发展，学生可以在课堂以外，利用个别化学习软件自定步调学习相关知识，也可以利用操练练习型软件和计算机辅助测验软件，在练习和测验中巩固、熟练所学的知识，相较于传统的作业与练习，这种方式能给学生提供即时的反馈，有助于学生及时发现自身学习上的不足，提高学生的学习积极性。在这种方式下，信息技术部分代替了教师的职能，减少了教师的工作量。

（2）多媒体网络教室的应用

在多媒体网络教室中，由教师机与学生机通过局域网相连，同时经由校园网连接到因特网中，教师机可通过相关的控制软件实现教学演示、视频广播、资源共享、对学生机的监控和组织集体讨论等教学功能。

相对于多媒体教室，多媒体网络教室为师生提供了更多的交互方式，师生可以通过软件平台实现资源共享，利用电子公告板、聊天室等工具组织讨论，教学形式更多样化，学生可以利用信息技术获得信息并对信息进行处理，在学习过程中参与度更高。

（3）基于因特网的远程教育

随着 21 世纪的到来，网络传输技术迅速发展，为基于因特网的远程教育提供了技术支持，《面向 21 世纪教育振兴行动计划》要求，实施"现代远程教育工程"，各大高校开始大力开发网络课程。网络课程的开设，使大学课堂走出了校园，实现了优质教学资源的共享。

在这一阶段的教学中，学生开始成为学习的主体，信息技术构建了学习的资源与环境，学生在拥有学习资源的基础上，可以利用信息技术处理学习相关信息，与学习伙伴或教师、专家交流，使学习突破了时间和空间的限制。

三、信息技术与教育教学深度融合

2012 年 3 月，教育部发布了《教育信息化十年发展规划(2011—2020 年)》，该文指出"推进信息技术与教学融合。建设智能化教学环境,提供优质数字教育资源和软件工具,利用信息技术开展启发式、探究式、讨论式、参与式教学,鼓励发展性评价,探索建立以学习者为中心的教学新模式,倡导网络校际协作学习,提高信息化教学水平。逐步普及专家引领的网络教研,提高教师网络学习的针对性和有效性,促进教师专业化发展"。

在这一阶段,信息技术不仅作为教学的资源和环境,而是在信息技术的支持下营造新型的教学环境,对传统课堂教学模式进行变革,实现基于问题的学习、基于项目的学习、探究学习、基于网络的协作学习、移动学习、泛在学习、创客与 STEAM 学习等新型教学模式,实现优质资源共享,在教育教学的每一个环节充分发挥信息技术的优势,形成"'课堂用、经常用、普遍用'的信息化教学新常态",达到培养信息时代的创新型人才的目的。

### 1.2.3 反思:对信息技术教育应用的理解和认识

学习了前面的内容,知道了什么是信息技术教育应用,在你的相关教与学的经历或见闻中,选择一个你印象最深刻的信息技术教育应用的例子,写在表 1-2 中。跟学习伙伴交流你们的经验。

表 1-2 信息技术教育应用的经历

| 教学主题 | 教学对象 | 教师 |
|---|---|---|
| 教学环境 | | |
| 教学过程 | | |
| 教学中教师的角色 | | |
| 教学中信息技术所起的作用? 其中你印象最深的是什么? | | |

# 1.3　信息技术教育应用对教师提出的要求

## 1.3.1　解读：中小学教师信息技术应用能力标准

为全面提升中小学教师的信息技术应用能力，促进信息技术与教育教学的深度融合，2013 年，《教育部关于实施全国中小学教师信息技术应用能力提升工程的意见》（简称《提升工程》）中明确提出："信息技术应用能力是信息化社会教师必备专业能力。"2014 年，教育部办公厅发布了《中小学教师信息技术应用能力标准（试行）》（简称《能力标准》）。《能力标准》根据我国中小学校信息技术实际条件的不同、师生信息技术应用情境的差异，对教师在教育教学和专业发展中应用信息技术提出了基本要求和发展性要求。其中，应用信息技术优化课堂教学的能力为基本要求，主要包括教师利用信息技术进行讲解、启发、示范、指导、评价等教学活动应具备的能力；应用信息技术转变学习方式的能力为发展性要求，主要针对教师在学生具备网络学习环境或相应设备的条件下，利用信息技术支持学生开展自主、合作、探究等学习活动所应具有的能力。《能力标准》根据教师教育教学工作与专业发展主线，将信息技术应用能力区分为技术素养、计划与准备、组织与管理、评估与诊断、学习与发展五个维度。其基本内容如表 1-3 所示。

表 1-3　《中小学教师信息技术应用能力标准（试行）》的基本内容

| 维度 | Ⅰ. 应用信息技术优化课堂教学 | Ⅱ. 应用信息技术转变学习方式 |
|---|---|---|
| 技术素养 | 1. 理解信息技术对改进课堂教学的作用，具有主动运用信息技术优化课堂教学的意识 | 1. 了解信息时代对人才培养的新要求，具有主动探索和运用信息技术变革学生学习方式的意识 |
| | 2. 了解多媒体教学环境的类型与功能，熟练操作常用设备 | 2. 掌握互联网、移动设备及其他新技术的常用操作，了解其对教育教学的支持作用 |
| | 3. 了解与教学相关的通用软件及学科软件的功能及特点，并能熟练应用 | 3. 探索使用支持学生自主、合作、探究学习的网络教学平台等技术资源 |
| | 4. 通过多种途径获取数字教育资源，掌握加工、制作和管理数字教育资源的工具与方法 | 4. 利用技术手段整合多方资源，实现学校、家庭、社会相连接，拓展学生的学习空间 |
| | 5. 具备信息道德与信息安全意识，能够以身示范 | 5. 帮助学生树立信息道德与信息安全意识，培养学生良好行为习惯 |
| 计划与准备 | 6. 依据课程标准、学习目标、学生特征和技术条件，选择适当的教学方法，找准运用信息技术解决教学问题的契合点 | 6. 依据课程标准、学习目标、学生特征和技术条件，选择适当的教学方法，确定运用信息技术培养学生综合能力的契合点 |
| | 7. 设计有效实现学习目标的信息化教学过程 | 7. 设计有助于学生进行自主、合作、探究学习的信息化教学过程与学习活动 |

续表

| 维度 | Ⅰ. 应用信息技术优化课堂教学 | Ⅱ. 应用信息技术转变学习方式 |
|---|---|---|
| 计划与准备 | 8. 根据教学需要，合理选择与使用技术资源 | 8. 合理选择与使用技术资源，为学生提供丰富的学习机会和个性化的学习体验 |
| | 9. 加工制作有效支持课堂教学的数字教育资源 | 9. 设计学习指导策略与方法，促进学生的合作、交流、探索、反思与创造 |
| | 10. 确保相关设备与技术资源在课堂教学环境中正常使用 | 10. 确保学生便捷、安全地访问网络和利用资源 |
| | 11. 预见信息技术应用过程中可能出现的问题，制订应对方案 | 11. 预见学生在信息化环境中进行自主、合作、探究学习可能遇到的问题，制订应对方案 |
| 组织与管理 | 12. 利用技术支持，改进教学方式，有效实施课堂教学 | 12. 利用技术支持，转变学习方式，有效开展学生自主、合作、探究学习 |
| | 13. 让每个学生平等地接触技术资源，激发学生学习兴趣，保持学生学习注意力 | 13. 让学生在集体、小组和个别学习中平等获得技术资源和参与学习活动的机会 |
| | 14. 在信息化教学过程中，观察和收集学生的课堂反馈，对教学行为进行有效调整 | 14. 有效使用技术工具收集学生学习反馈，对学习活动进行及时指导和适当干预 |
| | 15. 灵活处置课堂教学中因技术故障引发的意外状况 | 15. 灵活处置学生在信息化环境中开展学习活动发生的意外状况 |
| | 16. 鼓励学生参与教学过程，引导学生提升技术素养并发挥其技术优势 | 16. 支持学生积极探索使用新的技术资源，创造性地开展学习活动 |
| 评估与诊断 | 17. 根据学习目标科学设计并实施信息化教学评价方案 | 17. 根据学习目标科学设计并实施信息化教学评价方案，并合理选取或加工利用评价工具 |
| | 18. 尝试利用技术工具收集学生学习过程信息，并能整理与分析，发现教学问题，提出针对性的改进措施 | 18. 综合利用技术手段进行学情分析，为促进学生的个性化学习提供依据 |
| | 19. 尝试利用技术工具开展测验、练习等工作，提高评价工作效率 | 19. 引导学生利用评价工具开展自评与互评，做好过程性和终结性评价 |
| | 20. 尝试建立学生学习电子档案，为学生综合素质评价提供支持 | 20. 利用技术手段持续收集学生学习过程及结果的关键信息，建立学生学习电子档案，为学生综合素质评价提供支持 |
| 学习与发展 | 21. 理解信息技术对教师专业发展的作用，具备主动运用信息技术促进自我反思与发展的意识 | |
| | 22. 利用教师网络研修社区，积极参与技术支持的专业发展活动，养成网络学习的习惯，不断提升教育教学能力 | |
| | 23. 利用信息技术与专家和同行建立并保持业务联系，依托学习共同体，促进自身专业成长 | |
| | 24. 掌握专业发展所需的技术手段和方法，提升信息技术环境下的自主学习能力 | |
| | 25. 有效参与信息技术支持下的校本研修，实现学用结合 | |

　　《能力标准》对中小学教师的信息技术应用能力提出了基本要求和发展性要求，在简易多媒体和交互多媒体的教学环境中，由于学生不具备网络环境或相应设备，教师应用信息技术所做的主要工作是优化课堂教学。而在学生具备网络学习环境或相应设备的条件下，时空维度扩大，个性化体验、合作学习、探究学习的可能性大大提高，如果教师还只是应用信息技术来传递知识、提高教学效率，那则是新瓶老酒，浪费资源。祝智庭认为，中小学教师的信息技术应用能力是"中小学教师运用信息技术改进其工作效能、促进学生学习成效与能力发展，以及支持其自身持续发展的专业能力"。《能力标准》是规范与引领中小学教师在教育教学和专业发展中有效应用信息技术的准则，是各地开展信息技术应用能力培训、应用和测评等工作的基本依据[①]。

## 1.3.2　解读：师范生信息化教学能力标准

　　2018 年，教育部-中国移动"师范生信息化教学能力标准与培养模式实证研究"课题组发布了研究成果《师范生信息化教学能力标准》，以《中小学教师信息技术应用能力标准（试行）》为参考，以在职教师信息技术应用能力的发展性要求为逻辑起点，根据在职教师与在校师范生的差异重新分解能力维度，将师范生信息化教学能力标准分为基础技术素养、技术支持学习、技术支持教学三大维度。其中"基础技术素养"是每一位师范生和教师都必须具备的基础技能，包括意识态度、技术环境、信息责任三个维度；"技术支持学习"是 21 世纪人才所必须掌握的可迁移能力，包括自主学习、交流协作、研究创新三个维度；"技术支持教学"是师范生未来走向教育岗位所必需的职业技能，包括资源准备、过程设计、实践储备三个维度。针对每一个子维度，标准解读中又详细地说明了关注点、标准描述及绩效指标，将师范生的信息化教学能力标准非常清晰地呈现了出来。师范生信息化教学能力标准的具体内容如表 1-4 所示。

表 1-4　师范生信息化教学能力标准[②]

| 能力维度 | 一级指标 | 关注点 | 标准描述+绩效指标 |
|---|---|---|---|
| I 基础技术素养 | 1 意识态度 | 主动学习 | 理解信息技术对教与学的作用，具有主动学习信息技术的意识<br>→关注信息技术在教育教学中的应用与进展<br>→愿意与他人分享交流信息技术的应用经验和新发现 |
| | | 积极应用 | 具有主动探索和运用信息技术支持终身学习、促进自身发展的意识<br>→关注优质教育资源，并持续学习，促进自身发展<br>→有意识地借助信息技术手段随时随地学习 |

① 祝智庭，闫寒冰.《中小学教师信息技术应用能力标准(试行)》解读[J].电化教育研究，2015,36(09):5-10.
② 任友群，闫寒冰，李笑樱.《师范生信息化教学能力标准》解读[J].电化教育研究，2018,39(10):5-14，40.

续表

| 能力维度 | 一级指标 | 关注点 | 标准描述+绩效指标 |
|---|---|---|---|
| Ⅰ 基础技术素养 | 2 技术环境 | 设备操作 | 掌握信息化教学设备的常用操作，并能解决常见问题<br>→熟练操作信息化教学设备<br>→解决信息化教学设备应用中的常见问题 |
| | | 软件应用 | 熟练应用教与学相关的通用软件与学科软件<br>→熟练操作常见的通用软件<br>→熟练操作适用于本专业教与学的常用软件 |
| | | 平台使用 | 熟练应用网络学习平台与社会性软件<br>→熟练应用常见社会性软件<br>→熟练应用常见网络存储工具<br>→熟练应用常见网络学习平台（如专题学习网站、Moodle、Sakai 等） |
| | 3 信息责任 | 规范自律 | 将信息安全常识应用到日常情境之中，并能自觉遵循法律和伦理道德规范<br>→具备信息安全意识，了解信息技术应用中的安全隐患和恰当的处置方法<br>→尊重知识产权，在自己的成果中，总能明确地、规范地注明所引用材料的出处<br>→甄别网络信息，不非法获取他人信息，不传播虚假、暴力等不良信息 |
| | | 影响他人 | 倡导人们安全、合法与负责任地使用信息与技术，以身示范，积极影响他人<br>→在他人的行为有违信息道德或信息安全时，能及时善意地提醒<br>→在网络环境中，能够积极引导交流倾向，营造健康、文明的社交环境 |
| Ⅱ 技术支持学习 | 1 自主学习 | 获取资源 | 在信息化环境下，主动获取有价值的资源，拓宽教育教学的专业视野<br>→针对学习需要，甄别并获取所需资源<br>→追踪专业发展前沿，积累拓宽专业视野的关键线索(如本专业的关键人物、关键会议、关键社区、关键期刊等) |
| | | 过程管理 | 利用信息技术支持目标管理、时间管理、信息管理等，提高自主学习的质量与效率<br>→在学习或任务完成过程中，规避或排除无关信息或交流的干扰<br>→利用信息技术工具（如时间管理、信息管理的小软件）加强自律<br>→利用技术工具(如云笔记、电子档案，以及其他有助于知识管理的工具)规划并记录学习过程，存储学习成果 |
| | | 自我反思 | 有意识地规划与记录自己的学习路径与学习结果，养成自我反思习惯，促进自我成长<br>→常态性地利用技术工具（如博客、云笔记、电子档案，以及其他有助于知识管理的工具）规划并记录学习产品、过程性数据或学习反思等信息<br>→有自我反思习惯，能够理性分析自己的学习和生活状态，发现潜力与问题，并相应调整个人发展规划 |
| | 2 交流协作 | 人际交流 | 理解和尊重不同观点，主动运用信息技术与同伴、教师、专家等有效沟通与分享<br>→在信息化环境中，能够包容理解他人观点，顺畅交流分享<br>→利用信息技术主动与同伴、教师、专家等有效沟通 |
| | | 有效协作 | 针对具体的学习任务与真实问题，能够在信息化环境中与他人有效协作<br>→与相关参与者共同约定清晰的协作规则（如各自责任、交流时间、应用工具、协作策略等）<br>→自觉遵守协作规则，并运用信息技术工具促进有效协作<br>→利用技术工具开展互评，提升协作效果 |

续表

| 能力维度 | 一级指标 | 关注点 | 标准描述+绩效指标 |
|---|---|---|---|
| Ⅱ 技术支持学习 | 3 研究创新 | 批判思维 | 运用批判性思维与恰当的技术工具，发现并分析学习和生活中的问题<br>→在信息化环境下，有选择地接收来源多元的知识和经验，运用思维工具发现有价值的问题<br>→敢于质疑已有的理论或观点，能够借助技术工具对事物进行理性全面的分析 |
| | | 数据意识 | 善于搜集和分析数据，解释结果，作出合理判断，形成解决问题的方案<br>→利用信息技术工具（如在线问卷系统、调查系统）收集数据<br>→针对具体问题，合理运用数据处理软件对数据进行处理和分析<br>→根据数据分析的结果，做出合理的判断、总结、预测 |
| | | 创新能力 | 运用信息技术工具建构知识、激发思想、设计与开发原创性作品，创造性地解决问题<br>→结合具体的信息化环境，创造性地设计解决方案<br>→根据项目需要，利用技术工具设计与制作高质量的原创作品（如海报、宣传视频、数字故事、立体模型等） |
| Ⅲ 技术支持教学 | 1 资源准备 | 设计制作 | 掌握加工、制作多种形式数字教育资源的工具和方法，并能根据预设教学情境，科学合理地设计和制作数字教育资源<br>→在制作数字教育资源前，能够从有效支持教学的角度审慎设计<br>→通过多种途径获取优质素材<br>→利用恰当的软件工具对素材进行编辑和加工 |
| | | 评估优化 | 结合具体应用情境，科学评估数字教育资源的优劣，并提出改进策略<br>→按照一定的标准，判断数字教育资源的优劣<br>→对已有的数字教育资源提出针对性的改进建议 |
| | | 资源管理 | 具有资源建设的整体意识，能够合理规划与管理数字教育资源<br>→有意识地规划和丰富个人数字教育资源库<br>→根据备份、分享、协作的需要，合理选用技术工具管理数字教育资源 |
| | | 资源整合 | 合理选择与整合技术资源，为学习者提供丰富的学习机会和个性化学习体验<br>→知道不同类型的技术资源（包括学习网站、APP 等）在为学生提供学习机会和学习体验方面的作用<br>→针对学习者的个性化学习需要合理选择与整合技术资源 |
| | 2 过程设计 | 模式理解 | 理解常用教学模式的原则与方法，明确信息技术在不同模式中的应用优势<br>→知道常用的信息化教学模式（如基于项目的学习、基于资源的学习、WebQuest、MiniQuest、混合学习等）<br>→理解不同教学模式的应用场景与作用 |
| | | 模式应用 | 根据预设的信息化教学情境，合理选用教学模式完成过程设计<br>→依据课程标准、学习目标、教学内容等条件，合理选用信息化教学模式<br>→知道如何运用技术资源支持不同环节的教学 |
| | | 活动设计 | 科学设计可促进学习者自主、合作、探究的多样化学习活动与指导策略<br>→理解信息技术在自主、合作、探究学习等方面的积极作用<br>→在进行信息化教学设计时，会考虑到学习者可能的不同（如水平、风格等）并提供针对性的学习建议<br>→能够为学习者的自主、合作、探究活动提供有价值的支持工具（如学习指南、学习流程图、思考模板等） |

| 能力维度 | 一级指标 | 关注点 | 标准描述+绩效指标 |
|---|---|---|---|
| | 2 过程设计 | 评价设计 | 科学设计信息化教学评价方案，并合理选择、改造、应用信息化教学评价工具<br>→举例说明过程性评价的理念、原则与方法<br>→依据课程标准、学习目标、学生特征和技术条件，设计能够兼顾过程性与个性化的评价方案<br>→根据要评价的内容或过程，合理选择、改造或开发适宜的评价工具（如评价量规、观察记录表、问卷等） |
| Ⅲ 技术支持教学 | | 组织实施 | 了解信息化教学环境中的教学实施策略，理解教学干预的基本原则和方法<br>→了解信息化教学环境中的提问、鼓励、助学、监控、管理等教学干预的原则与方法，并在真实或模拟的教学情境中尝试使用<br>→在观课时，能够对教学者的教学干预及其效果进行客观合理的分析 |
| | 3 实践储备 | 分析改进 | 能够有效利用技术跟踪并分析学习过程，提出针对性改进措施<br>→掌握常用的课堂教学（包括现场与实录）分析方法<br>→在他人（如带课教师）的教学过程中有针对性地观察并利用技术手段收集过程性数据<br>→在对他人的课堂进行分析时，能够依据所收集的数据提出自己的见解和改进措施 |
| | | 实践体验 | 在真实或模拟的教学情境中，合理运用信息技术支持教学实践<br>→在真实或模拟的信息化教学情境中，能够流畅地衔接各个教学环节<br>→在指导学生利用信息技术学习的过程中，能够针对出现的常见问题给予及时有效的指导 |

师范生作为教师的储备力量，其能力培养必须与在职教师的能力要求相衔接。《师范生信息化教学能力标准》充分考虑了师范生的双重角色，即学生角色和未来教师角色。①学生角色：师范生首先是一名学生，其未来"教"的能力是可以部分从"学"的能力迁移而得的。因此，他们首先要学会利用信息技术支持自身学习，促进个人全面发展。这部分能力将成为其日后运用信息技术促进和引导学生学习的重要基础，迁移至职业情境。②未来教师角色：师范生作为未来的教师，应该掌握教师工作必备的信息化教学能力。这部分能力与在职教师能力要求相衔接，又有所区别。

### 1.3.3　反思：信息技术教育应用对教师信息化教学能力提出的要求

1. 对比本节中提到的信息化教学能力标准，你认为你在哪些方面存在不足？

_____

_____

_____

_____

2. 你准备如何提高自己的信息化教学能力水平？

_____

_____

_____

_____

_____

【练习与思考】

  1. 教育信息化给教育教学带来了哪些变化？信息技术在教育中的应用经过了哪几个发展阶段？

  2. 当前信息技术在教育应用中的热点问题有哪些？寻求互联网或专家的帮助，然后就查询结果和同伴进行交流。

  3. 信息技术教育应用对教师提出了新的要求，作为一名准教师，你认为自己还有哪些方面需要提高？

【研究实践】

  教育信息化是国家信息化的主要组成部分，教育信息化肩负着信息时代人才培养的重要使命。教育信息化也是实现我国教育现代化的重要途径。信息技术教育应用的目标是培养信息时代的创新型人才。以小组为单位，对以下内容进行研究：

  1. 教育信息化的历史演进过程。

  2. 教育信息化对于教育改革的促进作用。

  3. 我国教育信息化的现状和存在的问题。

  4. 教育信息化未来的发展趋势。

# 第 2 章　信息技术教育应用的理论基础

　　信息技术教育应用是在先进的教育思想、教学理论的指导下进行的。学习理论从心理学角度告诉我们学习是如何发生的，教学理论依据学习理论成果为如何进行教学提供了有益的建议。学习理论、教学理论、教学设计理论共同为信息技术教育应用奠定了坚实的理论基础。本章主要探讨学习理论、教学理论等对信息技术教育应用的启发和指导作用。

## 【知识地图】

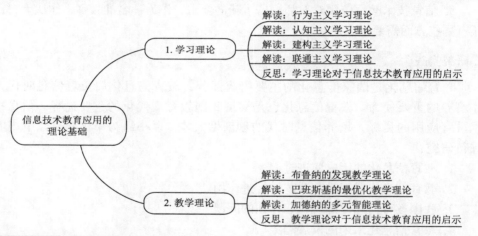

## 【学习目标】

　　本章围绕信息技术教育应用的理论基础展开讨论，涉及学习理论、教学理论等。通过本章学习，学习者应达到如下学习目标。

　　1）理解行为主义、认知主义、建构主义、联通主义学习理论的主要观点。

　　2）知道几种教学理论的主要内容以及对于教学的启示。

　　3）能够说出不同的学习理论、教学理论对于信息技术教育应用的指导作用。

## 【学习导航】

　　本章的学习内容是信息技术教育应用的理论基础。因此，对于本章的学习，你可以通过：

　　1）阅读有关理论的代表人物的论著，了解相关理论的基本观点。

2）对实际应用案例进行分析，理解这些理论对信息技术教育应用的指导意义。

3）分析相关的教学设计实例，进一步理解信息技术教育应用的理论基础。

# 2.1　学　习　理　论

学习理论自产生之日起便深刻地影响着教学实践。学习理论是关于学习的本质、学习的过程、学习的机制、学习的条件及影响因素等方面的知识。由于学习本身的复杂性，特别是学习活动中发生在学习者内部的变化过程并不能被直接观察到，人们便从各自的观点立场出发，阐述对学习的认识，形成了不同的学习理论。学习理论主要回答以下三个方面的问题：

1）学习的本质是什么？即学习的结果到底使学习者形成了什么？学习者改变的是外部的行为操作还是内部的心理结构？

2）学习是一个什么样的过程？怎样才能达到预期的学习结果？

3）学习有哪些规律和条件？如何才能有效地学习？

## 2.1.1　解读：行为主义学习理论

行为主义学习理论产生于 20 世纪 20 年代的美国，其主要代表人物有桑代克、华生、斯金纳等。在行为主义学习理论这一流派中虽然有不同的研究框架和对学习的解释，但都有一个重要的共同特征：认为学习是"刺激—反应"之间的联结。把外在的环境看作刺激，把伴随而来的有机体行为看作反应。因而，这些学说关注的是环境在个体学习中的重要性。学习者学到什么不是由学习者个体决定的，而是取决于环境。学习者行为的产生主要是他们对环境刺激做出的反应，所有行为都是习得的。行为主义学者并不否认心的存在，但却认为心是无法被直接观察和测量的，因而无法对心进行科学研究和探讨。所以，把研究的对象转向心理活动的外在表现"行为"上，认为心理学是一门研究行为的科学。故人们将这类派别的理论称为行为主义学习理论。

其中斯金纳的操作行为主义及程序教学为计算机如何应用于教学提供了重要的指导。斯金纳认为，学习是在有效的强化程序中不断巩固"刺激—反应"之间的联结，塑造有机体行为的过程。他在华生提出的刺激—反应的基础上指出了强化的作用，把"刺激—反应"公式发展为"刺激—反应—强化"。这一理论在实际应用中影响最大的就是程序教学，斯金纳开发了一台能够帮助教师为每个学生安排有效的程序学习的教学机器。他把教学内容分解为一系列小的教学单元，并将课程编制成一系列问题框面，学生如果正确回答了前一个框面的问题，就可以前进到下一个框面学习。程序教学遵循以下基本原则：①小步子原则。即把学习内容按其内在逻辑关系分解为多个细小的单元，学生的学习由易到难，循序渐进地进行。②积极反应原则。对每一个学习问题都给学生提供反应的机会，学生自己动手、动脑，完成学习过程。③及时强化原则。学生做出反应后，教师即给予"及时确认"或"及时强化"，以提高学生的信心。④自定步调原则。让学生根据自身情况控制学习进度，强调个别化学习。⑤低错误率原则。教学中由浅入深，避免学生出现错误的反应，提高学习效率。

行为主义学习理论除了在技能训练、作业操练、行为矫正中有明显的作用，对信息技术教育应用的教学实践也有实际意义：①在任务驱动教学时可参照小步子原则将任务细化；②在教学设计时应考虑不同水平的学生，提供个性化的学习资源；③在学生学习过程中给予鼓励和支持，并给出及时反馈，促使学生在学习过程中得到积极的强化。

行为主义学习理论强调客观环境因素对学习者的影响，行为主义学者认为学习是刺激与反应的联结，有什么样的刺激，就会有什么样的反应；学习过程是一种渐进的过程，认识事物要由部分到整体；强化是学习成功的关键，学习应重知识、重技能、重外部行为的研究。

行为主义学习理论启示我们：学习者要想获得有效的学习效果，就必须及时被适当地"强化"，为了实现这种强化，最好的办法是让学生知道自己的学习效果，使正确的学习行为得到肯定，错误的学习行为得到纠正。它在指导对错误行为的矫正和正确行为的建立等方面有着重要作用，为早期的教学设计奠定了理论基础。但是，行为主义学习理论是基于动物试验提出的，因而有较浓的生物性色彩。

### 2.1.2 解读：认知主义学习理论

20 世纪 60 年代起，认知主义学习理论占据了主导地位。认知主义学习理论发端于格式塔心理学，具有代表性的有加涅的信息加工理论、布鲁纳的认知结构说、奥苏贝尔的认知同化论、班杜拉的社会学习理论等。

#### 一、加涅的信息加工理论

美国教育心理学家加涅根据信息加工理论提出了学习过程的基本模式，认为学习过程就是一个信息加工的过程，其信息加工模式如图 2-1 所示。

感受器受到来自外部环境的刺激后，将其输入感觉登记器，输入的信息在这里保留非常短的时间，然后进入短时记忆区，大约可持续 30 秒。然后将信息编码以便存储，并转移到长时记忆区。长时记忆区被假设为永久的储存仓库。若学习时需要部分回忆先前习得的某些事物，就要从长时记忆区中进行检索，重新回到

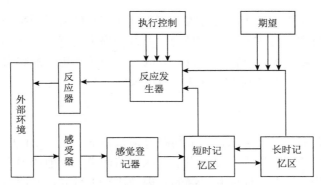

图 2-1　学习和记忆的信息加工模式图

短时记忆区中。在短时记忆区的信息或从长时记忆区中被恢复的信息就到达反应发生器，反应发生器把指令转换成行动，即激起反应器的活动，作用于外部环境。

在加涅看来，学习过程依次可以分为以下八个阶段。

（1）动机阶段

一定的学习情境成为学习行为的诱因，激发个体的学习活动，在这个阶段要引发学生对达到学习目标的心理预期。

（2）领会阶段

也称了解阶段，在这个阶段中，教学的措施要引起学生的注意，提供刺激，引导注意，使刺激情境的具体特点能被学生有选择地知觉到。

（3）获得阶段

这个阶段起着编码的作用，即对选择的信息进行加工，将短时记忆转化为长时记忆的持久状态。

（4）保持阶段

获得的信息经过复述、强化之后，以一定的形式（表象或概念）在长时记忆区中永久地保存下去。

（5）回忆阶段

这一阶段为检索过程，也就是寻找储存的知识，使其复活的过程。

（6）概括阶段

把已经获得的知识和技能应用于新的情境之中，这一阶段涉及学习的迁移问题。

（7）操作阶段

在此阶段，教学的大部分是提供应用知识的时机，使学生显示出学习的效果，并且同时为下阶段的反馈做好准备。

（8）反馈阶段

学习者因完成了新的作业并意识到自己已达到了预期目标，从而使学习动机得到强化。

加涅强调，学生的整个学习过程一直受到外部条件的强烈影响。对于教师来说，了解和研究学习过程的目的就是为学习过程提供支持，使外部条件能在学习过程中始终与学习者的内部活动进行必要的、恰当的和正确的联系，从而对学习者产生积极的影响，使其获得满意的学习结果。

## 二、布鲁纳的认知结构说

美国最有影响的认知学派代表人物布鲁纳认为学习是一个认知过程，是学生主动地形成认知结构的过程，并提出了"认知结构说"。他认为人的认识活动是通过按照一定阶段的顺序形成和发展的心理结构来进行的。所谓心理结构，就是指学习者知觉和概括自然、社会和人类社会的方式。认知结构是这些方式的符号表征系统。个体在自身的心理结构的影响下，与客观环境相互作用的过程中，不断地修正自己的心理结构，反过来又影响未来与环境的相互作用。当新的经验改变了学习者现有的心理结构时，学习就发生了。其主要观点如下。

（1）学习的实质是主动地形成认知结构

布鲁纳认为，学习的本质不是被动地形成"刺激—反应"的联结，而是主动地形成认知结构。学习者不是被动地接受知识，而是主动地获取知识，并通过把新获得的知识和已有的认知结构联系起来，积极地建构其知识体系。

（2）学习包括获得、转化和评价三个过程

布鲁纳认为，学习活动首先是新知识的获得。新知识可能是以前知识的精炼，也可能与原有知识相违背。获得了新知识以后，还要对它进行转化：我们可以超越给定的信息，运用各种方法将它变成另外的形式，以适合新任务，并获得更多的知识。评价是对知识转化的一种检查，通过评价可以核对我们处理知识的方法是否适合新的任务，或者运用得是否正确。

布鲁纳的认知结构说强调学习的主动性，强调已有的认知结构、学习内容的结构、学生独立思考等的重要作用，对培养具有创新能力的人才具有积极的意义。

## 三、奥苏贝尔的认知同化论

奥苏贝尔与布鲁纳一样，同属认知结构论者，他认为"学习是认知结构的重组"，着重研究了课堂教学的规律。奥苏贝尔既重视原有认知结构（知识经验系统）的作用，又强调关心学习材料本身的内在逻辑关系。奥苏贝尔认为学习变化的实质在于新旧知识在学习者头脑中的相互作用，那些新的有内在逻辑关系的学习材料与学生原有的认知结构发生关系，进行同化和改组，在学习头脑中产生新的意义。奥苏贝尔的认知同化论的主要观点包括以下两个方面。

（1）有意义学习的过程是新的意义被同化的过程

奥苏贝尔的学习理论将认知方面的学习分为机械学习与有意义学习两大

类。机械学习的实质是形成文字符号的表面联系，学生不理解文字符号的实质，其心理过程是联想。有意义学习的实质是个体获得有逻辑意义的文字符号的意义，是以符号为代表的新观念与学生认知结构中原有的观念建立实质性的而非人为的联系。

（2）同化可以通过接受学习的方式进行

接受学习是指学习的主要内容基本上是以定论的形式被学生接受的。对学生来讲，接受学习不包括任何发现，只要求学生把教学内容加以内化（即把它结合进自己的认知结构之内），以便将来能够再现或利用。接受学习是有意义的学习，也是积极主动的，与"师讲生听"的"满堂灌"教学有质的不同。学生在学校学习的主要任务之一是接受系统知识，要在短时间内获得大量的系统的知识，并能得到巩固，主要靠接受学习。

四、班杜拉的社会学习理论

美国的心理学家班杜拉抛弃了激进行为主义认为的人类是由外界刺激来塑造的被动接受者的观点，而是在传统的行为主义学习理论中加入认知成分，形成了自己的社会学习理论。社会学习理论探讨个人的认知、行为与环境因素三者及其交互作用对人类行为的影响。它着眼于观察学习和自我调节在引发人的行为中的作用，重视人的行为和环境的相互作用。社会学习理论主要包括：交互决定论、观察学习以及自我效能。

（1）交互决定论

交互决定论把行为、个体和环境看作相互影响地联结在一起的一个系统。环境可以决定哪些潜在的行为倾向成为实际行为，行为也可以决定哪些环境成为实际影响行为的环境。个人对行为结果的期待影响着他的行为表现方式及程度，而行为结果又反过来改变着他的期待。人可以通过自己的性格、气质上的特征激活不同的社会环境反应，不同的社会环境反应反过来又影响个体的认知，从而导致行为或行为倾向。三者是相互依赖、相互决定的。

（2）观察学习

班杜拉发现，人们不仅通过直接经验产生学习，而且还可以通过观察所获得的间接经验引发学习，后一种学习在社会行为的习得中更为常见，班杜拉称之为观察学习。观察学习也叫替代学习，是指人们通过观察他人的行为获得示范行为的符号表征，并以此作为以后适当行为表现的指南。从动作的模拟到语言的掌握，从态度的习得到人格的形成，都可以通过观察来完成，是受注意、保持、动作再现以及动机等心理过程支配的。

（3）自我效能

自我效能指的是个体对自己能否在一定水平上完成某一活动所具有的能力判

断、信念或者主体自我把握与感受。虽然行为是由外部环境和内部认知共同决定的，但是认知却起着主导作用，这种认知因素的核心成分就是自我效能。自我效能感强的人能对新的问题产生兴趣并全力投入其中，能不断努力去战胜困难，而且在这个过程中自我效能也将不断得到强化与提高。相反，自我效能感差的人总是怀疑自己，遇到困难时一味地畏缩和逃避。

　　班杜拉的社会学习理论区分了两种不同性质的学习，使教师在教学过程中能够有选择地运用学习规律和教学规律。此外，在教学中，教师应注意提高学生的自我效能感。

　　认知主义的学习理论探讨学习的角度正好与行为主义相反。行为主义强调客观环境给个体带来的刺激，导致个体的反应，从而产生行为，但忽视个体所拥有的内在的心理结构的作用。认知主义的学习理论则认为学习是个体作用于环境而不是环境引起个体的行为，环境只是提供潜在的刺激，至于这些刺激是否受到注意或被加工，取决于学习者内部的心理结构。客观环境中潜在的刺激是多种多样的，并时时刻刻存在，但个体对这些刺激未必都会产生反应，其原因就是个体根据自己内部的认知结构对外在刺激进行选择和加工，赋予其特定的意义。因而，个体的心理结构和认知结构在学习活动中发挥着举足轻重的作用。

### 2.1.3　解读：建构主义学习理论

　　建构主义学习理论的起源可追溯至皮亚杰的儿童思维发展理论，后经科尔伯格（Kernberg）、斯滕伯格、斯皮罗（Spiro）等人的研究而得到进一步完善、发展。在有关建构主义理论的研究中，虽然各有侧重，但对于学习的基本解释比较一致。

　　行为主义看重客观因素——分析人类外在的行为，而不考虑人类内在的意识活动。认知理论虽看重客观因素，认为世界是由客观实体及其特征、客观事物之间的关系所构成的，但该理论还强调人的内部认知结构，认为学习就是将客观事物的外在关系（结构）内化为学习者自己内在的认知结构。建构主义则认为：世界是客观存在的，但是对世界的理解和赋予意义却由每个人自己决定，是由每个人根据自己的经验来建构和解释的。由于个人的经验是多种多样的或有差异的，因而对客观世界的解释或"建构"亦多样化。可见，建构主义理论不否认客观因素的存在，但与行为主义和认知主义相比，它更偏重主观内在的东西，更倾向于学习者主观认知在建构知识中的作用。建构主义在知识观、学习观和教学观等方面提出了一系列解释，对当前的教学改革具有重要的启发意义。

　　一、建构主义的知识观

　　建构主义在一定程度上，对知识的客观性和确定性提出了质疑。建构主义者

（特别是其中的激进者）一般强调，知识并不是对现实的准确表征，而只是一种解释、一种假设，它并不是问题的最终答案，相反，它会随着人类的进步而不断地被"革命"掉，并随之出现新的假设；而且，知识并不能精确地概括出世界的法则，在具体问题中，我们并不是拿来就用，一用就灵，而是需要针对具体情境进行再创造。因此，老师并不是知识的"权威"，课本也不是解释现实的"模板"。另外，建构主义者认为，知识不可能以实体的形式存在于具体的个体之外，尽管我们通过语言符号赋予知识一定的外在形式，甚至这些命题还得到了较普遍的认可，但这并不意味着学习者会对这些命题有同样的理解，因为这些理解只能由个体学习者基于自己的经验背景而建构起来，这取决于特定情境下的学习历程。

二、建构主义的学习观

学习不仅仅是简单的知识由外到内的转移和传递，而是学习者主动建构的过程。因为学习者并不是空着脑袋走进教室的，在日常生活和学习中学习者已形成了丰富的经验。同时学习不是由教师向学生传递知识的过程，而是学生建构自己的知识的过程。学习者不是被动的知识吸收者，他要主动构建信息的意义。

建构主义提倡在教师指导下的以学习者为中心的学习，也就是说，既强调学习者的认知主体作用，又不忽视教师的主导作用。教师是意义建构的帮助者、促进者，而不是知识的提供者与灌输者。学生是信息加工的主体，是意义的主动建构者，而不是知识的被动接受者和灌输的对象。

三、建构主义的教学观

从建构主义学习观引申出来的教学原则强调教学不单单是把知识经验装到学生的头脑中，而是要通过激发和挑战其原有的知识经验，提供有效的引导、支持和环境，帮助学生在原有知识的基础上建构起新的知识经验。不同于基于行为主义和认知主义学习理论的教学，基于建构主义学习理论的教学具有以下特点：

1）设计真实的、复杂的任务或问题。

2）提供方法的引导和支持。

3）创设开放的、内容丰富的、挑战性的学习环境。

4）创建互动、合作的学习共同体。

5）强调整体性教学。

建构主义的教学方法尽管有多种不同的形式，但是又有其共性，即它们的教学环节中都包含情境创设、协作学习，在协作、讨论过程中当然还包含"会话"，并在此基础上由学习者自身最终完成对所学知识的意义建构。

建构主义认为，知识不是通过教师传授得到的，而是学习者在一定的情景即社会文化背景下，借助其他人（包括教师和学习伙伴），利用必要的学习资料，通过意义建构的方式而获得的。由于学习是在一定情景即社会文化背景下，借助其他人即通过人与人之间的协作活动而实现的意义建构过程，因此建构主义学习理论认为"情景"、"协作"、"会话"和"意义建构"是学习环境中的四大要素或四大属性。

综上所述，建构主义学习理论对学习和教学进行了新的解释，强调知识的动态性，强调学生经验世界的丰富性和差异性，强调学习的主动建构性、社会互动性和情境性。学生是自己知识的建构者，教学需要创设理想的学习环境，促进学生的自主建构活动。

### 2.1.4　解读：联通主义学习理论

联通主义学习理论诞生于互联网时代，由加拿大学者乔治·西门思(George Siemens)于 2005 年提出，他认为知识可以出自并存在于网络中，学习是把能用于解决现实问题的信息、关系和资源组成学习网络的过程。这一理论假设的情境是，无处不在的网络不仅连接个人与个人，而且连接设备与资源。联通主义学习理论的 8 条核心原则如下。

（1）学习和知识存在于观点的多样化中，这种多样化不仅来源于教师，也来源于学习者在网络学习中留下的痕迹。

（2）学习是与特定的节点或信息资源联结的过程。

（3）学习可能存在于物化的应用中。

（4）学习能力比掌握已知的知识更重要。

（5）为了促进持续学习，培养和维护联结有其必要性。

（6）发现领域、观点和概念之间关系的能力是一种核心能力。

（7）学习的目的是实现知识的流通。

（8）决策本身是学习过程。环境是变化的，学习者要根据环境的改变选择学习内容并判断所获信息的意义。

联通主义学习理论用于指导开放网络课程，这种课程具有以下特征：网络是交互与学习的中心；学习者有自己的交互空间，学习者自主决定如何参与、采用何种技术建立学习空间和分享或生成学习内容；课程由参与者共同开发，注重生成性资源，课程的初始结构与传统课程类似，学习者在学习过程中分享学习资源或发表自己的观点，课程内容也随之进化。

联通主义学习理论认为，教师是课程的促进者，其作用不是控制课堂，而是影响或塑造网络。学习者要求具备较高的信息素养，强调学习者的自主性，在学习过程中，学习者通过创造内容与他人连通。

联通主义学习理论虽然有待发展和完善，但是在知识大爆炸的时代，这种诞生于互联网时代的学习理论对于去中心化、知识碎片化的网络学习实践具有一定的指导意义。

这里我们主要介绍了行为主义、认知主义、建构主义、联通主义学习理论的主要观点。在教学和学习层面上，每一种学习理论都有其特定的准确性，但是，一旦推广到实践中，却没有一种学习理论显现出普遍的合理性，即无论哪一种学习理论都不能涵盖其他的理论而成为唯一的指导理论。因此，在信息技术教育应用实践中应该兼顾各种学习理论的合理成分，根据教学对象、教学内容及教学环境等灵活运用这些学习理论。

### 2.1.5　反思：学习理论对于信息技术教育应用的启示

学习完本节内容后，我认为学习理论对于信息技术教育应用的启示是：

_____

_____

_____

_____

_____

## 2.2　教　学　理　论

### 2.2.1　解读：布鲁纳的发现教学理论

上一节我们讨论了布鲁纳的认知结构说，他强调学习者的心智发展是遵循自己特有的认知程序的，在教学过程中，学生是一个积极的探究者，教师的作用是要形成一种学生能够独立探究的情境，而不是提供现成的知识。由此，他提倡在教学中采用发现学习的方法。其主要观点包括以下几个方面。

（1）教学的目的在于理解学科的基本结构

由于布鲁纳强调学习的主动性和认知结构的重要性，所以他主张教学的最终目标是促进学生对学科结构的一般理解，最佳的知识结构是由概括了的基本思想或基本原理构成的。教学的任务就是把所教知识转化成最易被学生理解的形式，通过学生的编码系统概括地接受这些知识。

（2）提倡发现学习

他认为，教学过程中学生不是被动地、消极地接受知识，而是主动地、积极地参与建立学科知识体系的过程。学生在学习过程中通过独立思考、提出假设、进行验证，自己发现要学习的概念、原则等。

（3）"螺旋式课程"的设计

这种设计就是把重要的基础知识转化成不同年龄阶段的学生所能理解和接受的形式，去教给那些具有不同认知水平的不同年龄阶段的学生，使学生的认识不断深化，认知能力不断提高。

（4）强调学生的主动学习

教学的内容要与学生的求知欲望相关联，教师要善于把所教的知识转换成与学生的内在需求有关联的知识，变被动的教学过程为主动的学习过程。

（5）强调内在动机

他认为成功与失败存在于学习过程本身，属于内在动机，而奖励和惩罚则属于外在动机。内在动机足以保证学习或工作的动力需要，如果这时再给予奖励或惩罚往往会产生消极作用。

布鲁纳的教学思想体现了知识的获得和能力的培养同步进行的思想，在教学过程中应当鼓励学生充满自信地去进行发现式学习，使学生在学习过程中产生有价值的"顿悟"。为此在教学中必须激发学生不仅把新知识和已有的知识联系起来，而且通过问题的解决，着手探索问题情境，提升创新能力。这对信息技术教育应用有重要的指导意义。

### 2.2.2　解读：巴班斯基的最优化教学理论

巴班斯基是苏联当代很有影响的教育家、教学论专家，毕生致力于教育科学研究。教学过程最优化是巴班斯基教育思想的核心。

一、教学过程最优化的基本观点

巴班斯基从辩证的系统结构论出发，把构成教学的所有成分、师生活动等一切内外部条件，看成一个整体，用系统论的方法，通过教学过程最优化体现出发展性教学的最优效果。他认为：在现代学校中，教学过程最优化被理解为这样一种教学方法，它能使教师和学生在具体条件制约下获得最好的效果。最优化不是绝对的，是相对一定条件而言的，因此，教学最优化教学理论充分体现了辩证法的灵魂——对具体事物进行具体分析。

二、教学过程最优化的基本标准和原则

巴班斯基认为，判断教学过程达到最优有两个基本标准：一是效果与质量的标准，即在具体限制条件下每个学生获得最大限度的发展；二是时间标准，即教师和学生都遵守规定的课堂教学和家庭作业的时间定额。

为达到这两个基本标准，巴班斯基提出了教学的十大原则。

（1）教学的目的性原则

教学的目的在于促使学生个性全面而和谐的发展，也就是综合解决学生的教养、教育、发展三项任务。教养任务是使学生掌握相关学科的基础知识和技能，提升学习能力；教育任务则是把学生的德、智、体、美、劳紧密结合起来，使其得到综合发展；发展任务是促进学生心理和生理方面的发展。

（2）教学的科学性及与生活实践相联系的原则

科学性原则是指要培养学生的科学研究能力，为此，提倡在教学中运用问题研究法，开展科学实验，联系实际，把科学思想用于生活和生产实践中，形成科学的世界观。

（3）教学的系统性、连贯性原则

要求有系统地、按一定顺序呈现知识、技能和技巧，要求教材的各部分有逻辑上的联系，合理地安排先修知识与后续内容之间的顺序。

（4）可接受性原则

把教学建立在学生现实的脑力潜能水平上，根据学生智力发展的最近水平来确定课堂教学的内容、方式、方法，避免学生承受有损于身心健康的负担。

（5）激发学生认识兴趣和知识需求的原则

在教学中通过引用事例、组织探索活动、讨论等方式，让学生亲自克服认识领域的困难，这是激发学生的兴趣动机的最有效的办法。除此之外，还应注意培养学生对学习的义务感与责任心。

（6）积极性、自觉性、独立性原则

教师在教学过程中采用谈话法和设置问题情景等多样化的教学方法，激发学生的学习积极性、自觉性和独立性。

（7）各种教学方法最优结合的原则

各种教学方法和方式包括直观、实践、语言、复现、探索、归纳、演绎、老师讲授与学生独立作业、教师检查与学生自我检查等。教师在教学过程中应根据具体的教学任务选择以某种教学方法为主，结合其他方法展开教学。

（8）各种教学形式最优结合的原则

在教学过程中，把课堂教学与课外教学、班级教学、小组教学、个别化教学和个人作业等形式有机地结合起来。

（9）为教学创造最优条件的原则

为实现教学的最优化，要创造必要的教学物质条件、学校卫生条件、道德心理条件和审美条件。

（10）教学成果的巩固性和效用性原则

该原则不仅要求知识的储备，还强调要能够运用知识来解决实际问题。

应该注意的是，教学过程中要避免把十大原则中的某个原则绝对化，而应该对以上原则综合地、优选地加以运用才能实现教学的最优化。

关于教学规律和教学原则，巴班斯基认为过去的教学论偏重对教学原则的论述，而对教学规律的分析不足，研究得很不够。但教学原则是来自教学规律的，所以，对后者的忽视不利于对教学原则的阐述和理解。

### 2.2.3　解读：加德纳的多元智能理论

多元智能理论由美国教育学家和心理学家加德纳（H.Gardner）于 1983 年在《智能的结构》一书中首先系统地提出，并在后来的研究中得到不断发展和完善的人类智能结构理论。

一、智能的定义及种类

多元智能理论认为，智能是在某种社会和文化环境的价值标准下，个体用以解决自己遇到的真正难题或生产及创造出某种产品所需要的能力。多元智能理论认为，个体身上相对独立地存在着与特定的认知领域或知识范畴相联系的语言智能、数学逻辑智能、空间智能、身体运动智能、音乐智能、人际智能、自我认知智能、自然认知智能等八种智能。每一种智能在人类认识和改造世界的过程中都发挥着巨大的作用，具有同等的重要性。

二、智能的性质

多元智能理论认为人类思维和认识的方式是多元的，智能具有以下一些性质。

（1）智能是多元的和有差异的

人类具有八项彼此独立的智能，个体不但在自己的智能强项和弱项上存在着极大的差异，在认知方式上也不同。

（2）各种智能既独立又共同起作用

这八种智能是独立地存在于大脑之中的，各有不同的神经组织，但个体在解决问题时需要运用多种智能的组合。

（3）各种智能是平等的

每种智能都有同等重要的作用，并不一定要在某一个领域成功才算智能高。

（4）智能的文化性和情境性

智能受文化背景的影响，不同的历史发展时期和文化背景强调不同的智能组合。

（5）智能的创造性

智能是解决问题和创造产品的能力。我们发展多元智能，实质就是培养每个人在新的情境下的创造性。

三、多元智能理论的教学观

社会的发展需要多样化、层次化和结构化的人才群体。每个学生都有一种或数种优势智能，只要教育得法，每个学生都能成为某方面的人才，都有可能获得某方面的专长。传统的智力观和偏重语言、数理逻辑智能培养的教学观与评价观，极大地抑制了多样化人才的培养。多元智能理论认为：每个学生都或多或少具有八种智能，只是其组合的方式和发挥的程度不同；每个学生都有自己的优势智力领域，每个学生都具有自己的智力特点、学习风格类型和发展特点；学校里不存在差生，学生的问题不是聪明与否的问题，而是究竟在哪些方面聪明和聪明程度的问题。

多元智能理论的主要教学观有以下几点。

（1）激发每个学生的潜在智能，充分发展个性

每个学生都具有在某一方面或几方面的发展潜力，只要为他们提供了合适的教育和训练，每个学生的相应智能水平都能得到发展。因此，教育应该为学生创设多种多样的，有利于发现、展现和促进各种智能发展的情景，为学生的学习提供多样化的选择，扬长避短。

（2）将学生的"全面发展"与"个性发展"有机地结合起来

在注重全面发展学生的各种智能的基础上，更加注重个性的发展，将"全面发展"与"个性发展"有机地结合起来，教学就是要尽可能创设适应学生优势智力发展的条件，使每个学生都能成才。

（3）倡导多种多样的、以评价促发展的教学评价

多元智能理论主张通过多种渠道、采取多种形式、在多种不同的实际生活和学习情景下，切实考查学生解决实际问题的能力和创造出初步产品（精神的或物质的）能力的评价，是一种超越了传统的以标准的智力测验和学生学科成绩考核为重点的评价取向。这种评价观主张评价是手段而不是目的，从单一的纸笔测验走向多种多样的作品评价，从重视结果评价走向基于情景化（专题作业作品集）的过程评价。

因此，多元智能理论在教学中特别关注学习者个体智能的差异对教学的意义。将多元智能理论应用于教学中，教师首先要树立新型的学生观，即"每个学生都是一个潜在的天才，只是经常表现为不同的方式"。教学中尽可能创造一个开放的环境，根据学生的不同情况，因材施教，通过开发学生的多种智能，最大限度地发掘每个学生的潜在能力。

### 2.2.4  反思：教学理论对于信息技术教育应用的启示

学习完本节内容后，我认为教学理论对于信息技术教育应用的启示是：

_____

_____

_____

_____

## 【思考与练习 】

1. 每一种学习理论和教学理论都有其适合的学习内容和学习者群体，选择一种学习理论或教学理论，分析其适用场景。

2. 以小组为单位，查找一个信息技术教育应用的案例，分析该案例体现了哪些学习理论和教学理论的应用。

## 【研究实践 】

信息技术教育应用的最终目的是培养信息时代的创新型人才。创新型人才是指具有创新意识、创新思维和创新能力的人，其核心素质就是创造性思维。本章的许多学习理论与教学理论都涉及创造性思维的培养。以小组为单位，对以下问题进行探讨：

1. 什么是创造性思维？产生创造性思维的基础是什么？

2. 在本章的学习理论与教学理论中，哪些涉及创造性思维？

3. 该如何培养学生的创造性思维？如何测量创造性思维？

# 第3章　信息化教学模式

现代信息技术已经成为人们生活和学习环境中不可或缺的一部分。在信息时代，人们的认知方式、思维方式等都在发生着改变。在我国教育信息化的推进过程中一直比较重视信息技术与教育教学的融合，在教育教学实践中涌现了大量的信息化教学模式，以适应信息时代对于创新人才培养的需要。那么什么是教学模式？教学模式与教学策略、教学方法有什么区别与联系？什么是信息化教学模式？信息化教学模式有哪些分类？常见的信息化教学模式有哪些？本章从回答这些基本问题出发，讨论了信息化教学模式。

【 知识地图 】

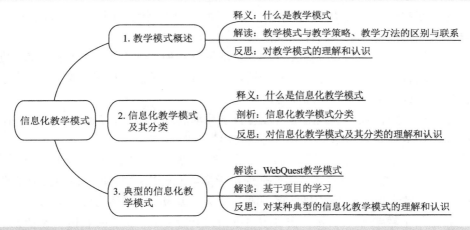

释义：什么是教学模式
解读：教学模式与教学策略、教学方法的区别与联系
反思：对教学模式的理解和认识

1. 教学模式概述

信息化教学模式

2. 信息化教学模式及其分类

释义：什么是信息化教学模式
剖析：信息化教学模式分类
反思：对信息化教学模式及其分类的理解和认识

3. 典型的信息化教学模式

解读：WebQuest教学模式
解读：基于项目的学习
反思：对某种典型的信息化教学模式的理解和认识

【 学习目标 】

本章围绕信息化教学模式展开讨论，涉及教学模式、信息化教学模式等。通过本章学习，学习者应达到如下学习目标。

1）能用自己的话说出教学模式的概念。

2）知道教学模式与教学策略、教学方法的区别与联系。

3）能阐释信息化教学模式的内涵。

4）知道信息化教学模式的特征和分类。

5）认识并了解某种信息化教学模式及其特点。

【 学习导航 】

本章的学习内容是信息化教学模式。因此，对于本章的学习，你可以通过：

1）阅读有关教学模式的参考书和相关文献，理解教学模式的概念以及与教学策略、教学方法的区别与联系。

2）理解信息化教学模式的内涵和特征，加深对信息化教学模式多样性的认识。

3）阅读文献和反思，进一步认识信息化教学模式的特点。

# 3.1　教学模式概述

## 3.1.1　释义：什么是教学模式

一、教学模式的定义

虽然教学模式的思想很早就存在，但通常认为教学模式成为教育研究中的一个独立分支是从乔伊斯（B. Joyce）和威尔（M. Weil）等人的研究开始的，国内外有关教学模式的定义比较多，较有代表性的有以下几种。

乔伊斯和威尔等人认为，教学模式是一种可以用来设置课程、设计教学材料、指导课堂或其他场合教学的计划或范型。[①]

叶澜认为，教学模式俗称大方法。它不仅是一种教学手段，而且是从教学原理、教学内容、教学的目标和任务、教学过程直至教学组织形式的整体、系统的操作样式，这种操作样式是加以理论化的。[②]

钟志贤认为，教学模式是指对理想教学活动的理论构造，是描述教与学活动结构或过程中各要素间稳定关系的简约化形式。[③]

何克抗等认为，教学模式属于教学方法、教学策略的范畴，但又不等同于教学方法或教学策略；教学方法或教学策略一般是指教学过程中采用的单一的方法或策略，而教学模式则是指教学过程中两种或两种以上方法或策略的稳定组合与运用。[④]

上述关于教学模式的定义分别从不同的侧面揭示了教学模式这一术语的含义。从上述定义我们可以看出，教学模式是开展教学活动的一套计划或范型，是基于一定教学理论而建立起来的较稳定的教学活动的框架和程序，也就是各种教学活动有机地连接在一起从而组成的具有动态性的过程，从微观的教学活动的角度看，它具有变化性，但从宏观的过程角度来看，又具有比较稳定的过程形式。

---

① 转引自：余胜泉，马宁. 论教学结构——答邱崇光先生[J]. 电化教育研究，2003，（06）：3-8.

② 叶澜. 新编教育学教程[M]. 上海：华东师范大学出版社，1991：332.

③ 钟志贤. 新型教学模式新在何处（上）[J]. 电化教育研究，2001，（03）：8-15.

④ 何克抗，吴娟. 信息技术与课程整合的教学模式研究之一——教学模式的内涵及分类[J]. 现代教育技术，2008，（07）：5-8.

二、教学模式的基本构成

教学模式是教学理论在某个具体领域的具体化，同时又直接面向和指导教学实践，具有可操作性，它是教学理论与教学实践之间的桥梁。教学模式是教学各要素及其相互关系结构化的、简约化的表达方式。一种完整的教学模式应该包含理论基础、教学目的、操作程序、实现条件和教学评价五个组成部分①。

（1）理论基础

理论基础指教学模式所依据的教学理论或教学思想。如"传递-接受"教学模式的理论基础是根据行为主义学习理论和认知主义学习理论设计，尤其受斯金纳操作性条件反射的训练心理学的影响，强调控制学习者的行为以达到预定的目标。行为主义学习理论认为只要通过"刺激—反应—强化"这样反复的循环过程就可以塑造有效的行为目标。

（2）教学目的

每一种教学模式都是针对特定的目的设计的。在此，"教学目的"有别于针对具体教学任务和具体教学对象提出的"教学目标"。教学目的反映的是教学模式设计者的教学思想，如教学模式是以发展学生的能力为目的或是以掌握概念为目的。例如，"传递-接受"教学模式以传授系统知识、培养学生基本技能为目的。其着眼点在于充分挖掘人的记忆力、推理能力与间接经验在掌握知识方面的作用，使学生比较快速、有效地掌握更多的信息。该模式强调教师是知识的传授者，其职能在于依据学习规律将知识传授给学生；学生是知识的接受者，其任务在于积极主动地加工所接受的知识，将知识转化为自己的认知结构。

（3）操作程序

教学模式是对教学活动方式的抽象概括。其操作程序指教学活动的环节步骤以及每个步骤的具体操作方法，当然这种程序并不是一成不变的。成熟的教学模式的基本结构相对稳定，但不等于公式，一成不变，而是一个开放的不断完善的动态系统。如"传递-接受"教学模式的基本操作程序是：复习旧课—激发学习动机—讲授新课—巩固练习—检查评价—间隔性复习。可以根据不同学科和内容的特点对该基本操作程序进行适当的修改或调整。

（4）实现条件

为了发挥教学模式的效力，教师在运用教学模式时必须对各种教学条件进行优化组合，要遵循一定的原则，采用一定的手段、策略、方法和技巧。如"传递-接受"教学模式的实现条件就是教师要根据学生的认知水平对教学内容进行加工整理，力求使得所传授的知识与学生原有的认知结构相联系。充分发挥教师的主

---

① 余胜泉，马宁. 论教学结构——答邱崇光先生[J]. 电化教育研究，2003，（06）：3-8.

导作用，教师需要具备较好的语言表达能力，同时要对学生在掌握知识过程中遇到的问题有所关注与觉察。

（5）教学评价

由于每种教学模式有自己适用的条件和教学目的，因此，评价的标准和方法也会有所不同。如"传递-接受"教学模式的教学评价更多是通过测验来评价学生对于知识的掌握情况。

需要说明的是，在一定的范围内，教学模式具有一定的代表性和示范性。任何教学模式都具有一定的适用范围，有其独特的运作条件和系统的策略方法。由于其形象具体的表征、开放性的动态结构和可操作性的特点，因而具有启示、借鉴、模仿和迁移、转换的价值。

### 3.1.2　解读：教学模式与教学策略、教学方法的区别与联系

为了更好地理解教学模式的概念，下面将简要阐述教学模式与教学策略、教学方法的区别与联系。

一、教学模式与教学策略

国内外有关教学策略的定义也比较多，也存在不同的认识。一般认为，教学策略是指在不同的教学条件下，为获得不同的教学结果而采取的手段和谋略，它具体体现在教与学的相互作用的活动中，如先行组织者策略、启发式教学策略等。教学模式与教学策略都是教学规律、教学原理的具体化，都具有一定的可操作性，其主要区别在于教学模式依据一定的逻辑线索指向整个教学过程，具有相对稳定性；而教学策略尽管也以一整套的教学行为作为表征形式，但其本身是灵活多变的，而且往往并不指向整个教学过程，而是指向单个或局部的教学行为。[①]在一种教学模式中，可以采用多种教学策略，与此同时，一种教学策略也可以应用于多种不同的教学模式中。

二、教学模式与教学方法

教学方法通常是指教学过程中教师与学生为实现教学目的和教学任务，在教学原则的指导下，借助一定的教学手段而进行的师生的相互作用的活动方式和措施，既包括教师教的方法，也包括学生学的方法，是教法和学法的统一，如常用的讲授法、演示法、实验法、操练法等。教学方法具有以下的内在本质特点：①教学方法体现了特定的教育和教学的价值观念，它指向实现特定的教学目标要求；②教学方法受到特定的教学内容的制约；③教学方法受到具体的教学组织形式的影响和制约。

---

① 何克抗，林君芬，张文兰. 教学系统设计[M]. 2 版. 北京：高等教育出版社，2016：114.

　　教学模式、教学策略和教学方法虽然有联系，它们都是教学原则、教学规律的具体化，但是在内涵和外延上又有一定的区别。教学策略或教学方法一般是指教学过程中所采用的单一的方法或策略，而教学模式则是指教学过程中两种或两种以上方法和策略的稳定组合与运用。教学方法是师生互动的方式和措施，是最为具体、最有操作性的，在某种程度上可以看作教学策略的具体化。但是教学方法是在教学原则的指导下，在总结教学实践经验的基础上形成的，因此，相对于教学策略，教学方法具有一定的独立性，其形成和运用不可避免地受到教学策略的影响，但并不完全受到教学策略的制约。教学策略则不仅表现为教学的程序，还包括对教学过程的元认知，以及对教学过程的自我监控和自我调整，在外延上要大于教学方法。[①]

### 3.1.3　反思：对教学模式的理解和认识

　　学习完本节内容后，我对教学模式的理解和认识是：

_____

_____

_____

_____

_____

## 3.2　信息化教学模式及其分类

### 3.2.1　释义：什么是信息化教学模式

一、信息化教学模式的内涵

　　随着信息技术的不断发展及其在教育领域内的广泛应用，无论在教学内容还是教学方法上，都为教学模式的变革提供了强有力的支持，并促进了信息化教学模式的产生和发展[②]。有许多学者从不同的角度给出了信息化教学模式的定义，下面就介绍几种常见的定义。

　　南国农认为，信息化教学模式就是指在现代教学思想和理论指导下，师生之间运用现代教育媒体而形成的较为稳定的教学策略、结构和程序的活动范型。[③]

　　钟志贤认为，信息化教学模式是指技术支持的教学活动结构和教学方式。它是技术丰富的教学环境，是直接建立在学习环境设计理论与实践框架基础上，包

---

①　何克抗，林君芬，张文兰. 教学系统设计[M]. 2 版. 北京：高等教育出版社，2016：114.

②　王继新，左明章，郑旭东. 信息化教育：理念、环境、资源[M]. 武汉：华中师范大学出版社，2014：160.

③　南国农. 信息化教育概论[M]. 北京：高等教育出版社，2004：64.

含相关教学策略和方法的教学模型。①

　　不同的学者从不同的角度对信息化教学模式的定义进行了描述，它们的共同之处在于都强调了应用媒体或技术支持教与学，这也是信息化教学模式区别于一般教学模式的主要方面。可以说信息技术工具和信息资源是信息化教学模式的重要构成要素。信息技术为学习者提供了大量的强有力的学习工具和资源，这些学习工具和资源不仅拓展了学习的时间、空间、内容、对象等，而且为学习者的自主、合作、探究学习提供了信息技术支持条件，构建了丰富的教学平台。在信息化教学模式中，信息技术有机融入课程与教学活动中，信息技术作为丰富多样的教学工具、学习工具，在促进学习者能力发展方面扮演了重要的角色。学习者通过参与基于信息技术应用开展的教学活动，在充分发挥信息技术作为效能工具、情境创设工具、交流和评价工具的作用的同时，尤其重视信息技术作为认知工具的作用，以促进学习者高阶思维能力的发展，如问题求解、决策、批判性思维和创新能力的发展。

　　二、信息化教学模式的特征

　　把信息技术引入教学环境中，不仅仅在原有的一些教学模式上增加一种信息技术工具和信息资源，更重要的是重构教学系统，把学习者置于整个系统的中心。一方面，信息技术所构建的学习环境，使学习者能够以前所未有的方式自由搜索个性化的信息，赋予学习者选择的机会与权利；另一方面，多媒体呈现的学习资源，可以使具有不同认知方式的学习者根据自己的特点选择适当的学习方式。信息技术可以作为学习者学习的资源或工具为其提供更好的支持，教师则不再是以知识传递为中心来开展教学②。与此同时，这种新的信息化教学环境可能会出现一些问题，如网络迷航、碎片化学习、浅层学习等，对学习者的学习能力和自我调控能力也提出了新的要求和挑战。与传统的教学模式相比，信息化教学模式更加需要发挥教师对学习者的指导和调控，教师通常扮演学习资源的提供者、学习过程的设计者、学生学习的帮助者与促进者等新的角色。

　　信息化教学模式的表层特征是信息技术的教育应用，深层特征则涉及人才观、教育观、学习观、教学观、技术应用观、评价观等方面的系列变化③。

### 3.2.2　剖析：信息化教学模式分类

　　随着信息技术在教育领域的应用不断深入和发展，依据不同的教学理念和信

① 钟志贤. 信息化教学模式——理论建构与实践例说[M]. 北京：教育科学出版社，2005：8.
② 何克抗，林君芬，张文兰. 教学系统设计[M]. 2版. 北京：高等教育出版社，2016：142.
③ 钟志贤. 信息化教学模式——理论建构与实践例说[M]. 北京：教育科学出版社，2005：8.

息技术环境出现了多种多样的信息化教学模式。从不同的角度出发，可以得到不同的信息化教学模式的分类结果。

一、基于教育哲学的信息化教学模式分类

祝智庭从教育哲学的角度来研究信息化教学模式，提出了一个信息化教学模式的分类框架，并且认为教学模式的差别本质上是一种文化差别。教学模式的文化差别可以从认识论与价值观两个维度来考察。从认识论角度来看，存在着两种比较对立的观点：客观主义与建构主义。从价值观的角度来看，同样存在着两种比较对立的观点：个体主义与集体主义。①

将价值观与认识论看作考察教育文化差别的两个基本变量，每个变量有两个不同的取值：价值观（个体主义、集体主义）和认识论（客观主义、建构主义）。如果将它们自由组合，便可以得到四种不同的教育文化类型：①个体主义-客观主义；②个体主义-建构主义；③集体主义-客观主义；④集体主义-建构主义。但这种分类只能反映几种比较极端的情况，因为变量的二值化造成了分类的对立，而文化系统之间的差异不同于对立。因此，如果将每一个变量看作一个连续体，在两端之间可以有许多不同的值分布。借用平面几何的方法，可以将个体主义-集体主义、客观主义-建构主义当作描述各种不同教育文化的二维分类模型①，如图 3-1 所示。

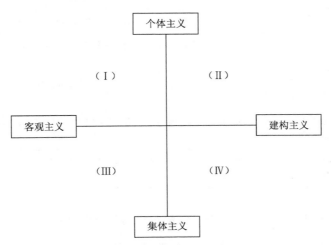

图 3-1　教学模式的文化分类

根据这一框架，各种信息化教学模式，可以根据其偏向的价值观-认识论特征，归属到不同的区域之中，构成信息化教学模式分类。比如，教学测试、模拟与游戏、智能导师、个别授导、操练与练习等信息化模式属于个体主义-客观主义区域

---

① 祝智庭. 现代教育技术——走向信息化教育[M]. 北京：教育科学出版社，2002：125.

（Ⅰ区）；微世界、案例研习、探究性学习、认知工具、基于资源的学习等信息化模式属于个体主义-建构主义区域（Ⅱ区）；电子讲演、课堂作业、情景演示、课堂信息处理等信息化模式属于集体主义-客观主义区域（Ⅲ区）；虚拟学伴、协同实验室、虚拟学习社区和计算机支持合作学习等属于集体主义-建构主义区域（Ⅳ区）。

二、根据教学组织形式的信息化教学模式分类

从信息化教学模式的教学组织形式及其在教学过程中所表现的特点进行分类，可以将信息化教学模式分为个别授导类、合作学习类、情境模拟类、调查研究类、课堂授导类、学习工具类、集成系统类。基于教学组织形式的信息化教学模式分类如表 3-1 所示[①]。

表 3-1　基于教学组织形式的信息化教学模式分类

| 类型 | 典型模式 | 特点 |
| --- | --- | --- |
| 个别授导类 | 个别授导、操练与练习、教学测试、智能导师 | 计算机作为教师，内容特定，高度结构化 |
| 合作学习类 | 计算机支持合作学习、协同实验室、虚拟学伴、虚拟学习社区 | 计算机网络作为虚拟社会，一定程度的情境、信息、学习工具的集成 |
| 情境模拟类 | 模拟与游戏、微世界、虚拟实验室 | 计算机产生模拟的情境，可操纵、可建构 |
| 调查研究类 | 案例研习、探究性学习、基于资源的学习 | 计算机提供信息资源与检索工具，低度结构性资源的利用 |
| 课堂授导类 | 电子讲演、情景演示、课堂作业、小组讨论、课堂信息处理 | 计算机作为教具及助教，信息播送、收集与处理 |
| 学习工具类 | 效能工具、认知工具、通信工具、解题计算工具 | 计算机作为学习辅助工具，多种用法 |
| 集成系统类 | 集成学习环境、电子绩效支持系统、集成教育系统 | 授递、情境、信息资源、工具之综合 |

三、根据学习活动的性质和学习组织形式的信息化教学模式分类

将学习活动的性质（接受-探究）和学习的组织形式（个体-群体）作为分析模式类型的两个基本变量，通过对基本变量的取值界定和相互组合，构成了一个信息化教学模式分类框架[②]，如图 3-2 所示。

---

① 祝智庭. 现代教育技术——走向信息化教育[M]. 北京：高等教育出版社，2001：151.

② 钟志贤. 信息化教学模式——理论建构与实践例说[M]. 北京：教育科学出版社，2005：58.

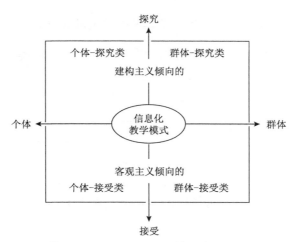

图 3-2　信息化教学模式分类框架

　　按照这个分类框架，信息化教学模式可以分为个体-接受类、群体-接受类、个体-探究类、群体-探究类四大基本类型。个体-接受类和群体-接受类，其理论倾向是客观主义的；个体-探究类和群体-探究类，其理论倾向是建构主义的。

　　根据学习活动的性质和学习组织形式的信息化教学模式分类框架，个别授导、操练与练习、教学测试、智能导师等属于个体-接受类的信息化教学模式；电子讲演、情景演示、课堂作业、小组讨论、课堂信息处理等属于群体-接受类的信息化教学模式；问题求解、微世界、案例研习、基于资源的学习、WebQuest、模拟与游戏、认知工具等属于个体-探究类的信息化模式；基于项目的学习、基于网络的协作学习、协同实验室、虚拟学习社区、知识论坛等属于群体-探究类的信息化模式。

　　各种信息化教学模式类型都有相应的价值和适用的范围，比如，客观主义倾向的信息化教学模式类型，能产生较高的学习效率，对于低阶能力的获得和知识继承来说比较有效，而建构主义倾向的模式类型能产生较高的学习效果，对于高阶能力的发展和知识创新来说比较有效，因此整体教学目标的实现，有赖于各种信息化教学模式类型综合发挥作用。

　　另外，这种信息化教学模式的分类框架是一个开放的、动态的系统。随着信息技术的不断发展和在教育中的创新应用不断涌现，一些新型的信息化教学模式可能不断加入分类框架中。例如同步课堂、专递课堂主要归类于群体-接受类的信息化教学模式，而翻转课堂、混合式学习等信息化教学模式就属于比较综合的，既可能涉及个体-接受类或个体-探究类，又可能涉及群体-接受类或群体-探究类，具有多种应用方式。

### 3.2.3　反思：对信息化教学模式及其分类的理解和认识

学习完本节内容后，我对信息化教学模式及其分类的理解和认识是：

_____

_____

_____

_____

## 3.3　典型的信息化教学模式

在信息技术教育应用的实践过程中产生了多种信息化教学模式，常见的有WebQuest、探究性学习、基于项目的学习、基于问题的学习、基于网络的协作学习、基于资源的学习、翻转课堂、专递课堂、混合式学习等。本节主要介绍 WebQuest和基于项目的学习这两种比较典型的信息化教学模式。本书的第 4 章、第 5 章、第 6 章将分别专门介绍信息技术支持下的接受式学习、信息技术支持下的探究式学习、信息技术支持下的合作学习，第 7 章会集中讨论翻转课堂、专递课堂、混合式学习等常用的信息化教学模式及其应用。

### 3.3.1 解读：WebQuest 教学模式

一、什么是 WebQuest 教学模式

WebQuest 是由美国圣地亚哥州立大学的伯尼·道奇（Bernie Dodge）和汤姆·马奇（Tom March）于 1995 年提出的，在英语中，web 是指"网络"，quest 是"寻求""调查""探究"的意思。组成 WebQuest 以后，可以理解为"基于网络的探究"。[①]

WebQuest 教学模式的实质是利用因特网资源与环境进行教学，首先呈现给学生的是一个特定的假想情景或者一项任务（通常是一个需要解决的问题或者一个需要完成的项目）；在教学实施过程中教师为学生提供了一些因特网信息资源，并要求学生通过对信息的分析与综合得出创造性的解决方案。换句话说，WebQuest 是一种以探究为取向、利用因特网资源的课程单元教学活动，主要方法是在网络环境中，由教师引导，学生在某种任务的驱动下进行自主探究学习。在这种教学模式中，教师通过自然界或社会生活中的真实问题，有组织、有计划地引导学生利用网络技术和网络资源进行自主学习、自主探究以及小组协作，并对相关信

---

① 何克抗. 信息技术与课程深层次整合理论：有效实现信息技术与学科教学深度融合[M]. 2 版. 北京：北京师范大学出版社，2019：225.

息进行分析综合，从而有效提高学生分析问题、解决问题的能力，锻炼学生创造性地解决问题。

根据完成时间的长短，WebQuest 可以分为短周期的 WebQuest 和长周期的 WebQuest。短周期的 WebQuest 又称为 MiniQuest，一般需要 1～3 个课时完成；长周期的 WebQuest 需要几周甚至几个月的时间。

## 二、WebQuest 教学模式的特征

WebQuest 教学模式具有以下三个方面的特征。

（1）有一个需要切实解决的问题

WebQuest 教学模式是围绕"一个需要解决的问题或者一个需要完成的项目"展开的，而且通常是现实生活中的真实任务；这点和研究性学习教学模式从自然界或社会生活中选择某个真实问题作为专题去进行研究是完全一致的。

（2）学生学习过程中使用的信息大部分都是从网上获取的

WebQuest 教学模式可以有效激发学生到网上去查找相关资料，并在此基础上开展自主探究活动的积极性。这也是 WebQuest 教学模式的主要特征之一。

（3）为教师的教学设计提供了一定的支架

WebQuest 为教师提供有固定结构的教学设计流程模板和一系列指导信息，这就相当于为一线教师提供了一种便于掌握、运用教学设计新理念的脚手架，因而，教师就不需要从头学习设计，操作性强，易于实施。

## 三、WebQuest 教学模式的实施步骤

伯尼·道奇认为 WebQuest 的实施应包含下面七个步骤。[①]

（1）设计一个合适的课程单元

在设计这样的课程单元时需要考虑四个方面：要与课程标准一致、能取代原来令人不满意的课程、能有效地利用网络、能促进学生更深层次的理解。

（2）选择一个能促进高级认知发展的任务

按照伯尼·道奇的观点，促进高级认知发展的任务可以划分为：复述、汇编、神秘性任务、编写新闻、设计、创造性作品、达成一致、劝说、认识自我、分析、判断和科学任务等 12 种类型。任务是 WebQuest 教学模式中最重要的组成要素之一，它为学生的学习、研究活动提供了基础。

（3）开始网页设计

为便于教师设计网页，自 1995 年开始 WebQuest 即向广大教师提供设计模板。

---

① 转引自：何克抗，曹晓明. 信息技术与课程整合的教学模式研究之五——"WebQuest"教学模式[J]. 现代教育技术，2008，(11)：5-12.

这种设计模板具有以下特点：包含 WebQuest 的基本结构，模板的每一部分都给出帮助设计 WebQuest 的具体策略。例如，第一步是草拟任务和标题，并写出一份能引起学习者兴趣的引言。

（4）形成评价

在评价的设计环节中，教师应写出评价指标，这有助于理清思路，同时在考虑评价指标时还有可能对任务做进一步的修改。

（5）制定学习活动过程

（6）以文字形式记下所有活动内容以供别人借鉴

（7）检查并改进

除了伯尼·道奇提出的七个步骤实施的 WebQuest 教学模式外，在多年实际推广应用 WebQuest 的过程中，还形成了一些实施步骤或实施环节略有不同的 WebQuest 教学模式（如包含引言、任务、过程、资源、评价、总结六个环节的 WebQuest 模式，包含引言、任务、过程、评价、结论等五个环节的 WebQuest 模式等），如表 3-2 所示的六个环节的 WebQuest 模式。

表 3-2　六个环节的 WebQuest 模式

| 序列 | 模块 | 内容 | 要求 |
|---|---|---|---|
| 1 | 引言 | 创设情景；激发兴趣；提供引导性的材料和信息 | 主题设计应与学习者过去的经验相关；主题具备吸引力，生动有趣 |
| 2 | 任务 | 对学习者将要完成的事项进行描述 | 包括编辑、复述、判断、设计、分析等，或是这些任务的综合 |
| 3 | 过程 | 学习者完成任务将要经历的步骤 | 将任务分成小模块，描述每一个学习者扮演的角色或看问题的视角等；提供学习建议；过程描述需简洁清晰 |
| 4 | 资源 | 完成任务所需的信息资源 | 资源嵌入在 WebQuest 文档中，作为问题研究的"抛锚点"，这些资源为学生顺利完成任务提供支持 |
| 5 | 评价 | 对学习效果进行评价 | 根据学生学习水平、学习任务的不同层次制定评价量规，评价学生在整个学习活动过程中的认知、情感、能力等 |
| 6 | 总结 | 总结经验，鼓励对过程的反思，拓展和概括所学知识 | 学生进行反思，教师进行总结 |

### 3.3.2　解读：基于项目的学习

一、什么是基于项目的学习

项目，在我们的生活中是经常使用的术语，如修路建桥项目、科研项目、开发计算机软件项目等。项目一般是指在特定时间内，为了实现与现实相关联的特定目标,把需要解决的问题分解为一系列相互联系的任务,以便群体间相互合作,并有效组织和利用相关资源,从而创造出特定产品或提供服务。

把项目应用于教育领域,则形成了基于项目的学习(project-based learning,PBL)。基于项目的学习起源于美国,著名教育家克伯屈于 1918 年首次提出"项目学习"的概念,指"学生通过完成与真实生活密切相关的项目进行学习,是一种充分选择和利用最优化的资源,在实践体验、内心吸收、探索创新中获得较为完整而具体的知识,形成专门的技能并获得发展的实践活动"。项目学习是一套从学生已有经验出发,在复杂、真实的生活情境中,引导学生自主地进行问题分析与探究,通过制作作品来完成知识意义建构的教学模式。[①]

基于项目的学习体现了"以学习者为中心"的教育理念,有利于促进学生实践能力的提高与综合素质的发展,这与我国课程改革所提出的"倡导学生主动参与、乐于探究、勤于动手,培养学生收集和处理信息的能力、获取新知识的能力、分析和解决问题的能力以及交流与合作的能力"一致,为发展学生的核心素养提供了重要的方法论支持,因而在中小学教育中有着广泛的研究和应用。基于项目的学习一般需要较长的时间,小项目完成时间大致为 1~3 周,大项目完成时间更长。

二、基于项目的学习的特征

基于项目的学习强调应用学科的基本概念和原理,从真实世界中的问题出发,通过组织学生扮演特定的社会角色,并借助多种资源开展探究活动,在一定时间内解决一系列相互关联的问题,并将研究结果以作品形式展示出来。

基于项目的学习作为一种新型的信息化教学模式,具有以下几个方面的特征。[②]

(1)目标多维化

基于项目的学习贯穿知识和技能的学习,特别强调跨学科知识的学习,以及学习者实践能力和创新能力的培养。

(2)任务真实性

基于项目的学习围绕"一个需要解决的问题或者一个需要完成的项目"展开,而且通常是现实生活中的一个真实而具体的问题,在这一点上和 WebQuest 教学模式是类似的。

(3)过程探究性

项目实施的过程是一个以真实问题解决为导向的探究学习过程。在学习过程中,学习者要根据任务的进展持续深入地思考问题(包括问题产生的根源、问题

---

① 闫寒冰. 信息化教学设计与实践 [M]. 上海:华东师范大学出版社,2020:36.

② 何克抗,林君芬,张文兰. 教学系统设计[M]. 2 版. 北京:高等教育出版社,2016:150.

的解决方案等），并要实现知识的深层次加工和知识意义的建构。

（4）环境的开放性

基于项目的学习离不开信息技术的支持，但是不限于网络环境，而是让学习者走向更加开放的学习环境，图书馆、社区、工厂、家庭、实验室等都成为学习的场所和信息的来源，学习的环境更具有开放性。

（5）结果的作品导向

基于项目的学习通常是作品导向的。项目完成的标志通常是产生一个或一系列作品。作品形式可以是多种多样的，包括物质产品、数字化作品、实物模型、研究报告、创意、发明或建议等。

（6）学习方式的多样性和协作化

基于项目的学习既强调与学科有关的教学方法、学习任务的精心设计和规划，更强调面向真实问题的探究、信息的收集处理与分析、学习伙伴的协作与沟通以及知识的创造，这是具有信息时代鲜明特征的新型学习方式。正因为如此，基于项目的学习的开展离不开信息技术的支持。

基于项目的学习可以利用各种信息技术效能工具和信息资源进行，支持学生使用信息技术交流工具进行沟通和交流，还可以结合实地调查研究、采访相关专家等方式开展学习活动，学习方式具有多样化的特征。在实施过程中强调同伴之间、与教师和其他人之间的协作，教师、学生以及该项目活动涉及的其他人员之间是一种密切合作的关系。因此，基于项目的学习也体现出了学习方式协作化的特征。

三、基于项目的学习的实施流程

基于项目的学习一般包括"选定项目—制订计划—活动探究—作品制作—成果交流—活动评价"等六个步骤[①]。

（1）选定项目

项目的选择在于确定一个可以发展学生综合能力的项目。更多时候，学生可以根据教师的要求提出自己的研究构想。教师根据学生的构想的针对性和可操作性帮助学生确定项目。当然，也可以由学生自主进行项目的确定，教师在此过程中只是作为指导者，也就是说教师不是把某个项目直接给学生，教师所起的作用是对学生选定的项目进行评价：选定的项目是否具有研究价值？学生是否有能力对该项目进行研究？根据评价的情况，如果有必要的话，可对学生选定的项目进行适当的调整或者建议学生重新选择项目。

---

① 钟志贤. 信息化教学模式——理论建构与实践例说[M]. 北京：教育科学出版社，2005：115.

　　对于项目的选定，教师应充分考虑学生现有的知识经验和能力水平，以及学生通过努力是否能解决项目中所出现的各类问题，达到项目学习的目标。

　　（2）制订计划

　　制订计划包括时间安排和活动计划，时间安排是学生对项目学习所需的时间做出总体规划，制订一个详细的实践流程，活动计划是指对项目学习所涉及的活动预先进行规划。基于项目的学习一般是采用小组合作的方式进行，学生可以自由组建小组或者由教师指定分组，小组成员要一起确定所应承担的责任，确定小组成员的分工以及如何进行合作。教师将帮助学生发展和完善他们的合作技巧使组织分工更趋合理。

　　（3）活动探究

　　这一阶段是项目学习的核心或主体部分。主要工作包括由学习小组成员通过实地调查、专家访谈等方式，提出解决问题的假设，然后借助一定的研究方法和技术工具来收集信息，并对收集到的信息进行加工处理，验证提出的假设或推翻原来的假设，最终得出问题解决的方案。

　　（4）作品制作

　　在作品制作过程中，学生运用在学习过程中所获得的知识和技能来完成作品的制作。作品的形式不限，可以是物质产品、数字化作品、实物模型、研究报告、创意、发明或建议等。学习小组对他们所研究的项目进行描述，并且展示他们的研究成果。

　　（5）成果交流

　　作品制作出来之后，各个学习小组要相互进行交流，交流学习过程中的经验和体会，并且分享作品制作的成功和喜悦。成果交流的形式可以多种多样，如展览会、报告会、辩论会、小型比赛等。

　　（6）活动评价

　　活动评价注重定量评价与定性评价、形成性评价与总结性评价相结合。评价的内容主要包括项目的选择，学生在小组学习过程中的表现，计划、时间安排，成果展示，表达等方面。对成果的评价可以使用作品评价量规进行自评、互评，对过程的评价强调对实验记录、各种原始数据、活动记录表、调查表、访谈表、学习体会等的评价。评价的主体可以是专家、学者、教师，也可以是同伴或学习者自己。

### 3.3.3　反思：对某种典型的信息化教学模式的理解和认识

　　学习完本节内容后，我对某种典型的信息化教学模式的理解和认识是：

_____

_____

_____

_____

_____

【练习与思考】

    1. 什么是教学模式？简述教学模式的构成。

    2. 信息化教学模式有哪些分类？各有什么特点？

    3. 简述 WebQuest 教学模式的一般特征和实施步骤。

    4. 与小组成员交流自己所熟悉的信息化教学模式，分析其特点和应用场景。

【研究实践】

    以小组为单位，选取某种信息化的教学模式，对该教学模式的理论基础、教学目的、操作程序、实现条件、教学评价、优势与局限性等六个方面进行探讨，制作 8 分钟左右的小组汇报 PPT。

    1. 该教学模式的理论基础主要有哪些？

    2. 该教学模式的教学目的是什么？

    3. 该教学模式的操作程序是怎样的？

    4. 该教学模式的实现需要什么样的条件？

    5. 该教学模式的教学评价如何？有什么特点？

    6. 该教学模式有哪些优势与局限性？

# 第4章　信息技术支持下的接受式学习及案例

我国目前的课堂教学组织方式主要还是以班级为组织形式的集体教学为主。在课堂教学中教师通过讲授的方式来传递教学信息，学生则通过接受式学习掌握大量的知识。因此如何利用信息技术手段优化课堂教学，将信息技术融入教学和师生交流的各个环节变得越发重要。本章围绕什么是信息技术支持下的接受式学习，以及信息技术支持下的接受式学习具有什么特点，阐述信息技术支持下的课堂导入、讲授、提问、讨论、练习等策略。通过对信息技术支持下的接受式学习案例的分析与讨论，总结信息技术支持下的接受式学习的一般模式、设计原则以及应注意的问题等。

## 【知识地图】

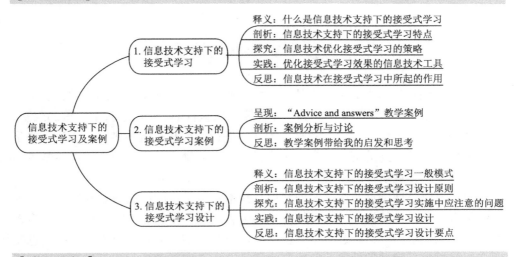

## 【学习目标】

本章内容围绕信息技术支持下的接受式学习及案例展开讨论，涉及信息技术支持下的接受式学习、信息技术支持下的接受式学习案例和信息技术支持下的接受式学习设计。通过本章学习，学习者应达到如下学习目标。

1）知道信息技术支持下的接受式学习的内涵和特点。

2）知道优化接受式学习效果的信息技术工具，以及应用信息技术优化接受式学习的策略。

3）通过对信息技术支持下的接受式学习案例进行研读和交流，分析信息技术在接受式学习中所起的作用以及带给自己的启发。

4）理解信息技术支持下的接受式学习的一般模式、设计原则以及应注意的问题，能基于一定的信息技术条件根据学习对象和学习内容灵活地进行信息技术支持下的接受式学习的教学设计。

【 学习导航 】

本章的学习内容是信息技术支持下的接受式学习及案例。因此，对于本章的学习，你可以通过：

1）案例研讨和学习，加深对信息技术支持下的接受式学习的内涵、特点、一般模式等的理解。

2）结合具体的任务或主题，开展信息技术支持下的接受式学习的教学设计，并通过初步应用，对信息技术支持下的接受式学习的设计原则和应注意的问题进行感知。

3）文献阅读和反思，进一步认识和总结信息技术支持下的接受式学习的设计要点。

# 4.1　信息技术支持下的接受式学习

传统的课堂教学为促进知识传播、推动社会进步发挥了巨大的作用，但是，我们也看到了它的一些不足。例如，在传统的课堂教学中，由于教学手段的限制，教学活动主要在教师、学生、教材三者之间进行，往往是教师讲授，学生主要是靠听来接受教师传递的信息，学生很容易陷入"被动"，而且教师传授给学生的信息量会受到客观条件的限制，难以突破，课堂效率不高。

随着现代信息技术的快速发展和信息技术在教学中的广泛渗透和应用，支持现代化教学改革的信息化教学环境应运而生，出现了多媒体教室、多媒体网络教室、交互式电子白板、智慧教室等新型的信息技术支持的教学环境，这些信息技术支持的教学环境是教学改革的重要物质基础，是实现教学方式、学习方式变革的基础和前提。在这样的环境下，可以利用信息技术提升课堂导入、课堂讲授、课堂讨论、课堂提问、课堂练习等教学活动的效果。

## 4.1.1　释义：什么是信息技术支持下的接受式学习

一、接受式学习

人们在谈到学习方式时，总是倾向于否定接受式学习，其中有很多误解，如把接受式学习等同于机械学习或被动学习。其实，接受式学习是学生通过教师以现成的、定论的形式呈现的材料来掌握知识的一种学习方式，学习的内容往往是以定论的形式直接呈现出来，它不要求学生通过独立的探索去发现知识。接受式学习的教学内容以现成的、定论的方式系统地呈现，可以使学生在相对短的时间内学习并掌握大量的、系统的科学文化知识，这对传承文明、保持文化传统是十分有利的。接受式学习既有不可替代的优势，也有一定的局限，正确认识和合理定位接受式学习，有利于由单一的接受式学习向接受式学习、发现式学习、体验式学习等相结合的多元化学习方式转变，这既是学生发展的需要，也是新课程发展的需要，更是人类学习方式多样性的需要。

接受式学习以教师呈现知识为主，因此近年来受到越来越多的质疑，认为接受式学习会导致学生机械化学习、呆板、被动学习等，然而其中是有很多误解的[①]。

（1）接受式学习不等同于机械学习

长期以来，由于人们对接受式学习方式的单一使用和过分依赖，更由于"三中心"（课堂中心、教师中心、教材中心）的制约，接受式学习成了机械训练、死记硬背的代名词，成了机械、被动的学习方式的统称，使得人们一提到接受式学习就联想到机械的、死记硬背的学习形式，而进行大肆批判与否定。其实，接受式学习与机械学习不是一回事。接受式学习与发现学习相对，是指学生将学习材料作为现成的结论性知识来加以接受，而不重复人类发现、形成有关知识的过程；而机械学习与有意义学习相对，是指所要学习的新材料与学生原有的认知结构中的相关知识不能建立起实质性联系，学生不理解学习材料的意义，只能靠死记硬背来学习。接受式学习可能是有意义学习（所要学习的新材料与学生原有的认知结构中的相关知识能建立实质性联系），也可能是机械学习，但不必然是机械学习。

（2）接受式学习不等同于讲授和被动学习

谈到接受式学习，就想到"填鸭式""满堂灌"，把接受式学习与讲授、被动学习等同起来。其实，这是一种误解。首先，讲授未必就是不好的方法，运用讲授法是由教学的基本任务决定的，因为教师必须引导学生在有限的学校教育时间内掌握大量的、系统的基础知识和基本技能，而讲授法为此提供了一个经济而有效的途径。其次，讲授法未必就是"灌输"，因为"满堂灌""填鸭式"的教学根本不考虑学生的认知结构和学习心向，仅仅把学生当作一个容器，将所有的东西全部塞进去，而不顾其所接纳的内容是否与原有的知识建构成新的体系。如果教师充分考虑学生的认知特点和教学内容的具体性，使新知识与学生认知结构中原有的观念建立起实质性联系，并且有效地激发学生的学习积极性，那么，这

---

① 吴永军. 其实有很多误解：接受式学习再认识[J]. 教育理论与实践，2005，（05）：34-37.

样的讲授就不是"满堂灌""填鸭式",而可能成为学生有意义接受式学习的重要组成部分,从而成为学校教育的主要方式。再次,接受式学习并不总是通过讲授进行,还可以通过其他的方式实现,如示范、呈示、展示等。接受式学习的形式可以多种多样、灵活机动。最后,接受式学习与被动学习也不是一回事。被动学习与主动学习相对,是指学生由于缺乏学习的需要、动机和兴趣,因而不积极主动地参与学习活动。接受式学习可能是主动的,也可能是被动的,因此与被动学习没有必然联系。如果教师在使学生进行接受式学习的过程中,能激发学生的学习兴趣,调动其主动学习的愿望,那么,学生的接受式学习就可能是主动学习而非被动学习。

二、接受式学习的特点

有意义的接受式学习作为学习者学习知识最基本的方式之一,有着明显区别于其他学习方式的特点。

(1)能够使学生在相对较短的时间内掌握大量系统的科学文化知识

人类几千年的文明活动积累了大量、丰富的科学文化知识,那么如何使学习者较快地掌握这些知识?最基本、最快捷的方式就是通过教师的传授,即让学生进行接受式学习。这种学习方式能够使学生快速地掌握大量的知识,避免了重复前人的认识过程。每个人成长的过程也是一个不断学习和积累的过程,因此,接受式学习可以说是人类传承民族文化传统的主要方式。

(2)能够帮助学生系统地学习科学知识

教材的编写、教学目标和教学任务的确定,都是教材编写者遵循知识的系统性、学习者的特点等进行编排的。为了使学生能够系统完整地掌握基础概念、原理,构建系统的学科知识体系,在学习过程中教师依据教材为学生提供知识框架,明确每堂课的学习任务,力求完成学习目标。依靠教师组织的教学活动,学生在教师的引导下积极地进行学习活动,如果仅依靠学生自学很难达到较好的学习效果。

(3)有助于学生基础学习能力的发展

在接受式学习的过程中培养学生从书本中获取知识的习惯和能力,这对学生的未来发展具有积极意义。人类文明发展至今,无论是从长者身上学习到的各种生活经验,还是以各种形式存在的学堂里的讲学,无不是通过接受式学习来传递人类文明。因此,正如"授人以鱼,不如授人以渔",有意义的接受式学习会帮助学生学会如何汲取知识。随着人类社会的发展,终身学习的思想已经深入人心,从书本中获取知识主要是通过接受活动获得的。

三、信息技术对接受式学习的支持作用

我国目前的课堂教学还是以班级为组织形式的集体教学为主,因此如何利用信息技术手段优化课堂教学，将信息技术融入教学和师生交流的各个环节变得越发重要。应用信息技术优化课堂教学的能力已经成为检验教师信息化教学能力的重要方面，根据《能力标准》的要求，教师应该具备利用信息技术开展讲解、启发、示范、指导、评价等教学活动的能力。

（1）应用信息技术支持有效的课堂导入

一个好的课堂导入，是一堂课成功的重要开端。课堂导入是指教师有意识、有目的地引导学生进入新的学习状态的教学组织行为。课堂导入的目的是引起学生的注意，激发学生的学习兴趣，使学生进入特定的教学情境，从而开始对新知识的学习。课堂导入如果运用得当，可以在短时间内集中学生的注意力，激发学生的学习兴趣，为之后的课堂教学做好铺垫，但如果课堂导入不恰当，反而有可能分散学生的注意力，降低学生的学习兴趣。例如，在学生学习"速度的物理意义"时，教师利用多媒体软件等制作的有关"龟兔赛跑"的视频进行课堂导入，让学生判断谁跑得快，从而引入速度就是描述物体运动快慢的物理量。这样一个抽象难懂的概念在信息技术的支持下转变成学生看得见并且完全能够理解的知识。这样不仅牢牢吸引了学生的注意力，提高了学生的学习兴趣，而且能够让学生感受到学习的乐趣。

（2）应用信息技术增强教师的讲授效果

讲授法是教师主要通过口头语言向学生描述情境、叙述事实、解释概念、论证原理和阐明规律的教学方法。它是使用得最早、应用得最广的一种教学方法，可以用于传授新知识，也可以用于巩固旧知识，其他教学方法的应用几乎都需要同讲授法结合起来。传统教室环境中的教学形式比较单一，往往是教师利用板书加上口头讲授的方式进行知识讲解，学生多数时间是在被动地接受教师传递的知识和信息，而随着信息技术在传统教室环境的逐步应用和普及，教师可以利用文本、图形/图像、动画、声音、视频等多媒体素材制作成多媒体课件资源，并通过大屏幕进行呈现。这样可以节省课堂板书的时间，也可以提高课堂教学效率。应用信息技术可以生动形象地展示一个动态的过程，使抽象的概念和难以通过肉眼观察到的宏观或微观现象变得具体、可观察，从而可以加深学生对于知识的理解。例如，在讲授中轴对称图形时，教师可以通过课件展示一些生活中的事物的图片，如蜻蜓、手表、飞机等，再利用 3D 软件进行旋转、对折，为学生展示多方位的对称角度，这样可以更加生动形象地展示一些立体事物，对新授课学生的理解具有极大的帮助作用。

（3）应用信息技术优化课堂提问

在讲授法教学中，教师经常通过课堂提问与学生进行语言双向交流，便于学生集中注意力，促使学生积极思考，发挥学生的主动性，培养学生的口头表达能力等。对于学生来说，注意力不能持久保持是接受式学习中的一个主要问题，这时候教师往往会进行提问，一方面是集中学生注意力，另一方面也是检测学生对刚讲授的知识的掌握情况，便于教师在面向全体学生的情况下照顾个别学生，做到因材施教。例如，教师可以利用随机点名工具软件或程序，随机抽取学生回答问题，这样学生的注意力便会被吸引住。适当地利用信息技术可以优化课堂提问环节，增加课堂的趣味性。

（4）应用信息技术深化课堂讨论

课堂是需要交流的，这种交流不单是教师和学生之间的交流，还有学生与学生之间的交流、讨论。无论是全班讨论还是小组讨论，最重要的是教师要让所有学生都参与进来，对于不善言谈的学生，教师应该为其参与讨论创造机会。互联网的发展为教师与学生、学生与学生之间的交流、讨论提供了前所未有的支持，例如，利用微助教、Padlet 等信息技术工具可以实现学生匿名发言，以消除学生的顾虑，使学生能够真实地表达自己的想法，积极地参与讨论，这就极大地提高了学生，尤其是那些不善言谈的学生参与讨论的积极性。

（5）应用信息技术巩固课堂练习效果

练习法是在教师的指导下学生巩固知识，从而形成技能技巧的教学方法。它是教学中普遍采用的一种教学方法，练习法的特点在于运用知识，形成技能、技巧，达到学以致用的目的。它能够使学生加深理解和消化、巩固知识，是将知识转化为技能技巧的重要途径，有助于发展学生的认识能力和创造能力。在学生具有计算机、平板、智能手机终端的情况下，教师还可以通过设计调查问卷、测试题等方式快速收集全体学生的学习情况数据，并利用问卷星、微助教等信息技术工具实现快速统计和计算，全面地了解学生的学习情况或学习中存在的问题，教师就可以根据收集的信息对教学进行有针对性的调整。

### 4.1.2　剖析：信息技术支持下的接受式学习特点

接受式学习是目前课堂教学中普遍应用的一种学习方式，在课程改革不断深化、信息技术与教育教学融合蓬勃发展的今天，信息技术支持下的接受式学习已经逐步取代传统的接受式学习。信息技术对课堂教学的支持，为传统接受式学习注入了新的生机与活力。

一、课堂导入方式多样化

问题始于情境，情境导入通常是教学活动的第一个环节。在信息技术的支持下，创设蕴含问题的教学情境可集生活性、学科性、形象性与情感性于一身，通过生活现场、实物演示、故事叙述、图画再现、声画渲染、角色扮演、语言描述等多种形式呈现，使学生在愉快的情境体验中积极主动地参与问题的解决。

二、知识更加形象直观

传统的接受式学习更多的是单纯地将文字和图片信息结合起来，面对这些枯燥的信息，学生很难集中学习注意力。而且有些晦涩难懂的概念若是老师用语言描述可能会有困难，但是在信息技术支持下，晦涩的知识可以通过播放一张形象的图片、一个有意思的小视频或者演示一个幽默的动画的形式展示出来，同时这些多媒体资源和学生的日常生活联系密切，学生容易将知识和生活相联系，方便学生记忆和学习。这些图文并茂甚至有声的多媒体信息远比枯燥的文字信息更容易使学生理解和接受，可以提高教学的效率。

三、授课过程更为丰富

接受式学习课堂上，信息技术的使用要根据教学目标和教学活动的需要来设计。信息技术工具、技术平台或技术产品的使用，使教学过程更加丰富有趣，提高了学生的学习兴趣。比起单一的授课方式，学生更容易被这种多样化的讲课方式所吸引。计算机技术引入了音频、动画、音乐、图片等多媒体功能，这些功能不仅刺激了学生的视觉、听觉等神经系统，同时还培养了学生的审美能力、联想能力，在丰富教学活动的同时，还能调动学生的学习积极性，锻炼学生的思维能力。

四、突破时空的限制

传统的接受式学习基本上局限于教室，人与人之间的交流主要依靠面对面的直接沟通，这种面对面的直接沟通对学习者的学习及人格发展都是十分重要的。但是，一旦不具备面对面的基本条件，有效的接受式学习活动就难以进行。有了信息技术的支持，教师可以制作学习材料、课件、视频等资源，发布到网络上，学习者就可以在任何时间、任何地点利用网络资源进行学习，学习者还可以通过观看直播的方式开展师生同时在线的接受式学习。信息技术支持下的接受式学习可以突破传统接受式学习的时空限制。

### 4.1.3 探究：信息技术优化接受式学习的策略

信息技术对教育教学有着深刻的影响，在教学中恰当地运用信息技术能够丰富教学手段，有效地突出教学重难点，提高教学效率。除此之外，能够从多角度调动学生课堂上的情绪、注意力及学习兴趣，培养学生的观察能力和思考能力，有效地增强师生的互动和交流。下面主要讨论信息技术支持下的课堂导入、讲授、提问、讨论、练习等策略。

一、信息技术支持下的课堂导入策略

课堂导入对于能否上好一整堂课来说是很重要的，在信息技术的支持下，课堂导入的方式也逐渐丰富。课堂导入有多种方式，例如直接导入、复习导入、情境导入、游戏导入等，一般采用游戏导入和情境导入的方式要比直接导入的效果更好，采用图片、动画等媒体进行导入会比采用纯文字的导入方式更能吸引学生的注意力，采用动画方式可能会比图片更能引起学生的兴趣，教师在选择更好的导入方式的同时更要选择合适的教学媒体。

二、信息技术支持下的课堂讲授策略

在课堂讲授环节，教师要做到信息技术与知识呈现整合。这里的整合并不是简单的应用，在采用接受式学习方式的课堂中，教师讲授的新知识一般是以现成的结论直接呈现给学生的，这与探究性学习过程中学生去主动探索知识是不同的，但学生并不是被动地接受知识，而是主动把知识内化到自己原有的认知结构中并建立实质性的联系。如果学生不理解学习材料的意义，只能靠死记硬背来学习便不是有意义的接受式学习，而是机械的接受学习。因此，教师讲授最重要的是让学生理解知识，许多抽象的知识是比较难理解的，通过信息技术来呈现更加直观形象，便于学生理解，但也不能因此忽略传统媒介的作用，更不能为了应用技术而应用。

三、信息技术支持下的课堂提问策略

课堂提问的目的是检测学生是否掌握教师所教授的内容，根据学生的回答情况，教师了解学生的知识漏洞并进行补救。在这一环节，若提问一些无关紧要的内容不仅浪费课堂时间，更无法达到提问的目的。在信息技术的支持下，通过移动终端可以记录每位学生详细的学习情况和课堂表现情况，教师应善于分析和总结每位学生的学习情况，对不同的学生采用不同的提问方式，例如对于一些学习水平比较高的学生可以适当增加问题难度。这将有利于教师帮助每位学生获得进步和发展。

四、信息技术支持下的课堂讨论策略

在采用接受式学习方式的课堂中讨论也是很重要的一个环节。在以往的讨论中学生只能根据教师所讲的知识进行交流讨论，并且只能与固定的小组成员进行讨论。在信息技术的支持下，学生可以通过电子设备随时在网上查阅各种资料，也可以在学习平台的讨论区中看到班级其他同学甚至其他班级的学生的讨论发言，从而获取更多的知识，拓宽自己的思维。但在这个过程中教师需要全程进行指导和监督，网上的信息纷繁杂乱，有些信息更是难以辨别其真伪，因此教师的有效监督和指导是十分必要的。在学生讨论的过程中，教师要监督学生获得的信息是否正确并帮助学生培养获取和辨别信息的能力，并给予相应的指导，使学生的讨论更有针对性，更加高效。

五、信息技术支持下的课堂练习策略

信息技术的运用对课堂练习起到了很大的支持作用，使其不再局限于纸质的课堂测试形式，学生可以通过电子设备完成课堂练习并直接上传至学习平台，教师可以及时收到学生的练习情况并做出反馈。教师可以根据学生练习的详细情况，明确知道哪道题目的出错率高，哪些知识是学生还没掌握的，便于进一步改进和调整教学。在设计课堂练习之前，教师可以分析学习平台上学生的学习数据来掌握其对知识的理解情况，设计难度适当的课堂练习，使课堂练习既能够突出重难点，又不至于太难或太简单。

## 4.1.4　实践：优化接受式学习效果的信息技术工具

查阅资料或观看以接受式学习为主的教学案例，总结教师在不同教学环节中使用了哪些信息技术工具，其主要作用是什么，填写在表 4-1 中。

**表 4-1　信息技术支持的接受式学习中使用的信息技术工具及其主要作用**

| 教学环节 | 信息技术工具 | 主要作用 |
| --- | --- | --- |
| 课堂导入 | | |
| 课堂讲授 | | |
| 课堂提问 | | |
| 课堂讨论 | | |
| 课堂练习 | | |

**4.1.5　反思：信息技术在接受式学习中所起的作用**

学习完本节内容后，我认为信息技术在接受式学习中所起的作用是：

_____

_____

_____

_____

_____

# 4.2　信息技术支持下的接受式学习案例

接受式学习是学生通过教师所呈现的材料来掌握现有的知识，但是这种学习应该是有意义而非机械的，新知识必须与原有观念之间建立适当的、有意义的联系。发生有意义学习的条件是学习者必须积极主动地使具有潜在意义的新知识与其认知结构中有关的旧知识发生相互作用，从而使旧知识得到改造，使新知识获得实际意义。这种教学的主要目标是促进学生对知识的掌握，尤其是对意义的理解、保持和应用，强调依据知识的内在逻辑联系形成良好的认知结构。信息技术支持下的接受式学习并不是传统教学单纯的讲解，而是充分发挥教师的主导作用，教师对学生提供指导，引出所要解决的问题，必要的时候给予一定的启发和提示。教师可以利用信息技术开展讲解、启发、示范、指导、评价等教学活动。本节通过对"Advice and answers"教学案例的分析与讨论，从中感受信息技术在接受式学习中所起的作用及其为教学带来的变化。

## 4.2.1　呈现："Advice and answers"教学案例

"Advice and answers"教学案例采用多媒体辅助教学，根据学生特点将信息技术手段与英语学科教学有效融合，注重于真实情境和多项任务中发展学生的综合语言运用能力，取得了良好的教学效果，该教学案例获"辽宁省第十三届多媒体教育软件大奖赛信息技术与学科整合课例"一等奖①。

一、案例背景：

设计者：白雪飞，东北育才学校，中学一级教师

学生：东北育才学校 2008 级 5 班，46 人

---

① 该案例选自：王馨，郭丽文. 信息技术环境下教学设计基础[M]. 北京：清华大学出版社，2011. 编者做了少量修改。

教材：上海教育出版社牛津英语 7B

指导者：李璐霞，东北育才学校

二、教材分析

牛津英语教材的内容丰富有趣，贴近学生的实际生活，注重以发展学生为本，重在培养学生的综合能力。本课内容选自牛津英语上海版 Module 3 Unit 3 Advice and answers，适用于初一年级。本单元是提建议并给出相应回答的话题。单元主要内容是某班级同学针对提建议的一系列方式进行学习与操练，涉及提建议和回答时的系列目标语句和相关词汇。

三、学习目标与重难点

（一）学习目标

1. 知识与技能

（1）掌握提建议及回答的方法。

词汇：concert, circus, museum, ocean park, film, football match, television programme

句型：Let's (not)... Why don't you...? Will you...? Why not...?What/How about...?

（2）能快速从文章中获取所需信息，理解文章主旨和作者意图；能利用上下文体会句型的应用场景。

2. 过程与方法

基于多媒体的应用，以"P—T—L—P"自主学习立体模式为主，在多样的情境练习中体会提建议和回答的用法，并理解意义。

3. 情感态度与价值观

（1）交际语言得体规范。

（2）熟悉相关话题，知道"熟悉家乡，热爱家乡"才是创造美好家乡的关键。

（二）教学重难点

重点：提建议相关话题，指定句式与相关词汇的技能训练。

难点：真实语境中的得体交际。

四、学习者特征分析

初一年级的学生学习态度积极，求知欲较强。对于提建议相关话题有所了解，但未能形成一定的综合应用系统。学生感知能力较强，所以 Group work 这一环节中的沈阳风光视频会给他们以更直观化、更生活化的体验，但是他们还处于学习英语的初级阶段，语言技能形成较慢，需要不断强化训练。

五、教学策略选择与设计

课堂教学设计采取"P—T—L—P"（Pre-task—Task-cycle—Language Focus—Post-task Activity）自主学习立体模式，以英语新课程标准和当前教学改革先进理念为指导，以多媒体辅助为特点，结合学生的实际情况，综合运用任务型教学法、交际法、情境激发策略等，注重合作、探究与独立思考相结合，调动各种语言和非语言资源，促进学生以意义为中心进行语言建构，在潜移默化中达成教学目标。

六、教学资源与工具设计

教学环境：多媒体教室
资源准备：PPT 课件

七、教学过程

"Advice and answers"教学过程如表 4-2 所示。

表 4-2　"Advice and answers"教学过程

| 教学环节 | 教师活动与教学内容 | 学生活动 | 设计意图 |
| --- | --- | --- | --- |
| 新课导入 | （1）图片导入<br>通过图片引入词汇：concert, circus, museum, ocean park, film, football match…，使学生直观认知、记忆，并在生成词汇的过程中组成短语 | 观看动画，随着各幅图片的出现大声地说出相应生词，并在老师的指导下说出相关短语 | 利用学生喜欢的动画引出教学内容，将抽象的生词形象化、具体化，拉近教学内容与学生之间的距离，为学生的学习创设一个生动情境，使其对教学内容产生亲近感，达到乐学、愿学和主动参与的效果 |
| 句型呈现 | （2）提建议和回答方式<br>播放动画呈现提建议和回答的句型：Will you...?Why not...?What/How about...?并进行词语替换训练 | 根据第一部分所学词汇进行造句练习 | 学生对词汇已有一定的了解，但是缺乏针对句型的集中训练。此环节旨在让学生整理已有的知识点，在句型专项练习中进行知识建构 |
| 听说训练 | （3）模拟朗读<br>播放课件进行模拟朗读，重点模仿重音和语调，实现口语流利的目标 | 模拟朗读，模仿重音和语调，并进行分角色朗读练习 | 多媒体课件可以进行逐句播放、选择播放、重复播放和强调重音等功能选择，以训练学生正确发音 |
| 交际生成 | （4）形成交际能力<br>播放关于各种课余活动的图片和沈阳旅游录像片，使学生走出文本，形成交际能力<br>1）两人一组快速问答<br>2）小组模拟导游练习 | 1）两人一组问答训练<br>2）小组模拟旅游练习，一名导游向其他游客介绍沈阳的风光与文化 | 由带文字图片到无文字图片再到多媒体录像，逐渐增加训练的难度，成梯度形成语言能力 |

续表

| 教学环节 | 教师活动与教学内容 | 学生活动 | 设计意图 |
|---|---|---|---|
| 布置作业 | （5）课堂延伸<br>布置作业：利用网络查找沈阳的旅游资料 | 在网络中查寻更多的相关信息 | 通过因特网实现课堂延伸 |

八、教学评价设计

评价能促进学生的学习发展，本节课主要通过以下途径进行评价。

（1）形成性评价

学生个体完成任务，小组汇总相互评价，教师即时鼓励与表扬。

（2）写作评价——家庭作业

课程标准强调激励、反馈与调整。教师通过网络辅助教学，使学生在英语课程的学习过程中不断体验进步与成功、认识自我、建立自信、调整学习策略，促进学生综合语言能力的发展。

九、课后反思与自我评价

在上本节课时，第一点成功的体会就是：创建民主的教学氛围和开展主题活动。我始终认为在"学生是学习的主体，教师是学生学习的组织者、帮助者和把关者"的教学观念的基础上，在具体的教学过程中，教师确立主题、创设情景，有效地组织学生围绕主题进行语言实践活动，学生的语言知识和语言运用能力会得到协调发展；同时，学生的语言知识和语言运用能力的协调发展，反过来会促进教师在教学过程中更有效地组织学生围绕主题进行语言实践活动。这样便形成了"教学相长"的良性循环。

第二点体会就是：有效教学，注重信息技术与学科整合。多媒体辅助教学增加了课堂信息的输入量，提高了教学效率，教学效果十分明显，教学效益比较可观。其中多媒体课件使教学直观化，学生学习兴趣大大增强；创设情境真实化，更有助于学生身临其境；知识输入专业化，知识点准确而且符合认知规律；教学过程可控化，课件体现主题活动，教师教学层层递进，循序渐进；整节课输入的过程帮助学生构建了写作信息框架，从而达到自然有效输出。

十、案例点评

本课是一节听说课，话题 Advice and answers 也是本课的教学目标。教师恰当地使用多媒体辅助教学，进行了民主教学和有效教学的成功尝试。

客观地说，对别人提建议比较抽象，不太容易掌握。本课的第一个亮点是在替换词环节使用了一些声音和有感染力的画面，营造了真实的语言交际环境，达到了很好的学习效果。

本课在培养学生重复、模仿，体会重音，形成说的技巧方面也有特色。教师充分利用超链接功能，将多媒体课件制作成可调、可控的模式，可以根据学生的实际表现进行逐句播放、选择播放、重复播放和强调重音等多样化选择，在培养学生的口语表达能力，尤其是说的能力方面效果突出。

本课的第三个亮点是使用丰富的媒体资源扩展课堂的内涵，实现语言的交际活用。本课在最后一个环节播放一段沈阳的风光录像片，介绍了家乡的很多风景名胜，让学生在亲近家乡的情绪中既做导游，又做游客，进行语言的交际活用，不仅培养了学生爱祖国、爱家乡的美好情感，也为学生提建议和回答提供了一个真实的情境，为本课画上了一个圆满的句号。

点评人：高玉玲（东北育才学校高级教师、英语学科带头人）

### 4.2.2　剖析：案例分析与讨论

一、案例分析

该案例中教师使用了多媒体课件辅助教学，包含一些声音和有感染力的画面，为学生营造了一定的语言交流环境，课堂效果很好。本节课重点在于培养学生的语言表达能力，教师在多媒体课件中插入超链接功能，根据学生实际表现进行重复练习，多媒体课件的"可控"使用，为教学提供了极大的便利。

多媒体课件如果能做到灵活、可操控、可变通使用，那么对教学过程会起到很大的帮助作用，该案例中对超链接的灵活使用就使教师可以根据学生的发音情况进行灵活的重复练习，方便了教师授课。同时利用多媒体资源扩展课堂，丰富了课堂内容，激发了学生对于家乡、对于祖国的拳拳赤子之心，对本堂课进行了情感上的升华。但是信息技术资源的使用相对来说还较为单一，仅使用了多媒体课件，可以尝试多种信息技术资源的整合使用。

二、案例讨论

请结合该案例围绕以下几个问题进行交流与讨论。

1）使用了哪些信息技术工具或信息化教学资源？

2）信息技术工具或信息化教学资源所起的主要作用是什么？

3）在教学过程中教师主要承担了什么角色？

4）在教学过程中，学生的学习方式是怎样的？是否体现了学生的主体地位？

5）你认为教学目标的达成情况如何？

### 4.2.3　反思：教学案例带给我的启发和思考

学习完本节内容后，教学案例带给我的启发和思考是：

_____

_____

_____

_____

_____

# 4.3　信息技术支持下的接受式学习设计

要进行信息技术支持下的接受式学习的教学设计，首先要了解接受式学习的一般模式，其次要知道信息技术支持下的接受式学习的设计原则，在此基础上还要关注信息技术支持下的接受式学习在实施中应注意的问题。本节主要介绍信息技术支持下的接受式学习的一般模式、设计原则及应注意的问题。

### 4.3.1　释义：信息技术支持下的接受式学习的一般模式

接受式学习是以教师讲、学生听为主的"讲授式"教学模式的应用。接受式学习所依据的教学思想主要来源于奥苏贝尔提出的"有意义接受学习"理论。奥苏贝尔认为，学生的学习主要是接受学习，而不是发现学习，即学生主要通过教师讲授和呈现的材料来掌握前人的知识与经验。但是，这种接受学习应该是有意义的，而不是机械的，为此，新知识必须与原有认识、原有观念之间建立起适当的、有意义的联系。发生有意义学习的条件就是要帮助学习者在当前所学新知识与其认知结构中原有的旧知识之间建立起某种联系或关系（这种关系应是"类属关系"、"总括关系"或"并列组合关系"三者之中的一种），从而使新知识获得实际意义。这种教学的主要目标是促进学生对知识的掌握（包括对知识意义的理解、保持和运用），并强调要依据知识的内在逻辑关系来帮助学习者形成与扩展认知结构。

在这种教学模式中，教师的主导作用体现在：激发学习者的学习动机；选择适当的教学内容与教学媒体；运用先行组织者策略以帮助学习者建立起新旧知识之间的有意义联系（即帮助学习者认识到新知与旧知之间存在怎样的"类属关系"、"总括关系"或"并列组合关系"）；选择和设计适当的自主学习策略和协作学习策略以促进学习者对知识意义的自主建构、深入理解和应用迁移。

学习者在学习过程中的主体地位则体现在：积极主动地建立起新旧知识之间的有意义联系，从而获得新知识的意义；与此同时，新知识将通过"同化"被吸纳到原有认知结构中，从而使原有认知结构得以扩展。接受式学习的教学流程如图 4-1 所示。

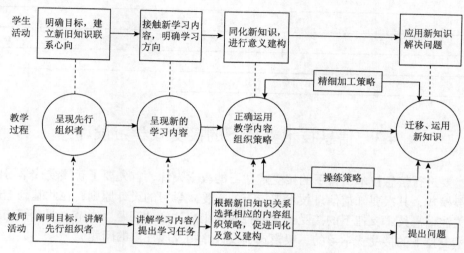

图 4-1　接受式学习的一般模式

这种教学模式通常包含下面四个实施步骤①。

一、呈现先行组织者

这个步骤包括教师阐明教学目标，呈现并讲解先行组织者，唤起学习者先前的知识体验。阐明教学目标是要引起学生的注意并使他们明确学习的方向。所谓先行组织者，就是在学习之前呈现给学生的比新知识包摄性更广、更清晰、更稳定的引导性材料，是新知识与原有认知结构之间的桥梁，能促使学生建立起有意义学习的心向，这里需要指出的是先行组织者并不是教师在教学开始时，对以前相关教学内容的复习或让学生回忆一下已学习过的内容，也不是学生对先前经验的回忆，其实质是一种比学习内容更为概括的材料，是对当前所学概念或原理的基本特点的明确而详细的说明，以帮助唤起学生先前的知识和体验——因为这些知识和体验可能与新知识的学习以及先行组织者有关。

① 何克抗，吴娟. 信息技术与课程整合：信息技术与课程深度融合的理论与实践[M]. 2 版. 北京：高等教育出版社，2019：182.

二、呈现新的学习内容

对于当前所学的新概念、新命题、新知识（新观念）来说，有可能起固定吸收作用的原有观念与新观念之间通常有三种不同的关系（类属关系、总括关系、并列组合关系），由此派生出上位组织者、下位组织者、并列组织者三类先行组织者。

（1）上位组织者

这种上位组织者在包容性和抽象概括程度上均高于当前所学的新内容，即组织者为上位观念，新学习内容应为下位观念，新学习内容隶属于组织者。

（2）下位组织者

这种下位组织者在包容性和抽象概括程度上均低于当前所学的新内容，即组织者为下位观念，新学习内容为上位观念，组织者类属于新学习的内容。

（3）并列组织者

这种并列组织者在包容性和抽象概括程度上既不高于也不低于新学习内容，但两者之间具有某种或者某种相关的甚至是共同的属性，这次组织者与新学习内容之间存在的是并联组合关系。

教师在实施教学的过程中，通过讲解、讨论、录像、实验、阅读和作业的形式来讲解学习内容，与此同时将先行组织者与新学习内容（即当前学的新观念与原有观念）之间的关系呈现出来，这样就使学习内容的呈现逻辑清晰，并使学生很容易地了解当前的学习内容在原有知识体系、原有单元知识体系甚至学科知识体系中的位置，从而能把握各个概念、原理之间的关联性，并对整个学习过程有明确的方向感。在此过程中教师还应注意集中和维持学生的注意力。

三、正确运用教学内容组织策略

这个步骤的目的是新知识的同化，即学生把新学习内容纳入自己的认知结构。对于不同类型的先行组织者，教学内容的组织策略是不同的，所以教师应选择与之相适应的内容组织策略，以促进学生对新知识的同化（或顺应）及意义建构。当先行组织者为上位观念时，教学内容应采用"逐渐分化"的组织策略，先讲授最一般的，即包容性最广、抽象程度最高的知识，然后再根据包容性和抽象程度递减的次序将教学内容逐步分化，使之越来越具体、越深入；当先行组织者为下位观念时，应采用"逐级归纳"的教学内容组织策略，即首先讲授包容性最小、抽象程度最低的知识，然后再根据包容性和抽象概括程度递增的次序逐级将教学内容一步步归纳，每归纳一步，包容性和抽象概括程度即提高一级；对于并列组织者，教学内容的组织需要应用"整合协调"策略，即通过分析、比较先行组织者与当前教学内容在哪些方面具有类似的或共同的属性以及在哪些方面不相同，来帮助和促进学生对认知结构中的有关要素进行重新整合与拓展，从而使当前所学的新概念、新知识纳入学生认知结构的某一层次，并类属于包容性更大、抽象概括程度更高的概念系统之下。

四、迁移、运用新知识

这一阶段类似于人们通常所说的"练习"，就是应用所学的新知识来解决相关的问题，在此过程中，学生要应用精细加工策略和操练策略来巩固知识意义的建构，并反思自己的学习过程，以促进知识意义建构的深化和策略运用的迁移。

### 4.3.2　剖析：信息技术支持下的接受式学习设计原则

信息技术支持下的接受式学习设计需要经过精心的组织和设计，应遵循直观性、组织合理性、趣味性、知识结构层次性、巩固性等原则。

一、直观性原则

我们知道，采用接受式学习方式，教师一般是直接将定论的知识形式直接呈现给学习者，学习者要去主动接受这些新知识并把它们内化到自己原有的认知结构中，与先前的知识经验建立实质性联系，从而完成有意义的接受式学习。但许多新知识对于学习者来说是抽象的、难理解的，这种情况下容易出现死记硬背、被动接受知识的情况，从而导致机械学习。因此需要教师在进行教学设计时想好如何设计才能更直观、形象地将学习材料呈现出来，思考在教学中如何运用信息技术在最大程度上帮助学生理解所学知识，这对信息技术支持下的接受式学习设计来说是非常重要的一个原则。

二、组织合理性原则

这里所说的组织合理性是指学习材料的组织合理性。在学习者学习新材料时，教师需要引导他们进行新旧知识间的联系，帮助他们内化新知识。但如果学习者要学习的新材料和他们已有的知识经验联系不太紧密且新材料本身逻辑性比较强的话，学习者学起来就会比较困难。因此教师在进行教学设计时要合理组织学习材料，根据学科特点和教学安排，先给学习者呈现能够与他们已有的知识经验相联系的知识。教师在讲授知识前可以通过运用信息技术，例如动画、视频等，让学习者提前了解他们熟悉的，且比新知识本身具有更高的抽象、概括和综合水平的知识，合理地组织学习材料可以帮助学生搭建新旧知识间的桥梁，帮助学生进行有意义的学习。

三、趣味性原则

接受式学习的一个缺点就是学习内容大多以定论的形式出现，不需要学生自已去发现，只需把呈现的内容内化并在恰当的时候再现和应用，学生如果对学习内容不感兴趣的话则很难将其理解并内化。因此，教师在对接受式学习进行设计时要注意学习内容的趣味性，可以通过运用合适的信息技术来增加一定的趣味性，例如可以通过二维动画来设计一些小游戏，或者通过三维动画来设计一些真实的问题情境等去激发学生的兴趣。这不仅能够让学生对所学的内容产生兴趣，也能够帮助他们理解知识并在之后应用到问题解决中去。

四、知识结构层次性原则

一般在接受式学习的新课课堂中都会涉及一定的旧知识，若教师在讲授新知识前只是简单地把旧知识罗列给学生，则学生很难将这些旧知识与新知识建立联系，因此教师需要对知识结构进行层次序列的设计。不仅是旧知识需要设计层次序列，新知识的讲授同样应该注重知识结构的层次性。教师应当根据学习者现有的知识情况和接受知识点的逻辑思维，来对知识的呈现方式和呈现顺序进行相应的设计。这一点在接受式学习的设计中是很有必要的。信息技术的运用则有助于知识结构的层次性，它对知识呈现的方式起着很大的优化作用。教师可以利用信息技术，使教学内容呈现方式丰富多彩，使学生获得大量的生动而真实的信息，在提高学生的学习兴趣的同时提高教学效果；教师利用信息技术，可以将知识的表达多媒体化，提供多种感官的刺激，增加获取信息的数量，延长知识的持续时间。

五、巩固性原则

有意义的接受式学习比较注重学习的效果，而学生自己对知识的掌握情况可能不是很明确，这就需要教师通过练习或考试的形式了解学生的学习情况，根据学生的反馈情况对学生在学习中所存在的漏洞或问题及时进行纠正，对学生已经学习过但还未掌握的知识进行巩固，这不仅可以帮助学生将已学过的知识进一步内化，也有助于更好地开展新的学习。信息技术为学生的巩固练习提供了便利。例如，学生可以随时在学习平台上进行练习和知识的回顾，学习平台会根据每个学生练习的不同情况自动打分并生成学习记录，帮助学生了解自己的不足，及时查缺补漏，反复练习和巩固更加有助于学生对于知识的掌握。

### 4.3.3　探究：信息技术支持下的接受式学习实施中应注意的问题

信息技术支持下的接受式学习要体现以学生为主体、教师为主导。为确保信息技术支持下的接受式学习是"有意义的"而非"机械的"，教师应设置合理的教学目标，在恰当的时机使用合适的信息技术，调动学生的学习积极性，注重对学生的启发和引导。在信息技术支持下的接受式学习实施中应注意以下问题。

一、不能为应用技术而应用，更不能偏离教学目标

在接受式学习中，信息技术的使用能够使知识的呈现更为直观，把抽象的问题变得具体。但是，它并不能被用来代替基本的教学活动。教师要明确教学目标，首先要了解教学内容，然后根据教学内容来确定使用什么形式的信息技术手段，所使用的信息技术手段必须要具备实用性，能够更好地辅助课堂教学。教师更要做到信息技术与传统教学媒介相结合，对于一些重点内容，最好写到黑板上，这样可以把内容长时间保留下来，便于学生对重点内容留下深刻的印象。课堂当中的一切活动，都应该围绕着教学目标进行，这样才可以使课堂的学习达到高效的目的。尤其在一些理科科目中，不能抛弃传统的纸笔运算、逻辑推理、直观想象、画表作图等，而是应该使其与信息技术的应用达到一种平衡。

除了要考虑使用信息技术的形式外，也要遵循适度的原则。信息技术在课堂中的应用并不是越多越好，如果运用不当，不但教学效率不会提高，反而会使学生的学习受到影响。例如过多的形象刺激，会对学生想象力的培养造成一定的阻碍，甚至会导致学生思维的钝化。在教学中恰如其分地使用信息技术手段，不仅能够更好地促进学生学习能力的提升，更能够推动学生素质教育的发展。

二、注重对学生的启发

尽管接受式学习的特点是以教师讲授为主，但这并不意味着所有知识和问题的答案都由教师直接传递给学生，而不需要学生自主思考。不论采用哪种教学方式，都应该受到启发式教学思想的指导。在接受式学习中，教师应当注重对学生的启发，在遇到难以理解的知识和问题时，可以通过提问的方式，一步步引导学生回顾先前所学的知识，进行联想和推理，使学生主动理解知识、运用知识，而不是强迫学生直接把知识记住。教师对学生进行启发可以调动学生的学习积极性，引导学生独立思考，活跃学生的思维，有利于学生理解所学知识，与原有认知结构建立联系。恰当地运用信息技术，有助于对学生进行启发。例如，教师可以运用信息技术进行情境创设来导入课堂，引起学生的注意和兴趣，引导学生通过回忆、联想、推理等活动活跃自己的思维。

三、合理利用信息技术优势

教学过程中可以合理利用信息技术手段。课堂上 PPT、视频、动画演示、模拟软件等手段的使用可以使教师的讲授更加直观、生动有趣，极大地提高学生的学习兴趣。接受式学习注重教师对知识的讲授传递，教师应该是有思想、有灵魂的教育者，而不仅仅是将课本知识照搬给学生，因此，教师课堂讲授的丰富性将直接影响学生的学习质量。一些抽象的概念的学习一开始是比较困难的，但是

借助信息技术的支持，可以将此类知识直观化，帮助学生理解接受。例如，学生刚接触立体图形时，往往脑海中很难构想出图形样式，如果这个时候教师借助 3D 软件，多角度地为学生展示图形，学生很容易将正视图、侧视图以及俯视图画出来。接受式学习不光发生在课堂上，也发生在学生的日常学习中，学生平时可以利用微课和慕课进行课前预习和课下巩固，学生的学习不拘泥于课堂教学。

四、防止学生产生依赖心理，抑制学生学习的主动性

接受式学习以教师讲解为主，学生获取知识的途径主要来自教师。这个时候如果教师将一切知识都传递给学生，忽视了学生独立思考的必要性，很有可能导致"填鸭式"教学。同时随着信息技术的发展而兴起的各类作业辅导软件，更使一大部分学生省了课后练习巩固的过程。一味地依赖课堂上老师的讲解以及学习软件的帮助，学生将逐渐失去学习的主动性和独立思考的能力，不愿意动脑思考问题，不愿意钻研自己不明白、有疑问的知识点，只想等着老师的解答和答疑软件的帮助。尤其是目前兴起的作业辅导软件，学生利用软件搜题找答案，省去了自己思考的过程，对于稍微有些难度的问题，学生略加思考未能解决，便立刻拿出搜题软件寻求答案，这是很不利于学生的学习的。所以，要使接受式学习更加有效，一定要防止学生产生这种学习依赖，帮助学生养成积极思考、独立解决问题的能力。

### 4.3.4　实践：信息技术支持下的接受式学习设计

结合具体课程，设计一份信息技术支持下的接受式学习方案，并与他人分享设计方案，共同探讨其优点和不足。

### 4.3.5　反思：信息技术支持下的接受式学习设计要点

学习完本节内容后，我认为信息技术支持下的接受式学习设计要点是：

_____

_____

_____

_____

_____

【思考与练习】

1. 什么是接受式学习？什么是有意义的接受式学习？

2. 什么是信息技术支持下的接受式学习？信息技术对接受式学习有哪些支持作用？

3. 利用信息技术优化接受式学习可以采取哪些策略？

4. 谈谈你对信息技术支持下的接受式学习的认识和看法。

5. 自己查找一个能够体现信息技术支持下的接受式学习的教学案例，并对该教学案例进行分析与评价。

6. 对你的老师作一次访谈，了解他对信息技术支持下的接受式学习的态度、看法与经验，然后和同伴对访谈结果进行交流。

7. 以小组为单位，精选一知识点（教学内容适合以接受式学习为主）进行信息技术支持下的接受式学习教学设计（指明所采用的教学环境）。具体要求如下：

1）以接受式学习为主，在教学中体现信息技术的支持作用。

2）突出学生的主体地位。

3）体现教师的主导作用。

4）小组内试讲、评议、改进。

5）小组派代表进行全班展示与交流。

## 【研究实践】

对信息技术支持下的接受式学习的研究，需要在重点对"有意义的接受式学习"理论进行探讨的基础之上，抓住学生学习知识的意义建构这一本质和核心进行理论层面的思考。以小组为单位，对以下内容进行探讨：

1. 接受式学习的实质、内涵及基本特征分析。

2. 信息技术支持下的接受式学习的学习策略。

3. 信息技术支持下的接受式学习的学习迁移。

4. 信息技术支持下的接受式学习的评价。

# 第5章　信息技术支持下的探究式学习及案例

　　探究式学习作为一种学习方式与传统的接受式学习相对应。与教师将教学的内容以结论的形式直接呈现给学生不同，探究式学习强调教师不把现成的结论直接告诉学生，而是要求学生自主发现问题，运用已有的知识来分析和解决问题。本章围绕什么是信息技术支持下的探究式学习，以及信息技术支持下的探究式学习具有什么特点，讨论了信息技术为探究式学习带来了哪些变化。通过对信息技术支持下的探究式学习案例的分析与讨论，总结了信息技术支持下的探究式学习的一般模式、设计原则以及应注意的问题等。

## 【知识地图】

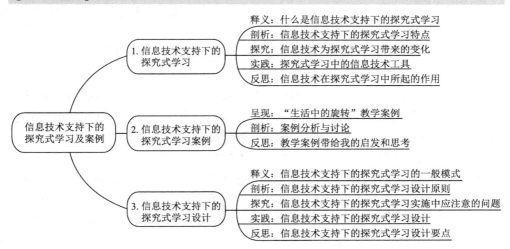

## 【学习目标】

　　本章围绕信息技术支持下的探究式学习及案例展开讨论，涉及信息技术支持下的探究式学习、信息技术支持下的探究式学习案例和信息技术支持下的探究式学习设计。通过本章学习，学习者应达到如下学习目标。

　　1）知道信息技术支持下的探究式学习的内涵，了解信息技术支持下的探究式学习的类型与特点。

　　2）知道优化探究式学习效果的信息技术工具以及应用信息技术优化探究式学习的策略。

3）通过对信息技术支持下的探究式学习案例进行研读和交流，分析信息技术在探究式学习中所起的作用以及带给自己的启发。

4）理解信息技术支持下探究式学习的一般模式、设计原则以及应注意的问题，能基于一定的信息技术条件，根据学习对象和学习内容的情况，灵活地进行信息技术支持下探究式学习的教学设计。

【学习导航】

本章的学习内容是信息技术支持下的探究式学习及案例。因此，对于本章的学习，你可以通过：

1）案例研讨和学习，加深对信息技术支持下的探究式学习的内涵、特点、一般模式等的理解。

2）结合具体的任务或主题，开展信息技术支持下的探究式学习的教学设计，并通过初步应用，对信息技术支持下的探究式学习的设计原则和应注意的问题进行感知。

3）文献阅读和反思，进一步认识和总结信息技术支持下的探究式学习的设计要点。

# 5.1　信息技术支持下的探究式学习

2001 年，教育部印发了《基础教育课程改革纲要（试行）》，从课程的结构、内容、实施、评价、管理等多个方面提出了基础教育课程改革的具体目标。其中指出要改变课程实施过于强调接受学习、死记硬背、机械训练的现状，倡导学生主动参与、乐于探究、勤于动手，培养学生搜集和处理信息的能力、获取新知识的能力、分析和解决问题的能力以及交流与合作的能力。探究式学习是我国基础教育课程改革的一大亮点。随着信息技术的发展，社会对人才的要求越来越高，单纯靠传统的接受式学习培养出来的学生已不能满足信息化社会对于人才的要求。探究式学习可以更好地调动学生的主动性、积极性、能动性，在信息技术支持下的探究式学习可以更好地培养社会需要的创新型人才。

## 5.1.1　释义：什么是信息技术支持下的探究式学习

### 一、探究式学习

要研究探究式学习，首先要明确什么是探究。在汉语中，"探究"就是"探索、研究"，而对"探索"的解释是"多方寻求答案，解决疑问"。对"研究"的解释是"探求事物的性质、发展规律等"。我国早期提出的探究学习与研究性学习的内涵类似，2001 年教育部制定的《普通高中"研究性学习"实施指南（试行）》明确指出："研究性学习是学生在教师指导下，从自然、社会和生活中选择和确定专题进行研究，并在研究过程中主动地获取知识、应用知识、解决问题的学习活动。"所以，探究式学习是指从学科领域或现实生活中选择和确立主题，在教学中创设类似于学术研究的情境，学生通过动手做、做中学主动地发现问题、实验、操作、调查、收集与处理信息、表达与交流等探索活动，获得知识，培养能力，发展情感与态度，特别是培养探索精神与创新能力的学习方式和学习过程。许多专家学者对探究学习展开了研究，也提出了不同的定义。

任长松认为，探究式学习是指学生围绕一定的问题、文本或材料，在教师的帮助或支持下，自主寻求或自主建构答案、意义、理解或信息的活动或过程。[①]

何克抗等认为，探究性学习是指通过对教学目标中有关知识点的认真思考、主动探究和协作交流，使学生更好地达到课程标准关于认知目标和情感目标要求的一种学习方式。认知目标涉及与学科相关的知识、概念、原理和能力的掌握，情感目标则涉及思想感情与道德品质的培养。[②]

闫志明等认为，探究学习是围绕着一个需要解决的实际问题而展开的，通过学生独立与自主的探究活动，在促进学生知识、技能获得的同时培养学生的探索精神、批判性思维能力、复杂问题解决的能力等。[③]

至今还没有对探究式学习形成一个统一的定义，这些不同的定义都有各自的侧重点，也有不同的称谓，如"探究式学习""探究性学习""探究学习"等。在本书后面的叙述中统一使用"探究式学习"这一术语，主要是指在学校教育情境中有教师指导的探究活动。

二、探究式学习的基本特征

探究式学习作为一种学习方式与传统的接受式学习相对应。接受式学习是教师将教学的内容以结论的形式呈现给学生，学生获得的主要是间接经验。探究式学习则强调教师不把现成的结论直接告诉学生，而是要求学生自主发现问题，运用已有的知识分析和解决问题，强调"研究"和"创新"。在探究式学习中，如果学习者自主获取的信息是以现成观点或结论的形式存在的，如学生直接从现有资料和现有资源（图书馆、互联网、科技场馆等）中搜集或直接向有关人士询问，则称为接受式探究；如果学习者在观察、实验、调查、解读或研讨的基础上，通过整理分析而自主获取信息，也就是需要经历一个发现的过程，则称为发现式探究。接受式探究和发现式探究虽然存在着一定的差异，但是它们都具有探究式学

① 任长松. 探究式学习——学生知识的自主建构[M]. 北京：教育科学出版社，2005：29.

② 何克抗，吴娟. 信息技术与课程整合[M]. 北京：高等教育出版社，2007：152.

③ 闫志明，宋述强. 信息技术教育应用的理论与实践[M]. 北京：高等教育出版社，2017：169.

习的基本特征，后面我们把接受式探究和发现式探究统称为探究式学习。探究式学习具有以下基本特征。

（1）问题性

问题是思维运演的动力和催化剂，学习中若不能提出富有吸引力和挑战性的问题，学生就不会形成强烈的问题意识，也就不会有认识的冲动和思维的积极性，"探究—发现"学习也就无从展开。因此"问题"是探究式学习的关键和核心。

（2）过程性

过程和结果是学习过程的一对矛盾。在接受式学习中，教师将学习内容以结论的形式直接呈现给学生，不利于学生思维的发展和智慧的增长；探究式学习注重对结论获得过程的探索，通过强化问题的提出、分析和解决的过程，使学生不仅深刻理解概念原理，而且获得科学的思维方法，增强科学探究的能力。

（3）主体性

探究式学习活动强调以学生为主体，将学生发掘问题作为学习活动的驱动，使学习成为学生自觉自愿的行动，而不是强加给他们的任务。探究式学习不同于学科知识的传授，它是以学生的主题实践活动为主线而开展教学过程的。学生需要借助一定的手段，运用多种感官，通过自己参与主题活动，在做中学、在学中做，使学生的实践活动贯穿于学习活动的始终。遵循主体性原则就要充分发挥学生的主动性，体现其创新精神，使学生能够在不同的情境下运用所学知识，并结合自身行动的反馈，提出问题解决方案。教师的作用不是体现在驾驭学生的学习过程和规约学生的思维上，而是体现在支持、帮助、引导学生学习的不断深入上。

可见，探究式学习的显著特点是强调学习者以学习主体的身份参与学习活动过程，通过探究性活动发现答案，掌握科学的思维方法，获得实际问题的解决能力。在探究式学习活动中，教师的作用是提供指导，而不是直接进行知识灌输。

三、信息技术支持下的探究式学习的一般过程

《基础教育课程改革纲要（试行）》指出："大力推进信息技术在教学过程中的普遍应用，促进信息技术与学科课程的整合，逐步实现教学内容的呈现方式、学生的学习方式、教师的教学方式和师生互动方式的变革，充分发挥信息技术的优势，为学生的学习和发展提供丰富多彩的教育环境和有力的学习工具。"探究式学习作为新课程改革所倡导的学习方式，正逐步进入实质性实施阶段。随着信息技术的发展，探究式学习得到了更好的支持，学生的学习效率也得到了进一步的提升。首先，信息技术可以为学生创设出逼真、生动的情境，更好地促进学生的学习。其次，借助信息技术能够在短时间内完成信息的搜集，并通过一定的软件来分析、处理数据。最后，信息技术更能增进学生之间的情感，使学生的交流更加及时、通畅。

　　信息技术支持下的探究式学习是相对于传统教学环境下的探究学习而言的，是指借助现代教学媒体和信息化教学资源进行的探究活动。互联网所造就的知识普遍、易得，为探究式学习提供了基础。信息技术支持下的探究式学习的一般过程包括：探究问题的生成与确定、探究方案的策划与设计、探究方案的实施与开展、探究结论的交流与评价四个基本阶段①，如图 5-1 所示。

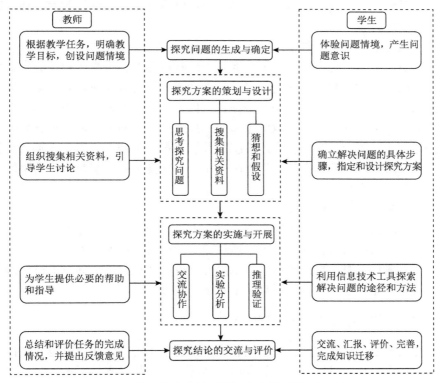

图 5-1　信息技术支持下的探究式学习的一般过程

　　（1）探究问题的生成与确定

　　信息技术为探究式学习提供了丰富而真实的情境，教师可以根据教学任务，明确学习目标，进而选择合适的信息技术手段，为学生创设生动而真实的问题情境，更好地吸引学生注意力，提高学生的学习动机。让学生在不同的问题情境中自己发现探究问题或者是引导学生总结探究问题，可以让学生通过体验问题情境，产生问题意识，进而产生较强的学习动机，为思考探究方案做准备。

　　（2）探究方案的策划与设计

　　教师要利用信息技术提供的丰富教学资源，组织学生搜集相关的资料，引导

---

① 闫志明，宋述强. 信息技术教育应用的理论与实践[M]. 北京：高等教育出版社，2017：174.

学生对探究问题进行思考、讨论，在学生遇到困难时，及时予以指导。学生要通过思考探究问题，搜集相关资料，提出自己的猜想和假设，并通过与同学的交流讨论，最终确立解决问题的具体步骤，制定出合理的探究方案。学生搜集资料的途径不再局限于书籍、杂志，而是借助信息技术手段，在互联网上搜集自己想要了解的信息，不仅可以在短时间内获得大量资源，还可以借助视频、图片、思维导图等多种方式表达自己的观点，这样不仅能够提高学生的学习效率，还能锻炼学生的表达能力。

（3）探究方案的实施与开展

教师要注意学生的需求，在学生遇到困难和瓶颈时，为学生提供必要的指导和帮助，以免影响学生实施探究方案。学生在实施探究方案时，要学会合理利用信息技术，更要注重与同伴的交流协作，以保证探究方案顺利实施。学生在实施探究方案前，可以利用 QQ、微信等通信工具进行实施前的交流，为方案的实施做准备；搜集所需资料时可以利用百度、谷歌、搜狗等搜索引擎，浏览各类教育网站，有针对性地去搜集资料，以提高效率，并对搜集到的资料进行简单的加工处理，使其更加直观。

（4）探究结论的交流与评价

学生利用信息技术工具（如会声会影、Photoshop、Excel 等）对搜集到的视频、图片或数据资料进行加工处理，通过与同伴的交流沟通，得出探究结论。学生以视频、图片、思维导图等形式展示探究结论，在教师的引导下进行评价与完善，进而完成知识迁移。教师要对学生的结论进行总结。

## 5.1.2　剖析：信息技术支持下的探究式学习特点

探究式学习具有问题性、过程性、主体性的基本特征，而信息技术支持下的探究式学习更加强调对信息技术的应用。因此，信息技术支持下的探究式学习有以下特点。

### 一、真实的或虚拟的情境

信息技术依靠其虚拟、仿真的手段能为学生提供生动、真实的情境，教师通过信息技术为学生创设不同的情境，在情境中引出让学生探究的问题或引导学生在情境中自己发现问题，学生在情境中经历的一些体验比教师的单纯讲解更能激发学生学习的兴趣，通过这些体验，他们的积极性被调动起来，能够主动地发现问题，并愿意对问题进行探究。

### 二、多样化的手段

教师通过文字、图像、动画、视频、音频等多种手段展示学习内容，图文并茂，生动有趣，提高了学生学习的兴趣，调动了学生学习的积极性，活跃了学生的思维，有利于学生进行探究式学习。学生针对所学内容主动地进行思考，提出自己的观点，表达自己的看法，在教师的引导下，针对发现的问题进行探究。学生在探究过程中，可以根据自己的兴趣、爱好，根据探究的问题选择不同的探究手段，尊重学生的个体差异，使学生个体的特性得以发挥。

三、丰富的信息资源

在探究式学习过程中，学生对于要探究的问题可以通过多种方式来寻找答案。以往学生只能借助于图书馆，通过书籍、杂志来查找相关的资料，但一个学校的图书馆的藏书量是有限的，也不可能面面俱到，学生不一定能够找到解决自己的问题的资料。但在信息时代，借助现代的信息技术手段，学生可以通过多渠道进行探究。互联网是一个容量非常大的信息资源库，并且网上的资源是可共享的，学生只要具备一定的信息素养，就可以通过互联网查找世界范围内的信息资源，而且这些资源种类繁多、形式多样。各种信息资源应有尽有，取之不尽，用之不竭，能使学生在短时间内获取大量的资料，大大提高了学生进行探究式学习的效率。

四、广阔的交流平台

探究式学习是一种以学生为主体的学习，但并不是不需要教师的指导，教师要在学生遇到困难时及时地给予帮助，以便学生进行后续研究。在探究式学习过程中，学生可能在针对某一问题进行探究时会遇到使自己产生困惑的问题，或者需要教师和同学的帮助。课堂上教师可以对学生的问题给予解答，也可以和学生进行研讨，或让学生进行讨论。通过信息技术，师生可以打破时空的限制，随时随地进行交流，学生可以在有困惑时及时与教师进行沟通以解决问题。学生之间也可以通过网络进行讨论，及时交流彼此的研究进展，也可以在有困难时相互帮助。

### 5.1.3　探究：信息技术为探究式学习带来的变化

信息技术为探究式学习的开展提供了强有力的支撑，也为探究式学习带来了许多变化，具体可以体现为以下几个方面[①]。

一、提供探究资源

在 Internet 的支持下，教师能快捷地获取探究资源。例如，运用百度、Google 等搜索引擎实现快速检索；利用网络资源库、专业网站、主题网站、电子图书馆

① 顾小清. 信息技术与课程整合教程[M]. 上海：华东师范大学出版社，2008：131.

等进行资源浏览和下载，帮助学习者进行知识建构。

二、提供探究情境

信息技术能够创设丰富的探究情境。例如，利用信息技术的交互性、超媒体性创设参与情境和同化情境，促进知识的同化吸收；运用教学软件、人工智能、虚拟现实等信息技术创设探究情境，提高学习者解决问题的能力。

三、提供信息处理分析工具

信息技术能够用来对数据进行收集、统计、分析及处理。例如，常用的数据收集工具软件有问卷星、调查派等；常用的数据统计、分析与处理工具包括 Excel、SPSS 等。通过统计分析，学习者能更容易地从中发现有价值的信息。

四、提供探究认知工具

认知工具的概念来自认知心理学领域。广义地说，它包括一切能够支持、引导和扩展用户思维活动过程的智力方法或技术设备，如数据库、概念图、专家系统等。例如，运用数据库帮助学生分析和组织学科内容，实现快速查找等功能；运用概念图来组织和表征知识，掌握概念之间的相互关系，形成清晰的概念思路，促进新旧知识的整合；运用专家系统来支持学习者的智能决策等。

五、提供探究的虚拟交流工具

社会建构主义理论认为知识内含在团队或学习共同体中，学习者常常通过社会性的协商来学习。信息技术为学习者的对话、协商、讨论提供了支持。例如，基于网络和计算机的同步交流工具有网络聊天室（QQ、微信等）、视频会议（腾讯会议、ZOOM）等；异步交流工具有 E-mail、BBS 论坛等。

六、提供探究评价工具

信息技术能够支持多种评价方式，提供探究评价工具。合理运用信息技术，可以将过程性评价与总结性评价相结合，更有利于学生的综合素质发展，如电子档案袋、评价量规、学习契约、电子试卷等。

## 5.1.4 实践：探究式学习中的信息技术工具

信息技术在教学中的应用为学习者的学习提供了强有力的支持。埃德森（Edelson）等人在其研究中论述了信息技术工具能够支持探究式学习的主要原因：第一，信息技术工具为学生的探究式学习提供了帮助。例如，在探究式学习中，学生可以利用信息技术搜集、分析和存储信息。第二，学生可以通过计算机系统主动地获取探究式学习所需的信息和提示，而不仅仅依赖于教师。在信息技术支持的探究式学习中，学生不是通过记忆、回忆或限制性任务来按部就班地发展分析问题和解决复杂问题的能力，而是在真实的问题情境中通过探究的方式发展上述各种能力[①]。

探究式学习的整个过程都可以利用信息技术工具，教师和学生可以根据自身的需要或学习活动的需要灵活地选择信息技术工具。

查阅资料或观看信息技术支持下的探究式教学案例，总结教师在不同教学环节使用了哪些信息技术工具或资源，其主要作用是什么，填写在表 5-1 中。

**表 5-1　信息技术支持下的探究式学习中使用的信息技术工具及其主要作用**

| 教学环节 | 信息技术工具 | 主要作用 |
| --- | --- | --- |
| 创设情境 | | |
| 启发思考 | | |
| 自主探究 | | |
| 协作交流 | | |
| 总结提高 | | |

## 5.1.5　反思：信息技术在探究式学习中所起的作用

学习完本节内容后，我认为信息技术在探究式学习中所起的作用是：

_____

_____

_____

_____

_____

---

① 闫志明，宋述强. 信息技术教育应用的理论与实践[M]. 北京：高等教育出版社，2017：177.

# 5.2　信息技术支持下的探究式学习案例

以多媒体计算机技术和网络通信技术为主要标志的现代信息技术的飞速发展，已经在教育教学领域产生了重大的影响。实践已证明，在传统的条件下让学生在真实情境中进行探究式学习会受到种种局限，信息技术为解决这道难题提供了广阔空间，为学习方式的变革提供了强有力的工具，能从整体上丰富、提升学习活动。2014年教育部办公厅发布的《中小学教师信息技术应用能力标准（试行）》根据我国中小学校信息技术实际条件的不同、师生信息技术应用情境的差异，对教师在教育教学和专业发展中应用信息技术提出了基本要求和发展性要求。其中，应用信息技术转变学习方式的能力为发展性要求，主要针对教师在学生具备网络学习环境或相应设备的条件下，利用信息技术支持学生开展自主、合作、探究等学习活动所应具有的能力。本节通过对"生活中的旋转"教学案例的分析与讨论，借助案例分析信息技术在探究式学习中所起的作用及其为教学带来的变化。

## 5.2.1　呈现："生活中的旋转"教学案例[①]

"生活中的旋转"是一节基于资源的学生自主探究课，在授课过程中，教师通过网页课件展示了大量的生活情境让学生形成直观上的初步认识，借助几何画板学习软件引导学生自己动手作图，加深对旋转概念及性质的理解。在教学中，几何画板软件发挥了重要的作用，是学生探究问题、验证结果的重要工具。在本课教学中，计算机网络教室是教学开展的重要物质基础，信息化教学工具、教学资源的应用是教学实现的重要工具。

一、案例背景

设计者：宋春晖
单位：营口市雁楠中学
学生：营口市雁楠中学八年级六班
教材：北师大版数学八年级上册
教学设计指导者：霍丽新
单位：营口市教师进修学院

二、教材内容分析

"生活中的旋转"是北师大版教材八年级上册第三章第三节，本节内容是图形变换的第三学段的学习目标，承接"轴对称"和"平移"，旋转也是现实生活中

---

① 该案例选自：高铁刚，李忠梅. 现代教育技术与初中数学教学[M]. 北京：高等教育出版社，2009.

广泛存在的现象，是现实世界运动变化的最简捷形式之一。它不仅是探索图形变换的一些性质的必要手段，也是解决现实世界中的具体问题以及进行数学交流的重要工具，为综合运用几种变换（轴对称、平移、旋转、相似）进行图案设计打下基础。通过本节学习，使学生加强数学知识与现实生活的联系，进一步体会数学的价值和丰富内涵。本课时研究的内容源自教材，又在教材的基础上进行了拓展。让学生利用几何画板探究旋转的特征并分析生活中的一些旋转现象。

三、教学（学习）目标与重难点

（一）教学目标

（1）知识目标

通过具体实例认识旋转，理解旋转前后两个图形对应点到旋转中心的距离相等，对应点与旋转中心的连线所成的角彼此相等的性质。

（2）能力目标

学生初步学会运用旋转的定义和性质去分析判断简单的旋转现象。通过几何画板的使用和学生网上冲浪，培养学生利用学习软件和网络自主探究学习内容的能力。

（3）情感目标

让学生经历对生活中的旋转现象进行观察、分析、欣赏等过程，初步培养学生的审美情感，增强对图形的欣赏意识，培养学生的创新能力，使学生进一步体验生活中处处有数学，从而激发学生对学习数学的兴趣。

（4）价值观目标

培养学生合作学习、探索学习的意识和追求成功的精神，增强学生的自我价值感。

（二）教学重难点

教学重点：旋转的基本性质。
教学难点：探索旋转的基本性质及探究生活中的旋转现象。

四、学习者特征分析

本课题探究的学习者为营口市雁楠中学八年级的学生，大部分学生的基础较好，有良好的学习习惯。八年级的学生已经开始由形象思维向抽象思维过渡，认识问题的能力有了一定的提高。这个班的学生具有一年多在网络学习环境下学习的经验，计算机操作比较熟练，具有初步的网上学习的技能，对几何画板的使用较为熟练，具有应用学习软件自主探究和合作学习的能力，这为在网络教室里独立使用几何画板来探究本节课的学习内容准备了条件。

五、教学策略选择与设计问题

激发策略：给学生提供一系列问题，激发学生的兴趣和好奇心。提供意义建构材料策略：利用主题资源网站，给学生提供大量的相关资源。自主探究策略：学生带着问题利用几何画板探究，解决问题，主动获取知识。

六、教学资源与工具设计

自制的网页课件、Flash 教学课件、几何画板教学软件、网络教室。

七、教学过程

"生活中的旋转"教学过程如表 5-2 所示。

**表 5-2　"生活中的旋转"教学过程**

| 教学环节 | 教学内容与教师活动 | 学生活动 | 设计意图与技术应用 |
| --- | --- | --- | --- |
| 创设情境引入新课 | 首先，视频播放生活中一些常见的运动现象——平移和旋转，让学生观察并猜测哪些运动属于旋转运动。然后，借助于网页课件演示自行车车轮的转动、电扇扇叶的转动和时钟指针的转动现象 | 学生思考并分组讨论这些运动现象有什么共同点。<br>（1）都有一个运动的主体几何图形。<br>（2）都有一个运动的中心（即固定的点或旋转中心）。<br>（3）运动的主体都绕着旋转中心转动一定的角度 | 设计意图：创设情境，引导学生由感性过渡到理性，尝试得出下面的旋转定义。<br>技术应用：播放生活中一些常见的运动现象的视频，通过实例让学生体会在生活中大量存在的旋转现象，从而提出问题，让学生积极思考，激发学生的求知欲望。用网页课件演示自行车车轮的转动、电扇扇叶的转动和时钟指针的转动现象，引导学生探究旋转的定义 |
| 旋转的定义的探究 | （板书）在平面内，将一个图形绕一个定点沿某个方向转动一个角度，这样的图形运动称为旋转，这个定点称为旋转中心，转动的角称为旋转角。<br>并引导学生利用几何画板绘制旋转图形并找出旋转前后的对应元素 | 利用几何画板绘制旋转图形，了解旋转前后图形中的对应元素。<br>在任务驱动下回答问题，并自主探究 | 设计意图：为下面利用几何画板探究旋转的特征做准备。<br>技术应用：学生利用学习软件、几何画板来绘制旋转前后的两个图形。教师通过操作平台监控学生的自主学习情况 |
| 旋转特征的探究 | 教师活动：引导学生利用几何画板回答下列问题，从而探究旋转的特征。<br>如图所示，如果把钟表的指针看作四边形 AOBC，它绕 O 点按顺时针方向旋转得到四边形 DOEF。在这个旋转过程中： | 学生利用几何画板在独立探究小组交流的基础上总结归纳旋转的特征。<br>（1）旋转不改变图形的大小与形状，但可改变方向。旋转前后的图形中，对应线段相等，对应角相等。 | 设计意图：充分利用多媒体软件辅助课堂教学，同时培养学生独立探究、协作交流的学习意识。<br>技术应用：教师通过操作平台把电脑屏幕显示的内容切换成回答问题学生的探究结果，便于学生交流学习。学生通过平台相互交流自己的成果 |

| 教学环节 | 教学内容与教师活动 | 学生活动 | 设计意图与技术应用 |
|---|---|---|---|
| 旋转特征的探究 | （1）旋转中心是什么？旋转角是什么？<br>（2）经过旋转，点 $A$、$B$ 分别移动到什么位置？<br>（3）$AO$ 与 $DO$ 的长有什么关系？$BO$ 与 $EO$ 呢？<br>（4）你还发现哪些边旋转后是重合的？<br>（5）$\angle AOD$ 与 $\angle BOE$ 的大小有什么关系？<br>请同学汇报探究结果，其他同学发表见解 | （2）对应点到旋转中心的距离相等。<br>（3）经过旋转，图形上的每一点都绕旋转中心沿相同方向转动了相同的角度。<br>（4）任意一对对应点与旋转中心的连线所成的角是旋转角 | |
| 探索图形之间的旋转关系 | 指出图形之间还存在着旋转关系，一些较复杂的图案，可看作是由"基本图案"通过旋转得到的，而基本图案往往不唯一，旋转的次数和每次转动的角度都不相同 | 利用几何画板分析图形中的旋转关系，学生探究、交流 | 设计意图：进一步加强学生对旋转特征的认识。同时培养学生的团队意识和协作精神。再次将多媒体软件与课堂教学整合。<br>技术应用：学生利用几何画板软件来绘制基本图形，并尝试着让它旋转，看旋转角度多大时，经过多次旋转以后能够得到这样的图形 |
| 网页自测 | 利用网页课件让学生进行这节课的知识自测 | 利用网页课件自测。网页课件中自动判断学生回答的正误。<br>对于回答错误的在小组内研究解决，小组内解决不了的问题拿到全班讨论 | 设计意图：充分发挥网页课件的辅助教学作用。培养学生的合作意识。<br>技术应用：教师通过操作平台把电脑屏幕显示的内容切换成学生的探究结果，便于学生交流。学生利用网页课件自测 |
| 旋转欣赏 | 引导学生在网上查询、浏览生活中的旋转美 | 浏览网页课件，欣赏一些优秀作品，查询互联网中的旋转现象，感受旋转在生活中的广泛应用 | 设计意图：充分发挥互联网的作用，让学生感受到数学和生活息息相关。<br>技术应用：教师通过操作平台把电脑屏幕显示的内容切换成学生的自测结果，便于学生交流学习 |

续表

| 教学环节 | 教学内容与教师活动 | 学生活动 | 设计意图与技术应用 |
|---|---|---|---|
| 感受 | 引导学生谈谈这节课的收获和感受，并引导学生发现数学来源于生活又服务于生活 | 感受生活中的旋转美 | 设计意图：让学生充分应用学到的知识，将生活变得更加美好！<br>技术应用：网页课件和互联网交互使用 |

　　"生活中的旋转"是一节从概念引入的实践性教学课，若按传统教学方式，让学生死记概念，再用大量练习加以巩固，这样的教学会造成学生不能真正理解概念的实质，而且也容易遗忘所学知识。本节课最大的特点在于让学生在多媒体资源的辅助下经历"自主探究—小组交流合作—归纳应用"的过程。

　　本节课首先通过网页课件展示了大量的生活情境，让学生形成直观上的初步认识；然后，借助几何画板学习软件引导学生自己动手作图，使旋转运动生动、形象地展现在学生面前，加深了学生对旋转概念以及性质的理解。在探究生活中存在的具有旋转特征的图形及其形成过程这一环节时，几何画板这一学习软件又实现了其他教学软件所达不到的教学效果，学生将自己头脑中的想法通过几何画板作图来验证，轻而易举地抓住了旋转的本质特征，突破了本节课的教学难点。最后学生欣赏教师提供的网页课件中的旋转现象或者在互联网上查到的生活中的旋转现象，真正感受到生活中处处有数学，数学来源于生活并服务于生活。

### 5.2.2 剖析：案例分析与讨论

　　一、案例分析

　　该案例使用了视频、网页课件、Flash 教学课件、几何画板教学软件、网络教室等信息技术。

　　该案例使用视频创设生活化的情境，利用网页课件演示常见的旋转现象，形象且生动，能够将学生代入问题情境，确立探究问题。运用几何画板教学软件，让学生快速、方便地绘制图形，既节约时间又方便展示，有利于小组间的交流讨论。在多媒体网络环境下，方便学生浏览网页课件，查询所需信息，拓展相关知识。

　　信息技术贯穿整个教学过程，在合适的环节选择合适的信息技术工具，可以更好地实施探究方案，几何画板的应用可以帮助学生更快、更形象地找到问题的答案，加深学生理解，有利于探究式学习的开展。

　　就"生活中的旋转"这一节课的设计和教学过程来看，首先，这节课的教学目标定位准确。旋转，是培养学生空间观念的一个很重要的内容，从青少年空间知觉的认知发展来说，这是培养空间概念的基础，而空间观念是培养创新精神所需的基本要素。没有空间观念，就谈不上任何发明创造。学生在现实生活中都看到过平移和旋转现象，应该有一种切实的感觉，在现阶段，要让学生抓住旋转的本质特征。几何画板的运用和网页课件的使用，充分体现了生活实践教学化、数学概念实践化这两个转化，即学生在一堂课中初步完成了在认识上从感性到理性，又从理性回到感性这两次飞跃，让学生高高兴兴地感悟数学的魅力和价值，并从中体会数学的简洁美、对称美。

这节课教师用几何画板引导学生发现旋转的特征，并通过网页自测练习巩固定义和特征。整节课的设计紧凑有致、环环相扣，整个教学过程充分体现了现代信息技术与课堂教学整合的优越性。在教学过程中，教师引导学生把从生活中引入的旋转现象作为探索的起始，运用灵活多样的教学手段和方法安排本节课的教学内容，并将生活中触手可及的例子贯穿于课堂教学的过程中，使学生乐于学习、学会学习、学会创新。在课程结束时，再次向学生展示一个生活情景，真正实现了"从生活中来，到生活中去"的初衷。教师在教学中体现了新课程所倡导的"自主、合作、探究"的理念，体现了学生是课堂的主体的教学理念，尊重学生的需要，让学生真正成为课堂的主人。

二、案例讨论

请结合该案例围绕以下几个方面的问题进行交流与讨论。

1）使用了哪些信息技术工具或信息化教学资源？

2）信息技术工具或信息化教学资源所起的主要作用是什么？

3）在教学过程中教师主要承担了什么样的角色？

4）在教学过程中学生的学习方式是什么样的？是否体现了学生的主体地位？

5）你认为教学目标的达成情况如何？

### 5.2.3　反思：教学案例带给我的启发和思考

学习完本节内容后，教学案例带给我的启发和思考是：

_____

_____

_____

_____

_____

_____

# 5.3　信息技术支持下的探究式学习设计

要进行信息技术支持下的探究式学习的教学设计，首先要了解信息技术支持下的探究式学习的一般模式，其次要知道信息技术支持下的探究式学习的设计原则，在此基础上还要关注信息技术支持下的探究式学习在实施中应注意的问题。本节主要介绍信息技术支持下的探究式学习的一般模式、设计原则及应注意的问题。

### 5.3.1　释义：信息技术支持下的探究式学习的一般模式

信息技术支持下的探究式学习的一般模式既遵循探究式学习的一般过程，又加入信息技术的支持，使得信息技术融入探究式学习的各个阶段。信息技术支持下的探究式学习的一般模式通常包括"创设情境""启发思考""自主探究""协作交流""总结提高"五个环节[①]。这五个环节以及教师与学生的活动如图 5-2 所示。

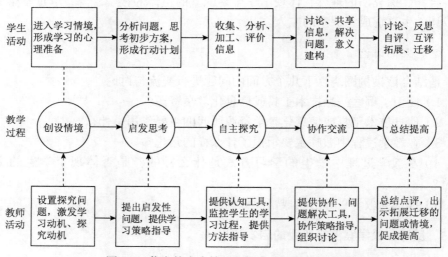

图 5-2　信息技术支持下的探究式学习的一般模式

一、创设情境

创设情境不仅是教师导入教学主题的需要，也是激发学生的学习动机和自主探究动机的需要。教师创设情境的方法多种多样：可以设置一个待探究的问题（此问题的解决需运用当前所学的知识），也可以播放一段与当前学习主题

---

① 何克抗，吴娟. 信息技术与课程整合[M]. 北京：高等教育出版社，2007：152.

密切相关的视频，或是朗诵一首诗歌、播放一段乐曲、讲一个生动的小故事、举一个典型的案例、演示专门制作的课件、设计一场活泼有趣的角色扮演等。教师通过上述各种方法创设能激发学生学习动机和探究动机的情境，学生一旦进入教师创设的情境就可在情境的感染与作用下形成学习的心理准备，并产生探究的兴趣。

二、启发思考

在学生被创设的情境激发起学习兴趣并形成了学习的心理准备之后，教师应及时提出富有启发性而且能涵盖当前教学知识点的若干个问题（切忌提一些有明显答案或明知故问的问题），让学生带着这些问题去学习和掌握有关的知识、技能——这一过程也就是主动地、高效地完成当前学习任务的过程。在问题思考阶段，教师对学生应当如何解决问题、应当利用何种认知工具或学习资源来解决问题，应当如何利用这些工具及资源，以及如何处理在探究过程中遇到的新问题等，都应给出具体的建议和指导；学生则要认真分析教师所提的问题，明确自己所需完成的学习任务，并通过全面思考形成初步的探究方案。

三、自主探究

在实施这一步骤的过程中，学生利用教师提供的认知工具和学习资源（或是利用在教师指导下从网上或其他途径获取的工具和资源），围绕教师提出的与某个知识点有关的问题进行自主探究。这类自主学习与自主探究活动包括：学生利用相关的认知工具（不同学科所需的认知工具不同）去收集与当前所学知识点有关的各种信息；学生主动地对所获得的信息进行分析、加工与评价；以及学生在分析、加工与评价基础上形成的对当前所学知识的认识与理解（即由学生完成对当前所学知识意义的自主建构）。在学生进行自主学习与自主探究的过程中，教师应密切关注学生的学习与探究过程，并要适时地为学生提供有效地获取和利用认知工具、学习资源以及有关学习方法策略等方面的指导。

四、协作交流

为了进一步深化学生对当前所学知识意义的建构，应在自主探究的基础上，组织学生以讨论形式开展小组内或班级内的协作与交流——通过共享学习资源与学习成果，在协作与交流过程中进一步深化学生对当前所学知识的认识与理解。教师在此过程中应为学生提供协作交流的工具，同时要对如何开展集体讨论、如何处理小组成员的分歧等协作学习策略作适时的指导，而且教师在必要时也应参与学生的讨论和交流（不能只做场外指导）。协作交流的过程不仅是学生深入完成知识与情感内化的过程，也是学生了解和掌握多种学习方法的过程。

五、总结提高

总结提高是实施探究性教学模式的最后一个步骤，其目的是通过师生的共同总结，来补充和完善全班学生经过自主探究和协作交流这两个阶段以后，对当前所学知识的认识与理解方面仍然存在的不足，以便更全面、更深刻地达到与当前所学知识点有关的教学目标的要求（包括认知目标与情感目标这两方面的要求）。在实施这一步骤的过程中，学生的活动包括讨论、反思、自我评价、相互评价；教师的活动包括点评学生的学习情况、提出与迁移拓展有关的问题并创设相关情境、对当前所学知识内容进行概括总结（以帮助学生了解当前所学知识点与其他相关知识点之间的内在联系）。其中"提出与迁移拓展有关的问题"，可以要求学生应用所学知识去解决某个问题，也可以要求学生应用所学知识去完成某项作品。

### 5.3.2　剖析：信息技术支持下的探究式学习设计原则

信息技术支持下的探究式学习设计需要经过精心的组织和设计，应遵循情境性、主体性、资源丰富性、协作交流等原则。

一、情境性原则

创设情境的成功与否关系到整个探究式学习能否顺利进行，好的情境可以激发学生的学习兴趣，给予学生问题引导，让学生确立正确的学习目标并为解决问题付诸实践。相比于传统的探究式教学，借助信息技术能够创设更加丰富的探究情境，可以让情境更加真实、生动，也更容易吸引学生的注意力，激发学生的学习兴趣。图文并茂，或使用视频、虚拟现实，可以让学生更好地进入情境、理解情境。

二、主体性原则

探究式学习强调学生解决问题、探索问题的能力，也就是说在探究式学习中应以学生为主体。在信息技术的支持下，学生有了更多的渠道去搜集资料，获取信息的来源不再局限于书本和教师，因此他们自己就可以完成问题的探究。在进行探究式学习时，应注意从学生的角度考虑问题，以学生为主体进行设计。教师是引导者、辅助者，引导学生完成整个探究活动，并在必要时予以帮助和支持。

三、资源丰富性原则

在探究式学习过程中，教师应该使用多样化的方式创设情境，展示学习内容，提高学生的学习兴趣，激发学生的学习动机，也就是教师要提供丰富的教学资源，以便于探究式学习的顺利进行。比如可以通过视频、动画、图片、虚拟现实等多种方式创设生动而真实的问题情境。教师还应该提供丰富的学习资源，以供学生进行探究式学习，方便学生通过多种渠道进行问题的探究。以前学生寻找问题的答案只能通过书本或询问教师，效率低且很可能找不到想要的答案。在信息技术的支持下，学生搜集信息的渠道变得多样化，因为互联网上有着丰富的资源，丰富的学习资源能大大提高学生探究式学习的效率。

四、协作交流原则

进行探究式学习，不仅要注重培养学生独立自主解决问题的能力，同时也不应忽视学生协作能力的培养。在探究式学习的过程中，学生通过协作交流、集思广益，可以更快、更好地设计探究方案，提高学习效率。展示探究结果时互相评价、交流，也有助于学生的自我提高。信息技术可以支持探究式学习中跨时空的交流，使学生之间、师生之间的交流不再局限于某一时间、某一地点，更加有利于探究式学习的进行。

## 5.3.3  探究：信息技术支持下的探究式学习实施中应注意的问题

信息技术支持下的探究式学习既重视发挥教师在教学过程中的主导作用，又充分体现学生在学习过程中的主体地位。在信息技术支持下的探究式学习实施中应注意以下问题。

一、设置一定难度的学习任务

现代心理学研究成果和学习实践表明，简单易学的材料，不能引起学生的学习兴趣，也不需要他们进行探究而有所发现，只需要用现有的认知结构和认知方式去同化吸收，便可掌握它。所以，探究式学习的条件之一，是学习材料应具有一定的难度。学习者要想真正掌握、内化这种学习材料，就必然要经过一番探索，并有所发现。所谓具有一定难度的学习材料，是指学生现有的认知结构和认知方式无法直接同化吸收的学习材料。所谓内化，是指导学生将外在的知识客体内化到自己已有的认知结构之中，使知识客体与自己已有的认知结构建立了内在的、有意义的联系。在对具有一定难度的学习材料的学习中，学生要根据自己的学习目的和知识客体的特性，在自己的认知结构和知识客体之间建立内在的联系，将外在知识真正内化到自己已有的认知结构之中。可见，一定难度的学习任务客观上要求学生去努力探索、积极研究，即采用探究式学习。

二、充分发挥学生的主体性

（1）学生要有明确的学习目的

明确的学习目的不仅是学生学习的动力，而且使他们愿意花费心力去调整和改变自身已有的认知结构和已经习惯的认知方式，并且为学习者指明了学习的方向，使他们明白将要对自身的认知结构和认知方式做出哪些调整、改造和变革。

（2）学生真正成为学习的主人

只有当学生成为学习的主人，他才可能积极主动地进行探索学习，对自身现有的认知结构和认知方式进行调整、改造和变革，将知识内化到自己的认知结构中，而任何外来力量都无法直接进入学生的内心，并对其进行直接的改造。

（3）学生要掌握基本的学习策略和学习方法

只有这样，学生才知道怎样探究性地进行学习。只有当学生作为学习的主体而参与学习的过程时，他才可能探究性地学习。因此，从根本上讲，让学生成为真正的学习主体是使学习成为探究式学习的根本条件。

三、探究需要一定的知识作为基础

20世纪60年代的探究式学习由于过分强调过程，因而使人误以为探究式学习不需要知识，或轻视知识的掌握，学生只需要具备一定的科学探究方法和能力就行了。事实上，内容与过程、科学知识与科学探究是密不可分的：掌握知识是发展探究能力的基础，一定的探究能力又是掌握知识的条件。因此，在探究式学习中，作为基本概念的知识的存在是必不可少的。

四、融洽的课堂气氛

融洽的课堂气氛是探究式学习的重要条件，因为只有在民主的、轻松愉快的课堂气氛里，学生才能独立地探索、大胆地发表见解，并在这个基础上自主探究和自主创造。任何压服、抑制、独断，都将窒息和扼杀学生探究的欲望和创造的萌芽，这就要求师生间形成民主化的师生关系。师生关系的民主化突出表现在：教师尊重学生，听取学生的意见，虚心向学生学习；学生尊重教师，接受教师指导，同时敢于提出自己的见解。

实践表明，教师态度和蔼，语言亲切，是创造良好课堂气氛的重要条件，从而消除学生害怕失败的心理障碍，使学生情绪高涨，思维活跃，学习积极主动，敢于大胆探索。

五、创设问题情境

既然探究式学习是以解决问题的形式出现的，那么在探究式学习中，教师首先就必须把学生要学习的内容巧妙地转化为问题情境。经验表明，教师设置的问题情境要具备目的性、适应性和新颖性。这样的问题才会成为学生思维和感知的对象，从而使学生在心理上形成一种悬而未决但又必须解决的求知状态，实际上也就是使学生产生问题意识。问题意识会激发学生强烈的学习愿望，从而使其注意力高度集中，积极主动地投入学习；问题意识还可以激发学生勇于探索发现和追求真理的科学精神。没有强烈的问题意识，就不可能激发学生认识的冲动性和思维的活跃性，更不可能开发学生的求异思维和创造思维。

六、良好的探究环境

时间、空间和学习材料是探究式学习环境的重要组成部分。充分的探究时间、灵活的探究空间和丰富的学习材料有利于探究的开展和深入。

（1）充分的探究时间

探究式学习要求学生自己通过探究来理解科学知识，发展探究能力，它比机械记忆学习或直接传授知识更加费时。因此，学生需要充足的时间进行探究式学习。教师应通过安排使学生有时间实践自己的想法，有时间开展讨论。此外，应给学生留出时间以便以不同的方式——或个人，或小组，或全班做阅读、思考、实验、讨论等活动。

（2）灵活的探究空间

探究式学习需要常备的、充足的空间。为此，教师在安排探究空间时，要确保学生不论如何分组、不论从事哪种活动都能安全地进行，都能展示自己的活动成果。

（3）丰富的学习材料

有效的探究式学习离不开必备的学习材料、仪器设备以及信息资源。教师必须设法拥有并能支配这些资源，使自己不仅能够选出最适合的材料，也能决定什么时间、什么场所和用什么方式去利用这些资源。当今时代，教师应鼓励学生学会从书刊、电视、数据库、电子通信以及各种专家那里获取信息。

七、选择适于探究式学习的学习内容

并不是所有的学习内容都适于采用探究式学习的方式，对于教学中的基本概念和规律，应以讲授为主，而对于涉及多学科的综合性问题、与现实生活联系密切的问题以及前沿问题等开放性和结构不良的问题，更适合采用探究式学习的方式。

### 5.3.4　实践：信息技术支持下的探究式学习设计

结合具体课程，设计一份信息技术支持下的探究式学习方案，并与他人分享设计方案，共同探讨其优点和不足。

### 5.3.5　反思：信息技术支持下的探究式学习设计要点

学习完本节内容后，我认为信息技术支持下的探究式学习设计要点是：

_____

_____

_____

_____

_____

【思考与练习】

1. 什么是探究式学习？探究式学习给教学带来了哪些变化？

2. 什么是信息技术支持下的探究式学习？与传统的探究式学习有哪些不同？

3. 信息技术支持下的探究式学习着重培养学生哪些能力？

4. 谈谈你对信息技术支持下的探究式学习的必要性和重要性的认识。

5. 自己查找一个能够体现信息技术支持下的探究式学习的教学案例，并对该教学案例进行分析与评价。

6. 对你的老师作一次访谈，了解他对信息技术支持下的探究式学习的态度、看法与经验，然后和同伴就访谈结果进行交流。

7. 以小组为单位，精选一知识点（教学内容适合以探究式学习为主）进行信息技术支持下的探究式学习教学设计（指明所采用的教学环境）。具体要求如下：

1）以探究式学习为主，在教学中体现出信息技术的支持作用。

2）突出学生的主体地位。

3）体现教师的主导作用。

4）小组内试讲、评议、改进。

5）小组派代表进行全班展示与交流。

【研究实践】

对探究式学习的研究需要在继承和吸收前人有关探究式学习探讨的基础之上，抓住学生知识的自主建构这一本质和核心进行理论层面的思考。以小组为单位，对以下内容进行探讨：

1. 探究式学习的实质、内涵及基本特征分析。

2. 探究式学习的内在机制、发展阶段与过程。

3. 信息技术支持下的探究式学习的学习策略。

4. 信息技术支持下的探究式学习的组织实施。

5. 信息技术支持下的探究式学习的评价。

# 第6章 信息技术支持下的合作学习及案例

随着社会的不断发展，合作的地位越来越突出。合作学习把合作的观念引入教学系统，符合时代的要求。随着信息技术的飞速发展及其在教学中的应用，学习者可以实现范围更广和质量更高的合作学习过程。本章围绕什么是信息技术支持下的合作学习以及信息技术支持下的合作学习具有的特点，讨论了信息技术优化合作学习的策略。通过对信息技术支持下的合作学习案例的分析与讨论，总结了信息技术支持下的合作学习一般模式、设计原则以及应注意的问题等。

## 【知识地图】

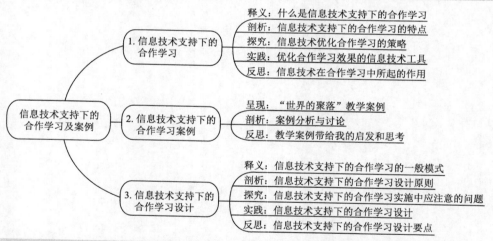

## 【学习目标】

本章围绕信息技术支持下的合作学习及案例展开讨论，涉及信息技术支持下的合作学习、信息技术支持下的合作学习案例和信息技术支持下的合作学习设计。通过本章学习，学习者应达到如下学习目标。

1）知道信息技术支持下的合作学习的内涵，了解信息技术支持下的合作学习的类型与特点。

2）知道优化合作学习效果的信息技术工具以及应用信息技术优化合作学习的策略。

3）通过对信息技术支持下的合作学习案例进行研读和交流，分析信息技术在合作学习中所起的作用以及带给自己的启发。

4）理解信息技术支持下的合作学习的一般模式、设计原则以及应注意的问题，能基于一定的信息技术条件根据学习对象和学习内容的情况灵活地进行信息技术支持下的合作学习的教学设计。

## 【学习导航】

本章的学习内容是信息技术支持下的合作学习及案例。因此，对于本章的学习，你可以通过：

1）案例研讨和学习，加深对信息技术支持下的合作学习的内涵、特点、一般模式等的理解。

2）结合具体的任务或主题，开展信息技术支持下的合作学习的教学设计，并通过初步应用，对信息技术支持下的合作学习的设计原则和应注意的问题进行感知。

3）文献阅读和反思，进一步认识和总结信息技术支持下的合作学习的设计要点。

# 6.1　信息技术支持下的合作学习

国务院在 2001 年颁布的《国务院关于基础教育改革与发展的决定》中指出："鼓励合作学习，促进学生之间相互交流、共同发展，促进师生教学相长。"继续重视基础知识、基本技能的教学并关注情感、态度的培养；充分利用各种课程资源，培养学生收集、处理和利用信息的能力。合作学习目前在课堂教学中被广泛运用，信息技术对优化课堂合作学习的效果具有一定的支持作用。信息技术支持下的合作学习不仅能优化课堂合作，还能提升学生的学习效果，培养学生的认知能力、团队合作能力、良好竞争意识、高阶思维能力等。

## 6.1.1　释义：什么是信息技术支持下的合作学习

### 一、合作学习

新课改倡导将合作学习应用于课堂教学中，因此合作学习受到广泛关注。目前关于合作学习的理论研究较为成熟。要正确理解信息技术支持下的合作学习的含义首先应弄清合作学习的含义。

合作学习（cooperative learning）是目前世界上许多国家都普遍采用的一种比较有实效的教学理论与策略体系。有研究表明，合作学习在改善课堂内的社会心理气氛、大幅度提高学生的学业成绩、促进学生良好的非认知心理品质的发展等方面有积极的作用①。与"合作学习"相近的一个词是"协作学习"（collaborative learning），"协作"与"合作"的意思非常相近，本书对合作学习和协作学习不做区分，统称为"合作学习"。

迄今为止，合作学习有着几十年开发与研究的历史，合作学习的实践，也已遍及世界许多国家和地区，但对于什么是合作学习这一基本问题，由于合作学习在不同国家的实践有一定的差异，如美国的合作学习法，就与流行于欧洲的合作学习法大不相同，另外，由于目前这个领域的代表人物较多，因而目前学术界尚没有一个关于合作学习概念的统一认识，在表述上也就千姿百态，特色各异。对于合作学习的理解，国内外研究者从不同的角度给出了定义，主要有以下几种具有代表性的观点。

美国霍普金斯大学的斯莱文（Slavin）认为，合作学习是指使学生在小组中从事学习活动，并依据他们整个小组的成绩获取奖励或认可的课堂教学技术。②

美国明尼苏达大学的约翰逊兄弟（D. W. Johnson & R. T. Johnson）认为，合作学习就是在教学上运用小组，使学生共同活动以最大限度地促进他们自己以及他人的学习。③

我国学者赵建华等认为，合作学习是一种通过小组或团队的形式组织学生进行学习的策略。④

从上述所列的定义可以看出，国内外学者对于合作学习的表述虽然不尽相同，但它们所揭示的许多合作学习的共性对于我们认识合作学习的内涵具有十分重要的意义。综上所述，我们认为，合作学习是具有以下特征的教学活动形式：

1）以学习小组或团体作为基本组织形式。

2）通过组织小组成员的沟通与交流等来促进学习。

3）以小组或团体成绩作为评价标准。

4）强调通过合作达成特定的共同目标。

因此，在合作学习过程中，强调学习者之间以融洽的关系、相互合作的态度，对同一问题运用多种不同观点进行观察、比较、分析和综合。其中，个人学习的成功与他人的成功密不可分，学习者共享信息和资源，共同担负学习责任，共同享受成功的喜悦。

二、信息技术对于合作学习的支持作用

信息技术的发展，特别是计算机技术、多媒体技术、网络技术的飞速发展，

① 闫志明，宋述强. 信息技术教育应用的理论与实践[M]. 北京：高等教育出版社，2017：187.
② Slavin R E. Cooperative learning[J]. Review of Educational Research, 1980, 50(2): 315-342.
③ 转引自：陈培. 浅谈新课标下合作学习的课堂教学设计[J]. 数学学习与研究，2012，（18）：76-77.
④ 赵建华，李克东. 协作学习及其协作学习模式[J]. 中国电化教育，2000，（10）：5-6.

极大地推动了合作学习的发展。这是因为互联网拓宽了人们之间的交互方式，提高了沟通效率，极大地帮助人们进行有效的信息组织，这些都与提高合作学习的质量紧密相关。通过网络，学习者可以实现范围更广和质量更高的合作学习过程。

如何在信息技术环境下开展"合作学习"呢？我们把学习者分成各小组或团队，小组成员利用信息技术相互合作，共享信息和资源，共同担负学习责任，共同完成某项学习任务。小组成员在信息技术环境中进行对话、讨论、交流，将学习材料或数字化的学习资源与小组的其他成员或团体共享。教师扮演"向导""监控者"的角色，学生在学习过程中敢于提出观点，并利用小组组员间的相互影响形成多角度思维，提高学习积极性，强化参与意识，实现认知、情感和动作技能等方面的教学目标。和传统课堂的合作学习相比，信息技术支持下的合作学习提供了一种数字化的合作学习环境，为师生之间、生生之间的交流、合作提供了便利。在信息技术的支持下，学习者之间使用文本、图形、声音、动画、视频等数字化的学习资源可以进行快速、方便的传递和分享。此外，学习者还可以使用电子邮件、BBS、聊天室（包括语音聊天室）、视频会议、虚拟教室等工具或平台进行及时的沟通和交流，这些信息技术支持的学习环境都能为"合作学习"提供各具特色的信息获取方式和信息反馈方式，打破了时空的限制，拓展了交流的时间和空间。

信息技术支持下的合作学习是指在合作学习的过程中，信息技术作为支持学习的工具，对合作学习情境创设、合作学习互动、结果呈现、监控与评价提供技术支持。多个学习者针对同一学习内容彼此交流合作，以达到比较深刻理解和掌握学习内容的学习效果。归纳起来，信息技术支持下的合作学习的内涵具有以下几层要义：

1）信息技术支持下的合作学习是以学习小组为基本组织形式的学习形式。

2）信息技术支持下的合作学习是以教学各因素之间的互助、互赖、互动来促进学生学习的学习形式。

3）信息技术支持下的合作学习是一种以共同的目标为导向的学习形式。

4）信息技术支持下的合作学习是一种以团体成绩为评价依据的学习形式。

5）信息技术支持下的合作学习是一种以计算机和网络技术为学生探究知识的有力工具的学习形式。

所以，简单来说，信息技术支持下的合作学习实际上是借助信息技术（计算机、网络等）所创建的合作学习环境，使教师与学生、学生与学生在讨论、交流、合作的基础上进行的一种学习形式，其实质是通过教学各要素之间的互动交流，以达成共同目标。

信息技术支持下的合作学习可以在有丰富技术支持的教室环境（如多媒体网络教室、智慧教室等）下进行，也可以在基于开放的互联网环境支持下进行远程的合作学习。

### 6.1.2　剖析：信息技术支持下的合作学习的特点

在信息技术支持下的合作学习过程中，学生有机会和更多的、来自不同社会背景的人进行合作，这将有助于他们多角度理解问题和形成多种观点。此外，信息技术支持下的合作学习对提高学生的学习成绩、培养学生的批判性思维与创新性思维等都有积极作用[①]。信息技术支持下的合作学习有以下特点。

一、突破时间和空间的限制

信息技术支持下的合作学习可以突破时间和空间的限制。互联网作为全球性的计算机网络，提供了广阔的时空环境。任何一个具备上网条件的人在任何地方、任何时间都可以根据自己的需要找到相关的学习内容，突破了传统教育的时空界限，便于师生、生生之间更好地交互，提高了沟通效率，有助于学习者之间进行更有效的交流。合作学习的学习伙伴可以是同班同学，也可能是来自地球另一端的同龄人。

二、学习者分组方式更为灵活多样

在信息技术支持下的合作学习过程中，分组的灵活性、多样性得以增强，学生之间及师生之间处于不同的地理位置，合作的对象可以是教师、专家等不同类型的人。有时候为了最大化地提高学习者的学习效率，在学习的不同阶段，往往使用不同的分组开展学习活动，在信息技术支持下的合作学习过程中，分组更为方便、灵活、多样。学习者不仅可以在班集体内自由地进行组合，而且必要的时候还可以与网络上的其他学习者合作交流。

三、信息的传递、分享和展示更方便

在信息技术支持下的合作学习环境中，借助信息技术的优势，有利于小组成员之间以及小组之间的信息传递、分享和展示。例如，在智慧教室环境中，各个小组可以利用交互式智慧屏进行小组交流、展示等活动。教师也可以方便地观察各个小组合作学习的过程，而且必要的时候可以通过切换把某一小组合作学习的成果方便地展示给其他学习者以进行交流。

四、实现合作学习过程数据的自动收集、统计和保存

对于传统教室环境下的合作学习，学生和教师之间、学生和学生之间的交流活动是难以记录的。在信息技术支持下的合作学习环境中，利用信息技术可以把合作学习过程中学习者的观点、交流的过程数据等自动收集、统计和保存，简化教师收集、统计学生在合作学习过程中的数据的工作。

---

① 刘晓艳. 信息技术环境下的"合作学习法"探究[J]. 考试周刊，2014，（63）：120-121.

### 6.1.3　探究：信息技术优化合作学习的策略

信息技术环境下的合作学习引导学生在信息技术支持的环境下合作互助，达到共同的学习目标。信息技术优化的合作学习策略全面体现了信息技术支持下的合作学习的思想及原则，能够为教学实践中具体实施信息技术支持下的合作学习提供教学操作指南。利用信息技术优化合作学习的策略有信息技术支持下的分组策略、互动策略、评价策略等。

一、信息技术支持下的分组策略

信息技术支持下的合作学习小组不是空间位置在一起的形式小组，而是为达到共同学习目标相互依赖、相互帮助、彼此互利共赢的小组。

（1）技术支持

信息技术支持下的合作学习小组的划分不再是传统的教师手动指派分组，而是计算机支持下的智能化推荐分组。

（2）分组依据

信息技术支持下合作学习小组的划分不再是单一地以学习成绩为依据，而是以学习者特征分析及提取为依据。学生的基本情况作为分组的信息已被存储在计算机中，计算机根据学生的知识水平、学习风格、表达能力等对学生进行异质分组，形成组间相互竞争和组内合作的联合体。

（3）形式变化

信息技术支持下合作学习小组的划分不再是持续不变的静态分组形式，而是追求小组学习效益最大化的动态分组形式。计算机实时收集学生阶段学习的数据，小组的组建将随阶段学习的反馈结果而进行动态调整。

二、信息技术支持下的互动策略

互动是小组合作学习过程中的关键环节。当小组成员在完成各自的分任务后，需要通过成员之间的互动完成整体合作任务的构建，在这一过程中，小组成员会因观点的不同进行头脑风暴，最终达成共识。学生在对合作任务进行有效探究和整合时，可以使用思维可视化工具（概念图、思维导图等）将想法进行可视化的表达，向其他组员传递自己的观点与看法，便于组员彼此了解不同观点达到深度互动。在交流讨论的过程中，小组成员可以借助在线协同文档，共同梳理、整合不同的观点，进而形成对合作学习任务完成结果的共识。

三、信息技术支持下的评价策略

小组合作学习评价，重视对学生自主学习能力、合作交流能力、信息处理能力等综合能力的评价以及对学生的学习情感态度和学习体验的评价。信息技术提供了多种评价工具，如电子档案袋、电子绩效评估系统等。这些工具具备追踪和存储功能，能够获取学生学习过程产生的数据，记录学生的学习轨迹，包括资源浏览、交流互动、阶段测试等情况，利用数据分析技术，高效地对学生进行综合评价，并实时将评价分析结果反馈给学生，促进学生反思，便于后续小组合作活动的有效进行。

### 6.1.4　实践：优化合作学习效果的信息技术工具

查阅资料或观看合作学习教学案例，总结教师在不同教学环节中使用了哪些信息技术工具，其主要作用是什么，填写在表 6-1 中。

表 6-1　信息技术支持的合作学习中使用的信息技术工具及其主要作用

| 教学环节 | 信息技术工具 | 主要作用 |
| --- | --- | --- |
| 小组组建 | | |
| 任务分配 | | |
| 组内合作 | | |
| 组间交流 | | |
| 多元评价 | | |
| 总结反思 | | |

### 6.1.5　反思：信息技术在合作学习中所起的作用

学习完本节内容后，我认为信息技术在合作学习中所起的作用是：

_____

_____

_____

# 6.2　信息技术支持下的合作学习案例

　　信息技术支持下的合作学习改变了原有的传统教学方式，充分利用信息技术教学环境使学生学习更主动、更深入，使得教学更贴近学生的生活。这要求教师要充分认识，积极实践，大胆探索信息技术环境下的合作学习教学模式，使学生真正成为学习的主人，学会有效地利用多种资源，建立良好的合作伙伴关系，同时提高合作、竞争的意识与能力，成为未来社会需要的具有较强合作意识和创新精神的人才。

## 6.2.1　呈现："世界的聚落"教学案例①

　　"世界的聚落"是一个以小组合作为主的课堂教学案例。在整个授课过程中，教师只是课堂中各个活动的设计者、指导者和促进者，学生成了教学活动的主体、学习的主人，充分体现了"以学生为中心"的教育思想。教师在课前将全班同学分为六个小组，每个小组讨论交流后选择自己的小组任务，在上课之前进行资源的搜集、整理。在上课过程中，教师只起引导的作用，带领学生在一个接一个的活动中学习，教师给出问题，学生通过小组讨论合作（为主）或是自主学习，找出问题的答案，使得自己在意义建构的过程中获得知识，提升能力。这样的教学方式培养了学生的搜集、筛选和整理信息的能力，符合信息时代对学生信息素养的要求，同时也培养了学生的合作精神和竞争意识。最主要的是本节课采用了 PGP（PanGu Presentation，盘古课堂教学平台）电子双板教学平台，其主要组成部分——学生交互端为本节课的实施提供了极大的便利，使得教师设计的小组合作活动得以实施，各个小组在自己的白板上展示资源，在教师点评和学生互评中理解知识，掌握重难点。学生真正参与课堂活动，充分体现学生的主体地位，真正体现了新课改中"以学生发展为本"的基本理念，学生在获得知识的同时，也得到了情感的体验和能力的提升。

　　一、案例背景

　　教师：许茹芸
　　学生：深圳市红岭中学石厦分校七年级九班
　　教材：《义务教育课程标准实验教科书·地理》湘教版七年级上册

---

　　① 该案例选自：吴军其，王忠华. 电子双板与 PGP 环境下课堂教学案例分析[M]. 武汉：华中师范大学出版社，2013.

二、教材内容分析

本节课是《义务教育课程标准实验教科书·地理》湘教版七年级上册第三章第四节的内容。本节内容主要包括"聚落的形态"和"世界文化遗产的保护"两部分，主要讲述聚落的形态、聚落与自然环境的关系以及保护世界文化遗产的意义。聚落分为城市与乡村两大类型。世界各地的聚落形式多样，但都与当地的自然环境有着很大的协调适应性。世界文化遗产是前人留下来的宝贵财富，对我们研究人类的文明史、人类与环境间的关系、人地协调发展等有着重大的价值。故本节的重点是"聚落与自然地理环境的关系"和"世界文化遗产保护的意义"。聚落知识是学生身边具体的地理事物，所以在教学设计上主要采用了分组合作式的教学形式，启发、引导学生自主学习，并通过让学生当小老师，向其他同学展示个人的想法和小组的讨论结果。

三、学习目标及重难点

（一）学习目标

1. 知识与技能

（1）了解聚落的主要形式、聚落的形成和发展。

（2）要求学生举例说出聚落的位置、分布、形态、建筑与自然环境的关系。

（3）了解保护世界文化遗产的重要意义。

2. 过程与方法

（1）学生通过了解城市的发展过程，分析民居与自然环境、人类活动的关系，提高分析、归纳地理事物的能力。

（2）学生通过小组合作收集资料，培养集体意识和团队合作能力，同时提高搜集、筛选和整理信息的能力。

3. 情感态度与价值观

学生通过了解民居与自然环境、人类活动的关系，体验到要尊重自然规律，树立人与自然协调发展的环境观。

（二）教学重难点

1. 教学重点

（1）聚落的形态、聚落与自然环境的关系。

（2）保护世界文化遗产的意义。

2. 教学难点

（1）理解城市的发展过程，简要分析城市发展的条件。

（2）理解人类活动与环境之间相适应的关系。

四、学习者特征分析

七年级的学生思维活跃、反应迅速，往往思维深度不够、准确性稍微欠缺，但善于思考，积极发言，对地理较感兴趣。他们正处在少年期，分析问题的能力不够完善，但本节的知识比较直观形象，与生活联系紧密，要加以引导，这样学生的许多个人知识和直接经验都用得上，因此要让学生多分析，充分发表自己的见解并且加强学生间的交流，使其自己得出结论。具体到深圳市红岭中学石厦分校七年级九班的学生，他们已经具备一定的分析能力，对于地形、气候、交通运输等知识有了相当程度的了解，因此在分析聚落与自然环境的关系时有一定的知识基础。同时他们对人地关系已经有了一定的认识，本节课通过聚落与自然地理环境的关系进一步使学生树立人地协调的环境观。

五、教学策略选择及设计

教师根据本节课的知识特点，主要采用了小组合作的教学策略。对于一些开放性较强的问题，如城市发展带来的问题、聚落与自然环境的关系等主要内容，教师采用小组合作的方式。小组合作解决问题，可以使学生考虑得更全面，每个人都参与其中，一人至少提供一个方面，集思广益，最终达到解决问题的目的。相对而言，对于一些比较简单的内容，如聚落的定义、分类等问题，教师就采用学生自主学习、找寻答案、教师提问和点评的方式进行讲解。教师首先抛出问题，激发学生的兴趣和好奇心，让学生有目的地去学习，带着问题有针对性地看书，做到有的放矢，提高学习的效率。

六、教学资源与工具设计

（1）PGP 电子双板课件。
（2）学生小组展示成果 PPT。
（3）PGP 电子双板教学平台及学生交互端。

七、教学过程

（一）课前准备

1. 教师准备

设计活动方案，课外辅导学生完成资料的整理与筛选，制作教学课件和辅导学生准备课件。

2. 学生准备

全班分六个小组，根据教师的问题，通过网络、杂志等渠道，收集相关资料，进行整理。

3. 具体操作

教师最大限度地按照"组内异质、组间均衡、组员自愿与调整相结合"的原则，根据学生的性别、知识基础、学习能力、性格特点等，将全班分成六个小组，各组自选内容，小组合作搜集资源，对资源进行筛选和整理，完成任务。小组分工与具体任务如下：

（1）城市与乡村的景观差别——第六小组

（2）热带雨林地区的建筑——第五小组

（3）北极地区的建筑——第三小组

（4）沙漠地区的建筑——第二小组

（5）黄土高原地区的建筑——第一小组

（6）其他典型聚落的介绍——第四小组

（7）世界文化遗产图片展示——个人展示

（二）课中教学过程

"世界的聚落"教学过程见表6-2。

表 6-2　"世界的聚落"教学过程

| 教学环节 | 教师活动 | 学生活动 | 设计意图/依据 |
|---|---|---|---|
| 视频播放导入新课 | 上海世博会视频导入：播放视频（大约2分钟），引入新课 | 观看教师播放的视频，思考教师播放这一段视频的意图 | 播放视频，利用双板的双轨教学功能，给予学生双重刺激，激发学生的学习兴趣 |
| 教学目标介绍 | 告知学生本节课的教学目标，并详细指出本节课的重点内容 | 齐声朗读本节课的教学目标（一遍） | 学生在明确目标的情况下，可以有方向地去学习，这样课堂效果会更好 |
| 探求新知：聚落的定义、分类；乡村和城市的景观区别 | 问题1：什么是聚落？问题2：聚落如何分类？ | 阅读课本第60—61页：找出相关问题答案 | 学生带着问题阅读课本，更有针对性，在提高学生阅读能力的同时也培养了学生信息筛选的能力 |

续表

| 教学环节 | 教师活动 | 学生活动 | 设计意图/依据 |
|---|---|---|---|
| 探求新知:聚落的定义、分类;乡村和城市的景观区别 | 教师在学生回答了这两个问题后,进一步给出问题3:乡村与城市(聚落的分类)的景观有什么差别?(小组合作) | 在课堂上,一组学生用电子双板的学生交互端进行展示,所有学生参与点评、讨论,给予补充 | 让学生在课前搜集资源,以培养学生信息搜集和筛选的能力;以小组合作的形式进行学习,主要是为了培养学生的团队合作能力及人际交往能力,使学生不仅在学习上得到收获,同时也能获得喜悦情感的体验和能力上的提升 |

教师给予学生点评并进行最后的总结:

| | 房屋 | 道路 | 物质娱乐生活 | 人口密度 |
|---|---|---|---|---|
| 城市 | 密集、高 | 密、交通方便 | 丰富多样 | 较大 |
| 乡村 | 分散、矮 | 稀疏、不方便 | 较贫乏 | 较小 |

使学生从整体上把握对乡村和城市的景观差别的认识,以形成对比式的知识结构,在理解的同时加深记忆,减轻学生课下记忆的负担

| 教学环节 | 教师活动 | 学生活动 | 设计意图/依据 |
|---|---|---|---|
| 小组合作:聚落的演变过程及城市发展带来的问题 | 要求学生自主学习,完成课本第62页的活动2,说说聚落的演变过程并对学生的答案给予合理的点评 | 在自主学习的过程中找到问题的答案<br>(乡村—城镇—城市) | 培养自主学习和独立思考的能力,使学生在学习知识的过程中获得一种成就感,增强学生的自信心 |
| | 教师给出问题:结合自己的切身体会说说城市在发展过程中会产生哪些问题 | 以小组为单位:谈一谈自己日常生活中见到的城市发展带来的问题,并指定一人做记录,便于回答 | 结合学生自身切实感受到的城市发展带来的问题进行设计,更能引起学生兴趣,激发学生的讨论热情 |
| 教师过渡 | 世界各地的民居有着不同的建筑风格。这些民居既能适应当地的自然地理环境,又与居民的社会经济生活密切联系 | | 使不同知识点内容紧密衔接 |
| 创设情境:聚落选址 | 教师展示图片,提出问题:<br>(1)三处聚落选址的共同点是什么?<br>(2)三处最有可能发展成为城市的是哪里?为什么?<br>教师对学生的回答给予点评 | 学生小组合作,讨论交流,对问题答案达成共识,并选好代表回答 | 基于日常生活中常见的工厂选址问题,类推到聚落选址,学生小组合作进行问题的探究,意在让学生思考聚落与自然环境的关系,为下面将要讲解的内容做铺垫 |

续表

| 教学环节 | 教师活动 | 学生活动 | 设计意图/依据 |
|---|---|---|---|
| 不同聚落与自然环境的关系 | 请你选出一张图片，根据图中环境设计当地的房子，要求：美观、实用、就地取材  | 各小组同学根据课前准备的资料，课堂上在学生交互端进行展示（第五小组是"东南亚的高脚屋"；第三小组是"北极地区因纽特人的冰屋"；第二小组是"北非的平顶屋"；第一小组是"黄土高原的窑洞"） | 让学生在课前搜集资料，以培养学生信息搜集和筛选的能力；以小组合作的形式进行，主要是为了培养学生的团队合作能力及人际交往能力，使学生不仅在学习上得到收获，同时也能获得喜悦情感的体验和能力上的提升 |
| | 补充：你还知道哪些典型的民居？ | 第四小组：各地房屋建筑图片展示 | |
| | 在每个小组展示的过程中，教师给予及时的指导和点评，并和同学们一起探讨为什么，在所有小组展示完毕之后，教师给予总结 | | 教师和学生一起探讨，让学生在知道"是什么"的同时，也要了解到"为什么" |
| 学生自己设计聚落（"画房子"） | 根据前面所讲的不同建筑与自然环境的关系，教师给出活动的背景材料 | 各小组同学先讨论两分钟，将本小组的意见汇总之后，选一个绘画功底较好的同学，去学生交互端的白板上画，小组其他成员可及时给予指导  | 学生在了解了"是什么"和"为什么"的基础上，要进一步将这些知识运用到生活实践中，培养学生的创新能力，提升学生自己动手设计的能力，知道"怎么用"才是教学的最终目标 |
| | 各小组画完之后，教师让学生之间互评，选出学生心目中最好的，给该小组加 10 分，其他的也依次选出，进行相应的加分 | 学生对各小组的作品进行自评和互评，主要是小组之间的互评 | 各小组同学之间有一种竞争的意识，进一步激发学生的学习动机 |
| | 通关取证，及时反馈，教师给出练习题：<br>你认为深圳市的房子建筑应注重什么？  | 学生在教师给定的时间范围内，进行快速作答 | 学生在学习了相关理论知识、自己动手实践之后，再加上课堂上的巩固练习，能够将该知识点掌握得更牢固 |
| 教师过渡 | 正在消失的民居：北京四合院 | | 使知识点之间紧密衔接，过渡自然 |

续表

| 教学环节 | 教师活动 | 学生活动 | 设计意图/依据 |
|---|---|---|---|
| 自主学习：世界文化遗产 | 对于北京发展过程中的四合院，你有何建议？（换位思考——假如你是：文物工作者？政府官员？经商者？） | 小组合作，讨论交流，给出建议 | 让学生换位思考，合作讨论，充分发挥自己的想象力和创造力，提出合理的建议 |
| | 教师点评总结之后引出"文化遗产"一词，并提出问题：（1）什么是文化遗产？（2）保护文化遗产的意义是什么？ | 阅读课本相关内容，找出答案，小组成员之间相互交流，指派代表回答 | 进一步培养学生信息查找、筛选和总结的能力 |
| | 课堂练习，及时反馈：下面的做法是否正确？有人在古代建筑上刻写"×××到此一游"…… | 学生根据所学内容判断正误 | 巩固该知识点的内容 |
| 课堂总结 | 回顾本节课的主要内容，布置课堂作业 | 跟着教师的思路复习本节课的主要知识 | 学生从总体上把握本节课的主要内容，形成知识的结构框架 |

## 6.2.2　剖析：案例分析与讨论

一、案例分析

"世界的聚落"是一个以问题驱动、小组合作为主的课堂教学案例。如果是按照传统的多媒体教学的话，只能是以教师讲授为主，学生参与课堂活动的机会较少。对于初中生来说，如果以学生最大程度掌握知识为目标的话，就应该让学生充分参与课堂活动，成为学习的主体。这种参与不仅仅是传统的"听课"，还包括让学生动脑、用心、动手，真正地参与各个教学活动。本节课最大的特色就是利用 PGP 电子双板教学平台及学生交互端，实现了这样的教学目的，教师采用加分激励机制，学生主要以小组合作的方式完成教学任务，每个成员都积极参与教学活动，获得知识，提升能力。

（1）主要采用小组合作的教学方式

小组合作的教学方式，设计新颖，结构合理，极好地培养了学生的合作精神和信息技术能力。

利用基于 PGP 电子双板教学平台及学生交互端的教学环境，让每一个学生都可以参与教师设计的活动中来。根据"世界的聚落"这节课的知识特点，教师针对一些较具开放性的内容如"城市发展过程中带来的问题"等，设计了以小组合作为主的教学方式，使得学生不仅仅局限于课本中提到的点，而是利用小组合作的方式，积极讨论，畅所欲言，教师这样的设计重视学生的积极参与性，注重培养学生的合作能力和竞争意识，构建以小组合作为主的地理课堂，体现了"学生为主，教师为辅"的教学理念。对于一些记忆性较强的知识点，教师也不是直接告知学生，而是通过一步步地引导，让学生掌握知识。例如，在讲解"城市和乡村的景观差别"这一知识点时，教师不是直接用表格告知学生二者之间的景观差别，而是让学生对交通特点、人口分布、建筑特点、生产活动等方面的图片进行比较，进而归纳，之后教师让一组学生在交互端进行展示，让学生从对城市和乡村的景观差别中获得整体上的认识，这样更能激发学生的学习动机，也能使学生的知识掌握得更牢固。在讲授"聚落与自然环境的关系"时，教师不是直接引入这个知识点，而是通过创设情境，即聚落选址的问题，引出该知识点；然后让学生充当小老师，小组同学到交互端展示不同地理环境下的聚落风格，教师对学生进行引导，一起探讨"为什么"，教师进行总结；教师又设置了第三个活动，即让学生充当建筑师，根据自然地理环境自己设计聚落风格，学生热情高涨，一改往日地理课堂沉闷的气氛，整个课堂生动活泼。在不同的小组合作活动中，学生都需要在课前搜集资料，并且对这些资料进行筛选和整理，做成 PPT 课件，课堂上在学生交互端进行展示，这些活动极好地培养了学生的合作精神和信息能力。

（2）多媒体资源丰富多样，主要以地理景观图片为主

本节课教师基于 PGP 电子双板"双轨展示"的功能，在制作课件时关于文本内容涉及得相对较少，而是插入大量的图片、视频等多媒体资源，极大地调动了学生的积极性，吸引了学生的注意力。在 PGP 电子双板的环境下上课时，一个板显示图片或视频等，另一个板显示相关内容，给予学生图像形式和文字形式的双重刺激，提高教学效果。例如，教师在上课一开始就利用双板展示，在播放视频的同时，呈现课题"世界的聚落"，创设教学情景，吸引学生的注意力，让学生在观看视频的同时也看到相关的知识内容，以便更好地把视频和相关内容联系在一起。

（3）课堂互动自由且形式多样

PGP 电子双板教学平台的"多元化课堂互动"功能使得该课堂交互类型丰富多样，学生、教师与 PGP 电子双板教学平台之间的交互，教师与学生之间的交互，学生与学生之间的交互在本节课的教学活动中时时可见。例如，教师在讲"聚落

与自然环境的关系"的第三个活动时：教师首先给学生一定的情境，在这样的情境下，学生自己扮演建筑设计师的角色，小组各成员之间讨论交流后派代表在学生交互端进行绘画，然后通过学生自评、小组互评和教师点评的方式进行加分以激励学生，这个活动就很好地体现了人机交互、师生交互和生生交互。

（4）各个教学环节之间衔接紧密，过渡自然

教师对教材的处理有条理、有层次、有深度，设计的问题贴近生活，学生有话可说，各抒己见，开拓了学生的思维。这节课有三个重要知识点，在每两个知识点之间以及不同的小活动之间，都设计了相关的过渡活动，有的是一张图片、一段话，有的是一个问题，运用 PGP 电子双板"双轨展示"中的"N-1"功能，使得前后的知识点之间衔接得更紧密，过渡自然。

总之，在基于 PGP 电子双板的教学环境下，教师和学生都获得了一种全新的体验，课堂效果也有了极大的提高。但由于本节课主要是以小组合作为主的教学活动案例，尽管课前教师和学生都有所准备，但是在实施的过程中，忽略了讨论之前学生独立思考的环节，针对问题直接就让学生展开讨论，有些学生可能就不那么认真，参与讨论的积极性不高，这就需要教师和同小组同学之间的监督，真正让每一位同学都参与活动。合作学习，即在合作中学会学习，在学习中学会合作，PGP 电子双板教学平台的研发和不断完善旨在最大限度地让学生参与课堂活动，真正实现学生的主体地位，提高课堂教学效率。

二、案例讨论

请结合该案例围绕以下几个问题进行交流与讨论。

1）该案例使用了哪些信息技术工具或信息化教学资源？

2）信息技术工具或信息化教学资源所起的主要作用是什么？

3）在教学过程中教师主要承担了什么样的角色？

4）在教学过程中学生的学习方式是什么样的？是否体现了学生的主体地位？

5）你认为教学目标的达成情况如何？

## 6.2.3　反思：教学案例带给我的启发和思考

学习完本节内容后，教学案例带给我的启发和思考是：

# 6.3 信息技术支持下的合作学习设计

信息技术支持下的合作学习设计是按照教学目标、学生特点等，在信息技术支持的环境下，有序安排教学步骤，将信息技术融入教学中。本节主要介绍信息技术支持下的合作学习的一般模式、设计原则以及应注意的问题。

## 6.3.1 释义：信息技术支持下的合作学习的一般模式

信息技术支持下的合作学习的一般模式既遵循合作学习的一般过程，又加入信息技术的支持，使得信息技术融入合作学习的各个阶段。信息技术支持下的合作学习的一般模式包括"明确任务，小组组建""制订方案，成员分工""组内合作，完成任务""展示成果，组间交流""评价反思，总结提高"五个步骤，如图 6-1 所示。

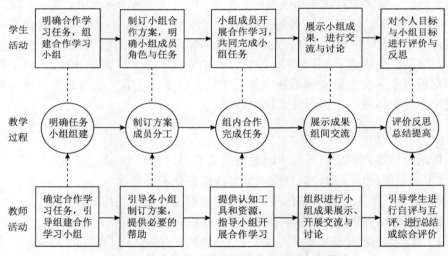

图 6-1　信息技术支持下的合作学习的一般模式

从图 6-1 可以看出，信息技术支持下的合作学习活动并不是由学生盲目进行的，教师作为组织者、引导者和帮助者在学生的合作学习活动中起着重要的作用。在合作学习中的每一个环节教师的引导和学生的活动都是相对应的，下面对该模式的各个环节进行介绍。

一、明确任务，小组组建

并不是所有教学内容和知识点的学习都适合采用合作学习的方式，合作学习的任务要经过教师的选择和设计。合作学习的任务应该是具有一定的探究价值和难度的问题，是学生通过自己学习无法单独完成而需要合作小组相互配合、帮助、讨论、交流完成的任务。在这一环节中，教师要综合分析学习需求、学习内容特征，明确活动主题，设置难度适中、便于分工的任务，并且该任务能调动学生的兴趣、主动探索精神以及合作意识。然后，依据学生的不同特征，本着"组内异质，组间同质"的原则，引导学生组建学习小组。学生要根据教师给出的合作任务，并结合自身的特点，在教师的引导下组建合作小组。

二、制订方案，成员分工

在确定小组的合作任务后，教师要引导各小组确定一个或多个为全体小组成员认同的学习目标，从而制订小组的合作方案，并帮助小组成员明确其角色和任务。各小组成员可以借助信息技术工具进行讨论和协商，对合作学习任务的目标和要求进行分析，明确完成这个合作任务所要达到的学习目标，提出尽可能多的解决问题的方案，并从这些方案中选取一个最佳方案，根据方案明确每个小组成员的角色与任务，确定分工。

小组组建好之后，小组内部进行角色分配及分工。不同角色承担不同任务，组员也可以轮流担任各种角色。例如，领导者领导小组活动，确保能按时、保质、保量完成任务；协调者监督鼓励所有成员积极参与活动，并分配信息搜集任务；资料汇总者汇总信息并使用多媒体呈现最终成果；汇报者归纳、提炼并展示合作学习成果等。

三、组内合作，完成任务

教师为学生创设良好的合作学习环境，提供丰富的信息资源，在教师的引导和帮助下，小组通过以下四个方面开展合作学习。

1）搜集资料，为整个合作任务的开展提供丰富的资源支持。

2）小组成员分工合作，完成各自所负责的子任务。各小组成员可以利用教师提供的信息资源和环境支持，在规定的时间内完成子任务，并记录下学习过程中无法解决的问题。

3）小组成员之间进行交流与协作。小组可以利用各种信息技术工具进行讨论和交流，一方面交流各自的任务与成果，另一方面提出存在的问题，汇聚小组成员的智慧共同解决问题。如果问题还是得不到解决，组长要对这些问题进行记录，并及时将它们反馈给老师，以获得教师的指导与帮助。

4）小组成员共同总结和归纳，得出学习成果。小组成员讨论之后形成该小组的观点，利用信息技术工具进行信息加工与处理，并将其汇总成展示文档。

四、展示成果，组间交流

各小组完成合作任务，得出学习成果之后，便可以向其他小组展示学习成果。

在成果展示的过程中，教师要注意引导各小组合理有序地进行，而各个小组成员可以借助各种信息技术工具向其他小组呈现自己的学习成果。在这个过程中，各小组要围绕展示的成果进行交流和讨论，教师要对有疑问的地方进行点拨和指导，以使学生在成果展示和交流的过程中相互学习，共同进步。

五、评价反思，总结提高

针对各小组学习成果的评价主要有教师评价、学生自评和互评。在合作学习的评价过程中可以采用组内互评、组间互评及教师评价相结合的多元评价方式。每个小组汇报时，其他小组使用评价量表进行评价。教师要对学生在整个合作学习过程中存在的共性问题进行指导，对合作学习效果进行综合评价。同时教师要引导学生进行自评和互评，各小组成员在评价交流的过程中要及时反思自己存在的不足，学习其他小组成员的优点，对个人目标与小组目标的完成情况做出评价，进而不断完善合作学习活动。各小组的最终得分由教师评价与组间互评按比例组成。各小组成员通过小组合作评价量表进行组内互评。个人得分由小组得分和组内互评得分按比例组成。

在整个合作学习过程中，教师和学生在每一个环节的活动过程中都可以利用信息技术工具，并且可以根据自身需要或学习活动的设计，灵活地选择信息技术工具。

## 6.3.2　剖析：信息技术支持下的合作学习设计原则

在建构主义理论的推动下，特别是在信息技术的支持下，合作学习越来越受到人们的重视，其理论与实践研究也越来越多。如何促进学生合作，学习者以何种形式参与，达到怎样的目标，或以哪一种激励机制才能使学习者获得最大的习得成果，是研究人员试图通过理论和实践探索解决的重要内容。信息技术支持下的合作学习的原则是教师组织学生进行合作学习时需要遵循的总方向。常见的信息技术支持下合作学习的原则有协作性原则、主体性原则、体验性原则和反馈性原则等。

一、协作性原则

教师在开展信息技术支持下的合作学习时，使学生的活动成为共同的活动，以共同达成学习目标为动力，以互助互赖为基础，以学生互动为主要形式。其特点包括以下几个方面。

1）目标一致。合作各方之间有共同的目标，为一件共同的事情在一起学习、工作。

2）认识统一。合作各方对实现共同目标所必需的途径与程序达成共识，且在合作中自觉遵循共同认可的工作规则。

3）相互信赖。合作各方须做到相互理解，彼此信赖，相互配合，保障合作顺利有效地进行。

4）满足他方需要，保障他方利益。合作各方应考虑他方的需要与利益，融洽地共同实现目标。

二、主体性原则

学生是学习的主体，一切教育教学影响只有通过学生自身的活动才能转化为学生参与合作的积极性，没有学生的主动性，便谈不上学生主体的发展。

根据这一原则，信息技术支持下的合作学习实践把学生作为学习和活动的主人，把研究的重心放在学生的"学"上，把培养学生主动合作的主体意识贯穿实践的始终。更加注重学生的活动，注意满足学生的心理需要，把教学的重点放在"学"上，教师应从传统的"权威"地位转移到"协助者""促进者"上来，教师要进行讲授、设计，引起学生的学习兴趣和动机，要促进每个学生最大程度的发展，善于跟学生进行交流，协调各小组活动，对小组活动予以认可或奖励，促使学生主动掌握知识。通过合作活动，学生真正成了学习的主人。

三、体验性原则

信息技术支持下的合作学习是学生最好的实践活动，信息技术给学生提供了实验、探索的工具。信息技术环境的交互性，使学生有了参与的机会，有利于激发学生的学习兴趣，使学生获得丰富的情感体验，而良好的情感可以增进学生参与学习和活动的积极性。信息技术支持下的合作学习就某种程度而言，能增强学生的学习动机，激发学生的学习兴趣，提高学生的学习自觉性，培养良好的合作精神和形成良好的人际关系。教师应该着力创设使学生在学习活动中获得成功的环境条件，并给予适度鼓励，使学生的合作行为与良好的情感联系起来，激发他们强烈的认知兴趣、学习欲望，并通过集体的帮助，经常巩固他们积极的情感体验，积极的互动、倾听、调整、辩论、内化等对学生形成正确的学习观、伙伴观、价值观起着重要作用，有利于健康情感的培养。

四、反馈性原则

与个别化学习相比，信息技术支持下的合作学习更注重交互，即人与环境的交互、组内成员之间的交互、组之间的交互。在不断的信息交流、灵感碰撞中，学生在更广阔的思路中得到及时的反馈、揭示、启发，从而实现从简单到复杂的"意义建构"，促进更好地学习、更深地理解，培养判断、创造、信息再加工等多方面的能力。

　　信息技术能及时、快捷、准确地"反馈"学生的学习情况，这种反馈主要有两方面的作用。一方面，积极的学习动机能够推动学生努力学习，如果学生及时了解自己的学习效果，就可以强化学习动机，产生进一步探究的愿望；另一方面，学生在获得自己的学习效果的信息后，可以（或在教师的指导下，或在同伴的启发下）对学习行为进行调控、修正，提高合作学习的质量，使合作者真正得到收获。

　　教师也能通过网络对自己的教学行为得到及时的反馈，了解教学中的成功与不足以及问题所在，可以对活动过程中的问题进行调整，提高教学活动的实效性。教师促进合作者及时捕捉、分析与处理这些反馈信息，使合作的过程不断优化、深入。

### 6.3.3　探究：信息技术支持下的合作学习实施中应注意的问题

　　信息技术支持下的合作学习以学生为主体、教师为主导。为确保信息技术支持下的合作学习顺利且有效地进行，教师应充分发挥主导性，设置合理的教学目标，在恰当的时机安排合作活动，组建合适的小组，创设人人发言展示的氛围，设置充足的合作时间，安排恰当的合作内容，建立公平的评价机制等，让学生在合作中有所收获。

　　一、明确合作学习目标

　　明确合作学习目标是合作学习中重要的一环，它要求教师明确合作学习学什么，使学生通过合作学习对所要学的内容达到怎样的认知程度。因此，首先要确立具有定向性、激励性和评价性的目标，抓住学习内容的重难点，切入重点，突破难点，让学生明了合作学习的核心。这样，学生才能做到有的放矢、调动思维、集中精力，从而全身心投入。同时，选择讨论内容既不能过于简单，也不能过于复杂。过于简单，学生无须讨论就一目了然，易使合作学习流于形式，浪费了教学时间；过于复杂，学生摸不着头脑，则会打消学生的积极性。所以选择的问题一定要适度，使学生只有经过认真思索、深入研究，才能得出一个比较合理而恰当的解答，才能充分体现合作学习的优势。

　　二、把握合作学习时机

　　在课堂教学中，教师只有把握好合作学习的时机，才能收到所期望的最佳效果。这一时机一旦出现，教师就要立刻抓住，决不能放过。那么，什么样的情况才是最佳时机呢？我们认为应是学生在对某一知识或问题迷惑不解之时，陷于苦求而不得之际，只有在这种情况下，合作学习才能体现出它的价值，才能取得一定的成效。更多的时候，教师要为学生创设和营造时机及氛围。这种时机及氛围的创设与营造，关键在于教师所设置的问题。

### 三、恰当合理组建小组

合作学习通常情况下都是把全班学生划分成若干个学习小组，学生在小组中完成互助性学习，小组成员的优化组合是合作学习收效大小的关键。在小组组建中，教师可根据学生的性别差异、思维差异和动手能力差异，对小组组合进行优化，形成互补型合作小组，以便发挥小组各成员的个性特长。通常情况下，组建的合作学习小组由 4～6 人组成。这样既能增强学生相互合作的精神，又能增强学生的集体荣誉感。

小组的形成应动态组合，不使学生固定在某一个组内，使学生不断有新鲜感，不断接受更多学生的观点和影响，也可以打破组内长期形成的某种"态势"，即有些学生始终在组内起控制性的作用，其他学生则处于从属的地位。教师给每一个学生提供发展的机会，使每个学生都能在原有基础上得到最好的发展，这样才能使合作学习发挥它应有的效用，从而实现在合作中提高，在合作中进步，在合作中增强素质。

### 四、创设人人展示的机会

合作学习的目的是使每个小组成员都有展示自己的机会，都能强烈地意识到自己的个人权利。只有激发每个学生在合作学习中的责任意识，才能使其在共同学习中提升自身的实际能力。

尤其在小组合作活动中，小组成员之间可以互相交流、彼此争论、互教互学，每个人都有大量的机会发表自己的观点与看法，倾听他人意见。教师要特别关注那些学困生，为他们创造更多的发言的机会，避免学优生的"包场"现象。要形成良好的养成教育，让学生学会倾听，特别是学优生更应注意倾听，取长补短，共同提高，充分体现合作学习的互助性。

### 五、提供充分时间保障

合作学习需要一定的讨论时间，时间的长短要根据具体的情况而定，如讨论内容的难易度、学生讨论的兴趣、实际讨论的效果等。问题不同，讨论的时间也就不同。讨论必须把问题研究透彻，找出准确的答案。在讨论过程中，教师要深入各学习小组中进行巡视，及时掌握各组的讨论情况，有时见好就收，有时学生讨论兴致正浓，或问题应该解决还没能及时解决，有必要把原定的时间延长。总之，为了更好地给合作学习提供时间，教师在安排教学环节时，就要做到环环紧扣，在其他环节能省时间就尽量节省。

六、避免讨论过多过泛

一提到合作学习，很多教师认为提出若干问题让学生讨论即可，所以往往出现一个问题，不管其是否有讨论的必要和价值，都布置学生进行分组讨论，甚至出现一节课连续多个讨论的场面，打乱了清晰的教学思路，造成教学时间的无谓浪费。讨论的问题都应有一定难度、必须经过学生的讨论才能解决，或是学生在学习中容易混淆，学生通过讨论，加深印象，便于攻克难点，掌握重点。因此，在课堂教学时要避免讨论过多、过泛。讨论的内容过多、过泛，就很难在固定的时间内完成教学任务，更重要的是使学生很难把握重点知识。有许多问题，绝大多数学生完全可以自主解决，或教师进行群体点拨，学生即能理解。这类问题就没有必要再通过合作学习讨论解决。

七、建立有效的评价机制

合作学习是将个人之间的竞争，转化为小组之间的竞争，增强学生的团队精神。在进行合作学习的评价过程中，教师既要考虑鼓励各组的集体意识，又要奖励在合作学习中的学生个体。对于各小组的评价，总体上可采用积分制，具体方式要根据不同的教学内容而确立，如游戏、竞赛、测试等。奖励个体，可根据学生在小组内所起的作用及表现，项目可适当设立得多一些，以便让更多的学生受到奖励，激发其自信心和学习热情，如积极发言奖、好点子奖、勇气奖、思路新颖奖等。

### 6.3.4　实践：信息技术支持下的合作学习设计

结合具体课程，设计一份信息技术支持下的合作学习方案，并与他人分享设计方案，共同探讨其优点和不足，设计信息技术支持下的合作学习的教学活动。

### 6.3.5　反思：信息技术支持下的合作学习设计要点

学习完本节内容后，我认为信息技术支持下的合作学习设计要点是：

_____

_____

_____

_____

_____

【思考与练习】

1. 什么是合作学习？合作学习给教学带来了哪些变化？

2. 什么是信息技术支持下的合作学习？信息技术对于合作学习有哪些支持作用？

3. 信息技术支持下的合作学习着重培养学生哪些能力？

4. 谈谈你对信息技术支持下的合作学习的认识和看法。

5. 自己查找一个能够体现信息技术支持下的合作学习的教学案例，并对该教学案例进行分析与评价。

6. 对你的老师作一次访谈，了解他对信息技术支持下的合作学习的态度、看法与经验，然后和同伴就访谈结果进行交流。

7. 以小组为单位，精选一知识点（教学内容适合以合作学习为主）进行信息技术支持下的合作学习教学设计（指明所采用的教学环境）。具体要求如下：

1）以合作学习为主，在教学中体现出信息技术的支持作用。

2）突出学生的主体地位。

3）体现教师的主导作用。

4）小组内试讲、评议、改进。

5）小组派代表进行全班展示与交流。

## 【研究实践】

对信息技术支持下的合作学习的研究，需要重点在对合作学习的理论进行探讨的基础之上，抓住学生合作学习的本质进行理论层面的思考。以小组为单位，对以下内容进行探讨：

1. 合作学习的实质、内涵及基本特征分析。

2. 信息技术支持下的合作学习的学习策略。

3. 信息技术支持下的合作学习的分工。

4. 信息技术支持下的合作学习的评价。

# 第 7 章　信息技术赋能课堂教学创新应用

信息化时代信息技术已深入融合到教育教学的过程中，教学环境、教学手段和方法等发生了深刻的变化。尤其是以"互联网+"为代表的线上教学与线下的课堂教学等整合产生了新的教学形态和教学模式。其中，翻转课堂、专递课堂和混合式学习模式等成为信息技术变革教育教学的热点。这些新型的教学形态和模式具有的特征、操作流程、教学策略以及如何评价等一直是广大师生、研究者和管理者关心的问题。把握核心概念、探讨教学流程、理解组织策略、剖析典型案例等有助于我们深刻理解这些教学模式的精髓。

【知识地图】

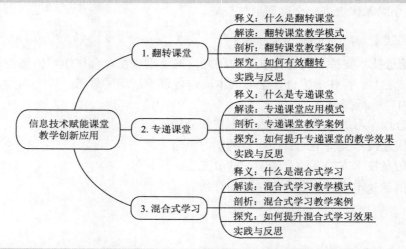

【学习目标】

本章围绕信息技术赋能课堂教学创新的典型应用展开讨论，涉及翻转课堂、专递课堂和混合式学习等信息技术支持下的典型教学形态和模式。通过本章学习，学习者应达到如下学习目标。

1）了解翻转课堂、专递课堂和混合式学习模式的内涵、外延及其特征。

2）知道翻转课堂、专递课堂和混合式学习模式的学习流程、组织策略和方法。

3）通过对典型应用案例的剖析，进一步深刻地理解翻转课堂、专递课堂和混合式学习模式的学习需求分析、学习活动设计、学习实施策略等。

4）在案例剖析的基础上，进一步探究翻转课堂、专递课堂和混合式学习模式的学习质量提升策略和方法。

5）通过实践操作，进一步加深对相关教学模式的理解，并能迁移到其他学习主题或任务的教学设计和教学组织。

【学习导航】

本章的学习内容是信息技术赋能课堂教学创新应用的新形态、新特征。因此，对于本章的学习，你可以通过：

1）案例研讨和学习，加深对新的教学形态、模式的内涵，活动设计，操作流程的理解。

2）结合具体的任务或主题，开展翻转课堂、专递课堂和混合式学习的教学设计，并通过初步应用，加深对新模式特征的感知。

3）文献阅读，进一步加深对信息技术赋能课堂教学创新应用的教学设计、教学实施、教学评价等的理解。

# 7.1　翻　转　课　堂

## 7.1.1　释义：什么是翻转课堂

一、翻转课堂的定义

翻转课堂（flipped classroom）又称"颠倒课堂"，也有人将其表述为"反转课堂"。翻转课堂的理念最早出现在 19 世纪早期，西点军校的西尔瓦努斯·塞耶（Sylvanus Thayer）有一套他自己的教学方法，即课前学生通过教师发放的资料对教学内容进行提前学习，课上时间则用来进行批判性思考和开展小组间协作以解决问题。这种教学形式已经具备翻转课堂的基本理念，也是翻转课堂思想的起源。翻转课堂是随着信息技术在教学中的应用而逐步发展起来的。

维基百科给出的定义是，翻转课堂是一种新的教学模式，翻转课堂会先由学生在家中看教师或其他人准备的课程内容，到学校时，学生和教师一起完成作业，并且进行问题及讨论。由于学生在家学习，在学校完成作业的方式和传统教学不同，因此称为"翻转课堂"。

对于什么是翻转课堂的问题，国内外学者给出了多种解读，从不同角度对翻转课堂进行了定义。张金磊等认为，翻转课堂，或称颠倒课堂，是将传统的课堂教学结构翻转过来，让学生在课前完成知识的学习，在课堂上完成知识的吸收与掌握的一种新型教学模式[①]。赵兴龙认为，翻转课堂就是通过将所谓传统教学的"课中环节和课后环节"颠倒为"课前环节和课中环节"所形成的一种教学模式[②]。国外学者阿里森认为，翻转课堂不仅仅是一种学生课下观看教学视频、课堂做作业的教学方式，更是一种教师领导下的、以学生自主学习为主的学习方式，更加关注课堂时间的有效利用[③]。在这种教学模式下，课堂变成了教师与学生之间、学生与学生之间互动的场所，包括答疑解惑、知识的运用等。学生能够更专注于主动地、有目的地学习，共同研究解决面临的问题，获得更深层次的理解，从而达到更好的教学效果。

二、翻转课堂的内涵

翻转课堂的核心理念就是翻转了传统的教学模式，课前，学生在家利用教师提供的视频和相关材料进行学习，课堂时间则用来解决问题，参与合作性学习。此模式将最宝贵的学习资源（时间）最大化。许多人将翻转课堂与网络课程等同，这种观点存在一定的局限性。网络视频课程确实是翻转课堂实施过程中的一个重要部分，视频可以替代教师的部分工作，但是并不能完全替代教师，翻转课堂中有教师和学生真实的互动环节。换句话说，是翻转课堂的综合教学方法而非单独的视频在起作用。传统课堂、网络课程和翻转课堂的比较如表 7-1 所示。

表 7-1　不同教学形态特征的比较

| | 传统课堂 | 网络课程 | 翻转课堂 |
|---|---|---|---|
| 教师 | 知识传授者、课堂管理者 | 知识呈现者、传授者 | 学习引导者、伴随者 |
| 学生 | 被动接受者 | 被动接受者 | 主动探究者 |
| 教学媒体 | 黑板、教材 | 因特网、教材 | 多媒体资料、因特网、黑板、教材 |
| 教学方法 | 以讲授法为主 | 以讲授法为主 | 多种方法结合 |
| 教学形式 | （预习）课堂讲解、课后作业 | 录播、直播 | 课前学习基本内容 课堂解决问题 |
| 课程内容 | 知识讲解传授 | 知识讲解传授 | 解决问题、概念延伸、应用 |
| 评价方式 | 纸质测试 | 在线测试 | 多环节、多方式 |

---

① 张金磊，王颖，张宝辉. 翻转课堂教学模式研究[J]. 远程教育杂志，2012，（04）：46-51.
② 赵兴龙. 翻转教学的先进性与局限性[J]. 中国教育学刊，2013，（04）：65-68.
③ Nederveld A, Berge Z L. Flipped learning in the workplace[J]. Journal of Workplace Learning, 2015, 27(02): 162-172.

（1）以学生为中心

翻转课堂改变了传统的模式，学生首先在课外学习课堂内容，课堂成了师生交流的场所。翻转课堂的教学方法，与"以教师为中心"的教学模式不同，教师从"知识传授者"变成了学生学习过程中的指导者和答疑者。翻转课堂这种方式实现了师生角色的改变，"以学生为中心"的理念很大程度上适应了信息时代对教师的要求。

（2）个性化的教学

翻转课堂与传统班级授课的模式相比，学生对自己的学习有了个性化的选择。由于个体的时间、兴趣点和风格都有所不同，集体授课往往无法面面俱到，会忽视学生的个性发展，翻转课堂由于其特殊性，可以让学生根据实际选择学习时间，学习内容、进度也由学习者掌控。另外，学生对教师传授的内容理解不尽相同，他们的疑问点也会不一样，在课前他们可以把疑难问题记下来，在课堂上与教师、同学进行沟通交流，这样可以更进一步帮助学生进行知识的内化，提升学生发现问题、解决问题的能力。

（3）增强师生间的互动

在翻转课堂中，教师与学生可进行一对一交流，也可将有相同问题的学生聚集起来进行讲解或演示。教师在学生看完课前教学视频，基本了解知识的基础上，进一步与学生沟通、讲解，这种方式可以促进学生理解、吸收课堂内容，且能在解决学生的困惑时，让学生更深入地理解和掌握教学内容。这种新型的交流模式，既能促进教师与学生间的联系，又能进一步促进学生对知识的内化，有利于教学质量的提升。

### 7.1.2　解读：翻转课堂教学模式

一、翻转课堂教学一般模式

翻转课堂一般包括两个阶段：线上学习阶段和线下学习阶段。

线上学习一般是通过教师提供的教学视频来完成。教学视频可以由课程主讲教师亲自录制或者使用网络上优秀的开放教育资源。教师自行录制教学视频能够完全与教师设定的教学目标和教学内容相吻合，同时教师也可以根据学生的实际情况对教学内容进行有针对性的讲解，并可根据不同班级学生的差异性录制多版本的教学视频。教师在制作教学视频时需要考虑视觉效果、支持和强调主题的要点、设计结构化的互动策略等，同时也要考虑学生能够坚持观看视频的时间，还需要注意如何使学生积极参与视频学习中。对于学生课前的学习，教师应该利用信息技术提供网络交流支持。学生在家可以通过留言板、聊天室等网络交流工具与同学进行互动交流，了解彼此的收获与疑问，同学之间能够进行互动解答。

线下学习是学生与教师共同参与的，教师通过引导和答疑，使学生与教师之间、学生与学生之间形成互动，从而强化知识点，达到更好的教学效果。翻转课堂的特点之一就是在最大化地开展课前预习的基础上，不断延长课堂学习时间、提高学习效率，其关键在于如何通过课堂活动设计实现知识内化的最大化。教师在设计课堂活动时，应充分利用情境、协作、会话等要素充分发挥学生的主体性，使其完成对当前所学知识的内化。课堂活动的组织主要采用协作学习的形式，内容在课外传递给学生后，课堂内更需要高质量的学习活动，让学生有机会在具体环境中应用学习内容，包括小型辅导、小型研讨、分组项目等。

翻转课堂一定是以学生为中心的，无论是线上还是线下学习，均强调学生个性化学习。需要注意的是，翻转课堂不是在线视频，视频也无法代替教师。在线课程只是翻转课堂的一部分，学生依然需要教师指导，并不是单纯孤立地对着电脑，面对面互动学习依然是重要环节。

二、翻转课堂的典型教学模式

（1）"二段四步十环节"翻转课堂教学模式

昌乐一中早在 2013 年就提出了具有学校特色的"二段四步十环节"翻转课堂教学模式。所谓"二段"，是指学生学习的两个阶段，即"自学质疑阶段"和"训练展示阶段"，两个学习阶段相互结合构成一个完整的学习过程。所谓"四步"，就是指教师课前准备的四个步骤，包括"课时规划""微课设计""两案编制""微课录制"，在教师个人备课的基础上，各学科集体备课，有助于发挥集体的智慧，同时兼顾灵活性，发挥个人的教学特色和教学优势。所谓"十环节"，是指两个学习阶段各分为五个学习环节。"自学质疑阶段"包括"目标导学"→"教材自学"→"微课助学"→"合作互学"→"在线测学"五个依次展开的学习环节。"训练展示阶段"包括"疑难突破"→"训练展示"→"合作提升"→"评价点拨"→"总结反思"五个依次展开的学习环节。

（2）Robert Talbert 的翻转课堂教学模式

美国富兰克林学院的罗伯特·塔尔伯特（Robert Talbert）教授经过多年教学的积累，总结出翻转课堂的实施结构模型，如图 7-1 所示。该模型简要地描述了翻转课堂实施过程中的主要环节，然而适用它的学科多偏向于理科类的操作性课程，对于文科类课程还需要进一步完善。

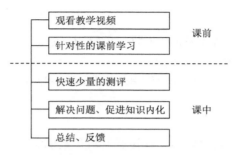

图 7-1　罗伯特·塔尔伯特的翻转课堂结构图

三、翻转课堂的典型教学组织形式

教无定法，翻转课堂有多种形式。除了上述描述的典型教学模式外，翻转课堂的每个教学环节有不同的组织形式，常见的有以下形式。

（1）生讲生评

复述式的翻转课堂和扩展式的翻转课堂，学生课下学习，课上讲课。课下学习强化学生自主学习的能力，课上讲课强化学生理解的深度，学生讲可以检查学生的学习效果。

（2）以练代讲

演练式的翻转课堂，把教的知识放到平台上。由传统以教为主的课堂，转换为以学为中心的课堂。

（3）案例点评

探究式的翻转课堂，不仅强调教授知识，更注重知识的运用。

（4）研讨辩论

不能让学生只是看上去学会了，而是通过辩论了解知识的内涵，具备举一反三的能力和运用知识解决实际问题的能力。

（5）项目探究

扩展式和探究式的翻转课堂，通过项目的合作，提升学生的团队协作精神和探索探究能力。

（6）边讲边练

演练式的翻转课堂，解决学生"只学不练"的问题。

（7）师导生演

复述式的翻转课堂，解决课程教学内容与师生和生生互动时间冲突的问题。把课堂内容分为多个部分，教师将学生分成多个小组，组织学生学习，并进行讲解。

（8）平行互动

多组分别研讨。

（9）边做边评

展示及评价优秀作品成果，激发学生的学习兴趣。

（10）生问生答（类似于辩论）

提升学生的思辨能力，鼓励学生勇于提出问题和回答问题。

### 7.1.3　剖析：翻转课堂教学案例

#### "实验化学"翻转课堂教学案例设计[①]

以孙亚云等学者所设计的实验化学课程中的"硫酸亚铁铵的制备"实验为例，详细阐述"课前知识传递，课堂知识内化，课后反思提高"的翻转课堂整体教学设计。实验教学中采用基于问题的 PBL 与基于团队学习的 TBL 教学法相结合，通过任务单及视频的设计引导课前实验知识的学习，并思考实验需要注意的问题等。课堂教学以学生为中心，以解决问题为目标，主要训练学生的实验操作能力和培养学生的创造性思维。课后师生共同反思，学生完成实验报告单和实验测试题，通过查阅文献实现高级思维技能的发展。

一、保证自主学习质量的课前设计

课前学习是培养学生自主学习的重要过程。依靠网络教学综合平台上的实验化学教学资源，教师精心设计课前学习活动。

（一）实验视频设计

实验视频较文本资源而言，更能调动学生学习的积极性，更能引发学生主动学习与思考。针对每个实验项目，制作了完整的实验教学视频，包括实验原理、实验目标、实验步骤和实验问题。

（二）学习任务单设计

优秀的任务单不仅能引导学生完成学习目标，还能通过知识间的有效联系培养学生的化学学科思维。实验化学课程依托该校网络教学综合平台，利用数字化、网络化和共享化资源优化学习过程，运用思维导图促进学生高阶思维能力的发展，从而达到改善课堂绩效的目的。因此，学习任务单把学习目标细化到每一个分支，引起学生在课堂实验中对关键操作技术的思考，再完成思维导图。以硫酸亚铁铵的制备实验为例，任务单设计如下。

1）自主学习教材，理解实验原理，熟悉实验流程。查阅资料，了解什么是复盐及复盐的一般特征和应用。学生 4～6 人为一组，针对以下问题分析、讨论、准备课堂提问。

---

① 孙亚云，谢文娟，边丽，等．"实验化学"翻转课堂教学案例设计[J]．化学教育，2018，39（06）：22-26．

2）观看实验微视频，熟悉称量、水浴加热、减压过滤、蒸发、浓缩和析晶等基本操作，掌握硫酸亚铁铵的实验步骤，能独立完成实验，并能正确完成以下问题。

[问题1]废铁屑与稀硫酸反应时，废铁屑中含有的碳、硫、磷等杂质与稀硫酸反应会产生少量的 $H_2S$ 和 $PH_3$ 等有毒气体，这些有毒气体会伴随 $H_2$ 一起排放到实验室，这个问题应该如何解决？给出你的解决方案。

[问题2]制备硫酸亚铁铵时为什么选择浓度为 3mol/L 的硫酸，浓度过大或过小对反应分别有什么影响？

[问题3]水浴加热时温度通常控制在 60℃～70℃，若温度过低或过高会对实验产生什么影响？如何更好地控制温度？
……

3）完成硫酸亚铁铵制备实验的思维导图，如图7-2所示。

图7-2　硫酸亚铁铵制备实验的思维导图

二、以学生为中心的翻转课堂教学设计

翻转课堂，旨在保证学生有更多的时间进行分析、评价、应用等高阶思维的学习活动。该案例倡导以学生的发展为本，面向全体学生的有课堂提问、教师引导、学生活动、互动反馈等教学活动的高效课堂。以"硫酸亚铁铵的制备"为例，翻转课堂教学设计流程如图7-3所示。

三、基于教学反思与三维目标达成的翻转课堂课后设计

学生在课后完成实验报告单并及时通过网络教学平台与教师交流实验后存在的问题，还可以在网络教学平台上表达基于翻转课堂的学习感受以及对实验视频资源、任务单提出建议等，同时教师也可以根据自己想要的反馈有目的地发放调查表，促进师生在交流中反思、进步。

【案例剖析】

通过翻转课堂与传统课堂在学习目标、活动主体与教学流程上的对比，对"硫酸亚铁铵的制备"实验教学进行了全面的评价。翻转课堂教学不仅完成了传统的教学目标，还有效解决了传统教学模式下存在的问题，促使学生探索硫酸亚铁铵

的绿色化改进实验，增强了学生的科研意识和保护环境的责任感。

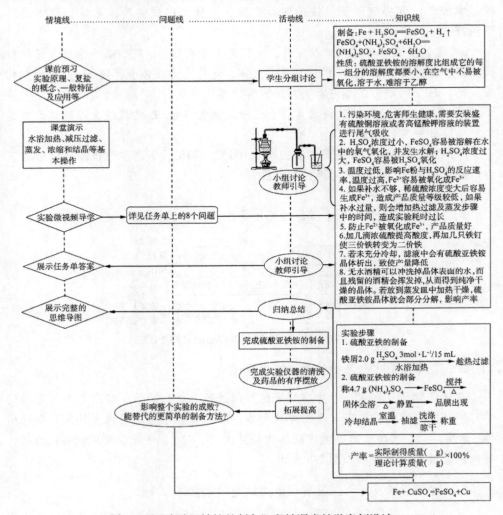

图 7-3　"硫酸亚铁铵的制备"翻转课堂教学案例设计

## 7.1.4　探究：如何有效翻转

一、课前：如何布置课前自主学习任务？

课前任务与预习的区别在于，传统教学中的预习是没有指导和课前任务的。翻转课堂中，学生在课前观看、学习课前资料，并在网上上传作业或完成测试，教师可了解学生的掌握情况，在课堂上以学生的作业为例，有针对性地进一步指导。学生课前自主学习任务单的设计表见表 7-2。

**表 7-2　课前自主学习任务单的设计表**

| 项目 | 内容 | 备注 |
|---|---|---|
| 课程名称 | | |
| 章节名称 | | |
| 学生分析 | （认真考虑你的学生到底是什么情况，基础怎么样，喜欢学什么，喜欢怎么学，等等） | |
| 教学目标 | （结合布鲁姆模型，把本节课的教学目标认真分析一遍，尽量把每个布鲁姆分类法的维度都考虑一下） | |
| 课前学习资料 | （课前给学生们呈现什么资料？如视频、文档、书籍等） | |
| 课前学习任务单 | （结合学生分析，设计教学目标，联系学习资料，设计出课前学习任务的详细版本，注意这里的课前学习任务都是呈现给学生的真实版本，切勿只写自己的设想） | |
| ARCS（动机设计模型） | [通过 ARCS 四个维度分析学生完成课前任务的时候，应该怎样更好地修改完善？从 A（注意）、R（关联）、C（信心）、S（满意）四个维度分析] | |
| 课上衔接 | （课前任务课上怎么用？这个问题一定要分析清楚） | |

（一）课前任务的设计要点

1）设计教学目标。教学目标是整个教学设计中非常重要的环节。教学目标的深浅、结构、层次直接关系到教师的教学设计和学生能够取得的学习效果。

2）了解学生情况。在设计任务前一定要知道学生目前的情况是什么样的，他们对什么感兴趣，想学什么，能学什么。

3）激发学生兴趣。兴趣是最好的老师，特别是在翻转课堂中，非常需要学生自主学习，只有当他们感兴趣时才会自发学习。同时还要鼓励学生去创造、去合作。

4）鼓励学生挑战自己。最好的激励并不是只完成一些简单的任务，而是充满挑战。如果任务过于简单，则会让学生觉得索然无味。

除此之外，课前任务的设计要有层次，从易到难，引导学生去挑战自己。可将一些非常难或复杂的任务作为附加题，给出一些奖励，从而鼓励学生挑战自己。并且，要允许甚至鼓励学生犯错，因为课前任务的重要目的之一就是挖掘学生的问题，并作为课上重点讲解的内容。

（二）教学目标制定

根据布鲁姆教学目标分类法，从低阶到高阶，学习目标可分为六个层次，分别为：记忆、理解、应用、分析、评估和创造。以这六个层次目标为基础，根据实际的教学需求确定教学目标。

（三）"自主学习任务单"制定

自主学习任务单主要包括学习指南、学习任务设计以及学习困惑与建议。

（1）学习指南

学习指南包括课题名称、达成目标、学习方法的建议以及课堂学习形式预告等。达成目标是从教学目标转化而来的，但不同于教学目标。例如，"通过观看教学视频（或阅读材料或分析相关的学习资源）完成《自主学习任务单》规定的任务"。这样表述能够让学生一看就知道，应该通过什么样的途径来学习，进而达到学习的目标。学习方法的建议是教师针对不同的学习内容提出建议，使学生能迅速把握学习重点，做到事半功倍。课堂学习形式预告是让学生了解课堂上将要发生的事情跟自主学习任务单之间的联系、关联度，让学生明白课前任务完成的重要性。

（2）学习任务设计

学习任务设计是将教学达成目标、教学的重难点以及其他知识点转化为问题，并且权衡它们之间的权重关系。要求学生通过观看教学视频或者阅读材料，或者分析教师提供的其他配套资源来完成任务。

（3）学习困惑与建议

采用问卷、访谈等多种形式，收集学生学习后存在哪些困惑，希望教师在上课的时候能够采取一些什么样的指导方法，等等。

二、课中：如何组织课堂学习活动

（一）设计课堂活动的思考——多讲与少讲的平衡

翻转课堂中，多讲与少讲之间的平衡非常重要，因此要保证设计好课前自学任务单，设计出足够吸引学生的课前任务，保证学生任务的完成，才能顺利地进行课堂活动。教师需要清楚：翻转课堂要求教师在课堂上精讲。精讲并不是指教授内容的精华部分，而是从学生的角度，讲他们最需要了解的内容。除了结合课程的重难点之外，最关键的是要关注学生的课前学习情况，也就是要收集学生的课前学习反馈，在了解学生对已有内容掌握程度的基础上，选择性地讲授一些能够帮助他们达到教学目标的内容，强调对症下药与效率。

（二）翻转课堂的黄金法则——翻转课堂面授活动设计关键点

（1）学习环境高度结构化，教师将课堂活动细化到分钟

以一个高度结构化的课程案例作为参考。这是国外大学的一门电子电路课程的案例，在这个案例中学生在课前已经观看了学习材料与视频。教师将课堂分为7个环节。首先用10分钟来进行课堂内容热身，让学生回顾课程内容与了解本节课的主题；然后，再使用15分钟的时间根据学生的课前学习情况进行及时教学，这里的及时教学是一种策略，也就是教师根据学生的课前学习情况对教学内容进

行选择性的调整，教授学生真正需要的内容；在及时教学之后，接下来的 15 分钟是以小组为单位的测验；在测验之后进行 5 分钟的回顾；小组测验与回顾之后又是 15 分钟的个人测验；同样地，在测验之后也进行了 5 分钟的回顾；最后进行了 5 分钟的课堂总结。从这个案例中可以看出，整个课堂高度结构化，环环相扣。

（2）课堂活动可设计一些小测验

课堂活动包含了小测验、问题解决等其他主动参与的活动，促使学生回顾应用或是拓展在课堂外学习的内容。让学生能够实践应用与拓展延伸在课外学习的内容，从而最终实现掌握知识的目标。

（3）必要的激励措施

课堂活动评分以及教师的期望都能在很大程度上激励学生完成课外任务与参与面对面的交流。在翻转课堂中教师非常担心的一点就是学生不能够主动参与，这就要求教师采用多样的激励措施鼓励学生积极参与。

（三）课堂教学活动设计四步法

课堂教学方式到底怎么创新呢？教师们要抓住两个关键词，就是"内化"和"拓展"，即内化知识和拓展能力。这样才能使学生的综合素质得到发展。内化知识、拓展能力基本的方法就是"四步法"：检测、作业、协作、展示。

（1）检测

检测的主要目标是进一步让学生体验到学习的成就感。因此，检测的难度不应当超过自主学习的任务单给出任务的难度。

（2）作业

经过检测以后接下来就是正式的作业了，没有作业就没有翻转。但是作业必须是进阶的，要体现出梯度性，同时要尽可能贯彻最近发展区的理论，让学生的潜能得到充分发挥，这是作业的重要性。

（3）协作

协作就是要解决前面学习过程中存在的疑难问题。协作学习中协作干什么？一是解决前面学习当中的疑难问题，二是实验过程中存在的问题，可以采取项目学习的方式来进行协作、探究，使学生的能力得到发展。

（4）展示

在协作探究过程中，学生到底学得怎么样？解决了哪些问题？还存在哪些问题？教师可采取小组展示的方式，让各个学习小组推荐代表来展示，进行质疑，把"做中学"与展示结合在一起。

当教师基本掌握四步法的时候，应当根据自己的教学内容、教学对象，特别是教师个人的特长，对这个四步法进行重新排列组合。不要过分拘泥于四步法，可以根据教学需要进行灵活的改进。

### 7.1.5 实践与反思

一、翻转课堂学习活动设计实践

选择一堂适合翻转的课，结合表 7-3 所示的翻转课堂教学设计模板，开启你的翻转课堂教学设计之旅吧！

表 7-3 翻转课堂教学设计模板

| 学科 | | 教学内容（课名） | |
|---|---|---|---|
| 该内容总课时 | （假设课文共 5 讲） | 翻转课时 | （如仅第 3 讲） |

1. 学习内容分析

（教学内容在整个学期的授课时节、在学科知识中的位置。这堂翻转课教学内容的特色、难点、重点）

2. 学习目标分析

（只写本堂翻转课的学习目标，怎样判断学生是否达到了目标）

3. 学习者特征分析

（只写本堂翻转课学生对学习内容的准备情况，以及可能出现的问题）

4. 课前任务设计

（只写本堂翻转课学生课前要做的准备、要完成的任务及算分方式，教师提供的资源内容、形式，至少一个可访问的教学视频的地址）

5. 课上任务设计

（写出一节课如 45 分钟的教学流程，包括活动序列、每个活动形式和用时、每个活动所需的资料、对活动成效的评价方式和评价量规、应变候选方案）

续表

6. 教学设计反思

（解释你对这堂翻转课教学设计的用心之处）




---

二、翻转课堂学习活动设计反思：仔细阅读设计的翻转课堂教学方案，反思翻转课堂学习活动设计、教学实施和教学内容的难点和重点，具体见表 7-4。

**表 7-4　翻转课堂学习活动反思模板**

你认为什么是翻转课堂？翻转课堂有几大要素？分别是什么？




---

你认为如何才能实现有效翻转？




---

# 7.2　专 递 课 堂

## 7.2.1　释义：什么是专递课堂

一、专递课堂的概念

20 世纪末，以计算机为手段的远程教育出现，远程教育主要应用在两个方面：一是成人教育，二是教师培训。实践证明，远程教育在成人教育方面取得了巨大的成功，为国家培养了一批建设人才，同时在教师培训的过程中，部分教师把一些视频课程资源应用于课堂教学。由于技术手段的限制，学生只能单向地看视频，不能互动交流，虽有不足，但在一定程度上促进了课堂教学的改革，这就是专递课堂的雏形。随着技术手段的革新、"互联网+"的不断发展，2012 年的《关于进一步充实教育信息化试点工作内容的意见（征求意见稿）》中首次提出了"专递课堂"这个词。2016 年教育部发布的《教育信息化"十三五"规划》中，明确指出积极推动"专递课堂"建设，解决教育不均衡的问题。随后各地以"专递课堂"这种模式的教学教研活动不断开展，不仅促进了教师的专业发展，也促进了教育的均衡发展①。

　　二、专递课堂的内涵

　　近年来有学者对专递课堂的内涵进行了解读，大致可理解为专递课堂是利用互联网的便捷特性整合教育资源，让异地学校同年级学生同步上课，远程共享优质教育资源的一种新型教学模式，也是"互联网+"互动学习平台。它借助先进的通信技术，配置摄像头、电子白板等硬件，实现名师、骨干教师的远程在线教学，以主讲教室带动接收教室的方式实现教学优质资源的有效利用②。

　　总体来看，专递课堂有以下几个特征。

　　（1）一对多

　　借助互联网技术，一位授课教师同时在多个不同学校的课堂进行授课，实现音频、视频实时传递。

　　（2）双师在线，适时指导

　　通常是优质学校的优秀教师负责授课，每个被授课班级再配备一位辅助教师，负责辅助教师授课和指导学生学习。双师同时在线，学生有问题可以及时与教师沟通。

　　（3）双向适时互动

　　主讲教师和每个被授课班级的学生，可以适时互动，帮助学生答疑解惑，了解学生的学习情况，适时调整教学策略。

　　综合来看，专递课堂是指借助互联网，突破时空限制，优质学校的优秀教师在多个不同学校同时授课，以带动、促进薄弱学校的薄弱学科发展的一种课堂教学组织模式。

## 7.2.2　解读：专递课堂应用模式

　　2020年3月，教育部发布的《关于加强"三个课堂"应用的指导意见》中针对"专递课堂"的应用，强调其专门性，主要针对农村薄弱学校和教学点缺少师资，开不出、开不足、开不好国家规定课程的问题，采用网上专门开课或同步上课、利用互联网按照教学进度推送适切的优质教育资源等形式，帮助其开齐、开足、开好国家规定课程，促进教育公平和均衡发展。

　　（1）模式1：同步直播课堂

　　同步课堂，分为同步直播课堂和同步在线课堂，是专递课堂最为典型的一种

---

① 程峰，盛聪娇. 关于专递课堂教学的几点思考和建议[J]. 宁夏教育，2019，(Z1)：141-143.
② 张志明. 专递课堂环境下小学语文教学的实践与探讨[J]. 辽宁教育，2019，(05)：51-53.

教学模式，同步直播课堂主要是指将优质课堂利用卫星或地面网络直播到需要的班级课堂。具体而言，即采用摄像设备，将优质学校的课堂教学活动及教师课件画面等音视频信号传送至流媒体编码器，压缩成数据流，通过流媒体服务器经网络传送到接收端课堂，从而实现若干课堂的同步教学、讨论[①]。同步在线课堂提供了一个可以在互联网上进行同步教学和学习的平台，最重要的是教师和学生同时参与在线课程。助推优质教学资源打破地理限制，使教育资源不发达的地区也能获得丰富的教学资源。

同步课堂主要用于帮助农村边远地区义务教育学校开设国家课标规定课程，各地区可根据自身所需开设不同学科下的同步课堂，但其顺利开展离不开互联网相关技术的支持。

一般来说，播出学校应具备教学能力较强且具有一定教育技术能力的学科教师，具备技术人员，具备多媒体教室及相关录播设备；播出教室应具备4M 以上互联网接入带宽。接收学校应具备相关教师、多媒体教室和相关视听设备，选择不同的设备可以实现不同的交互；接收教室应具备 2M 以上互联网接入带宽。

（2）模式 2：推送资源服务模式

专递课堂的另一种形式是为广大教师推送支持课堂教学的优质教育资源，促进教师积极运用信息技术，提高教育教学质量。这种形式主要在义务教育学校开展，各学科优先选择 1～2 种覆盖面广的教材版本，推送系列资源。省、市教育部门网络教学系统根据教师需求情况将支持课堂教学的优质资源包推送到教师空间，帮助教师备课、上课、进行教学评价。教师在教学活动中生成的资源可以提供到当地网络教研平台上以进行共享。

（3）模式 3：探究性学习

探究性学习是利用平台提供的智能导航工具在教师组织下进行探究性学习的方式。省教育部门网络教学系统通过推送探究性学习工具和资源，提供智能导航帮助教师开展探究式、讨论式、参与式教学，帮助学生增强运用信息技术分析解决问题的能力，学会学习。教师运用探究学习模式开展日常学科教学，学生也可利用相应工具自行组织探究性学习。探究性学习由任课教师或学生自行组织，分组教学时，每组应具备一台上网终端。这种教学模式的顺利开展需要试点学校领导的大力支持，同时试点学校教师应普遍具有先进的教育理念和良好的信息素养。

---

① 周玉霞，朱云东，刘洁，等. 同步直播课堂解决教育均衡问题的研究[J]. 电化教育研究，2015，36（03）：52-57.

### 7.2.3　剖析：专递课堂教学案例

#### 城乡异地同步课堂教学组织形式的教学探索①

为了更加有效地开展城乡合作教学，针对传统网络远程教育存在的问题，结合课堂教学组织形式的优点，高丹阳等学者提出了一种新型的网络教学组织形式——城乡异地同步课堂。

一、城乡异地同步课堂教学组织形式的提出

城乡异地同步课堂教学组织形式的学习环境是一种传统课堂与现代信息技术相融合的环境，教学者与学习者处于各自熟悉的真实教学、学习环境中；教学者包括主场主讲教师和客场辅助教师，学习者是异地两个课堂中的所有学生；教学媒体是依托互联网的云教学终端及其配套软件；主客场的主讲教师与辅助教师、教学者与学习者、学习者与学习者之间可以随时互动；教学过程中所需的教学资源由教学者根据教学实际需要、学习者能力水平等因素进行筛选、整理后生成，并在应用过程中不断优化。在城乡异地同步课堂教学中，课程内容由主场主讲、客场辅助，主客场之间师师、师生、生生可以双向实时互动，教学信息能够双向交流，实现了优势教育资源的共享。例如，城市英语教学具有优势，可将城市课堂定为英语教学的主场，由城市教师主讲；而乡村特有的风光地貌在城市中不多见，可将乡村课堂定为科学课的主场，向城市课堂的学生展示真实的大自然。城乡异地同步课堂室内、室外教学示意图分别如图 7-4、图 7-5 所示。

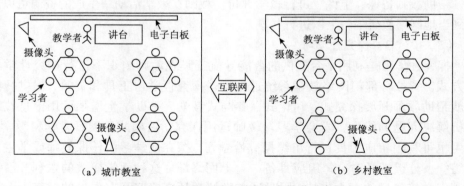

（a）城市教室　　　　　　　　　　（b）乡村教室

图 7-4　城乡异地同步课堂室内教学示意图

---

① 高丹阳，张泽晖，郭伟. 城乡异地同步课堂教学组织形式的提出与实践[J]. 现代教育技术，2019, 29（05）：71-77.

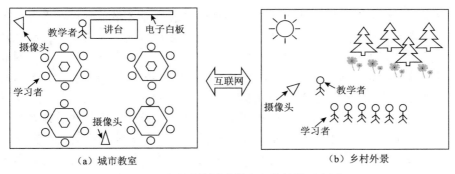

图 7-5　城乡异地同步课堂室外教学示意图

## 二、城乡异地同步课堂教学组织形式的实践案例

自 2015 年起，高丹阳所在的研究团队在河北省保定市区的 H 小学与该市下辖的 T 村小学开展了城乡异地同步课堂教学组织形式的具体实践。其中，H 小学开设课程齐全，在师资方面具有一定优势；T 村小学的自然资源丰富，且便于室外授课；两所小学均具备开展异地同步课堂教学的硬件条件。下面分别对城市主场与乡村主场的异地同步课堂教学情况进行介绍。

### （一）城市主场异地同步课堂

城市主场课堂进行的是二年级英语课"Brush and Wash"课程的教学。课前，H 小学的主讲教师 S 老师通过网络与 T 村小学辅助教师 L 老师共同备课，了解双方的教学进度和学生英语知识基础，分析教学内容，确定重难点和教学目标。课上，S 老师在导入环节分别让两班学生回答问题，并组织讨论；在单词教学环节，S 老师进行领读、讲解，两班学生齐声跟读，之后由学生个人朗读，S 老师对其不规范读音予以纠正，此环节城乡学生的参与度大致相等；在课堂练习环节，S 老师在交互式电子白板上展示连线题，将两班学生分组，进行答题比赛，并根据比赛情况给予及时引导和反馈；最后，S 老师总结知识点，依据本节教学目标布置作业。

在此实践案例中，城乡两地教师共同备课，对教学内容的重难点分析到位，目标确立精准；主讲教师在讲课过程中特别注意了语言的表述，多使用"我们 T 村小学的学生回答得非常好"之类的语言，拉近了双方师生的距离，在师生情感上体现了"一体化"的设计；双方学生在学习参与度方面的表现令人满意，乡村学生的英语口语发音也有了明显改善。

### （二）乡村主场异地同步课堂

乡村主场课堂进行的是四年级科学课"认识常见的岩石"课程的教学。课前，T 村小学的主讲教师 G 老师对当地资源进行了考察，将教学主题定为"认识石灰岩、白云岩、板岩",并通过网络与 H 小学的辅助教师 Z 老师针对教案进行了沟通,商定增加外景教学环节。课上,G 老师首先在导入环节让两班学生畅谈对岩石的了解,介绍见过的岩石;然后,G 老师在展示台上展示三种岩石,由两班学生观察、总结特点,再由 G 老师进行归纳,告知三种岩石的种类;接着,G、Z 老师分别发放标本,让学生近距离观察、辨别,再由 G 老师提问,两班学生以比赛的形式识别岩石种类;随后,G 老师将屏幕切换到外景,由外景教师在户外实时展示岩石及其分布,回答学生的问题;最后,G 老师总结知识点,布置作业。

在此实践案例中,乡村主场课堂充分践行"双管"思想,先由主讲教师提前了解本地教学资源,再与辅助教师共同进行教学设计,增加了外景教学环节;实物的展示、观察、辨别等吸引了学生的注意力,提高了学生的参与度;外景教学环节对城市学生的吸引力颇大,其学习积极性高涨,提问、发言踊跃。

## 【案例剖析】

城乡异地同步课堂教学组织形式从理论到实践均进行了有意义的探索,但在具体的实践过程中也暴露出一些问题。为此针对该教学组织形式提出以下几点发展建议。

（1）教师信息化教学能力亟待提高

作为城乡异地教学过程的主导者,教师的业务能力直接影响教学效果。从实践案例来看,随着技术的不断更新迭代、变化发展,主客场教师运用现代化工具辅助教学的水平均有进步的空间。随着现代信息技术的快速更新迭代,传统教师培训已不能满足城乡异地同步课堂教学对教师信息化教学能力的需求,应设计适应实际教学需求的现代信息技术培训内容,并增加教学研究、实践演练的机会,甚至可以定期举行远程教学授课比赛,以督促城乡教师掌握先进的现代信息技术,提高现代信息技术与教育教学整合的能力,从而保证教学质量,适应教育现代化进程。

（2）城乡合作一体化关系有待加固

城市和乡村教育协同发展是城乡异地同步课堂教学组织形式的最终目标,而此目标的实现,与稳固的城乡合作一体化密切相关。稳固的城乡合作一体化的关键,在于搭建城乡教师沟通协作的平台。由于城乡学生的学习起点水平存在差异,对主场教师的教学方案设计提出了更高的要求——城乡教师只有密切沟通、多次磨合,才能确保教学方案能够满足城乡两地学生的共同学习需求。此外,城乡学生仅通过"群聊"软件进行交互也远远不够,还需建设相关的网络平台,促进城乡学生分享学习资源、加强情感联系。

（3）乡村同步课程种类亟须丰富

城乡异地同步课堂教学组织形式的核心理念之一,是建立平等的城乡合作关系，双方主动输出优势、特色课程，实现教学的互助共赢。但在实践过程中，平等的理念落实起来存在困难，如在英语、音乐、舞蹈等课程的师资、设施等方面城市学校优势明显，常常进行主场教学；而乡村学校仅仅在讲到自然、科学课程的特定内容时才成为教学主场，机会明显少于城市学校。基于此，乡村学校下一步的工作重点便是开设更多、更系统的主场课程，充分发挥本地优势，主动探索、开发具有特色的校本课程，如设计自然风光、风土人情、传统习俗等专题系列课程。课程种类的不断丰富，将有助于增强乡村课堂在城乡合作关系中的自信，开阔城市学生的视野——更重要的是，乡村学校的教研、教学水平也会在课程开发的过程中得以不断提升。

### 7.2.4　探究：如何提升专递课堂的教学效果

一、课前：做好专递课堂教学设计

（一）学情分析

利用大数据为学情分析提供有效支撑，兼顾多个班级的学情。在专递课堂教学环境之下，因为授课教师是在多个不同的班级同时授课，每个班级的学情有所不同，在学情分析的过程中授课教师和辅助教师应该特别注意大数据的应用。

（二）教学情境的创设

借助课前大数据分析的结果，找出多个班级的共同点，精心创设教学情境。教学情境创设是教学中非常重要的环节。专递课堂因为是在多个班级同时授课，教学情境的创设也就显得尤为重要。

（三）授课过程中的课堂活动和问题设置

问题设置要难易适中，要能够顾及每个班级的学生。专递课堂是给多个班级同时授课，学生有农村地区的也有城市的，他们在知识面的广度、理解能力、个人阅历等方面都有差别，所以在课堂活动和问题设置方面需要特别注意。

（四）课堂授课容量的设置

对于专递课堂授课，教师要同时关注多个班级的学生，加之有些数据传输有时间差等问题，因此，要解决一个问题，专递课堂所需要的时间往往比传统课堂所需要的时间更多一些。

二、课中：优化专递课堂教学互动环节

教学互动是围绕教学目标，调动教学过程的各个主要要素积极参与，从而形成良性的交互效果。良好有效的教学互动是顺利开展教学活动的保障，在整个教学过程中起着至关重要的作用。为了促进专递课堂中教学互动的有效开展，针对专递课堂教学互动存在的问题，众多学者提出了若干策略以改进专递课堂的互动。

（一）课堂有效提问策略

（1）难度合理，循序渐进

为了达到较好的问答互动效果，教师所提出的问题应该难度适中。教师提出的问题要从简单到复杂，前面的每一步为后面做铺垫，循序渐进，那么，学生在回答的过程中，就会增强自信心，提高积极性。按照学生认知发展的顺序"初步感知—深入建构—总结升华"，提出有梯度的问题。

（2）机会均等，正确反馈

教师提问时要尽力照顾到每个学生，保证每个人回答的机会均等。另外，教师要根据学生回答的内容，及时给予合理的反馈和评价，引发学生更加积极地思考和学习，以及学生可以根据教师反馈判断自己的认知情况。

（3）启发式提问

老师通过提问有启发性的问题，引导学生透过问题或答案进行更深入的思考，积极探索提出具有独创性的观点，提高学生发散思维的能力，锻炼学生的思考能力，使学生能够做到举一反三。

（二）微课应用策略

针对专递课堂教学互动存在的学生参与度低，设备原因导致教学混乱、中断，学生认知水平参差不齐等问题，根据微课的特点和学习者的特点，将微课运用到专递课堂或许可以有效解决上述问题。主讲教师制作微课并与辅助教师共享，当设备或者网络出现问题，比如学生们看不清主讲教师的画面或者听不到声音时，辅助教师可以在教学点播放提前录制好的微课作为备用方案，将微课作为教学的补充资源。专递课堂课结束后，若有的知识点难度较大，学生难以掌握或者课堂上没有及时完成巩固时，辅助教师可以带领学生观看视频以完成课后的练习与提升。

（三）和谐的师生关系促进策略

和谐的师生关系是教学互动高效进行的前提，和谐的师生关系有利于营造良好的课堂氛围。然而在信息技术支持下的课堂，却从亲密无间、尊重敬爱变得越来越疏远。专递课堂是通过网络平台，实现远程异地的教学，建立和谐的师生关系相对传统课堂而言愈加困难，因此，针对专递课堂师生关系的现状提出师生间要增进彼此了解，师生间要平等民主、尊重关爱。

（四）合作学习策略

合作学习可以有效促进学生之间的互动。采用专递课堂1＋2的特殊形式，即有两个教学点的学生，生生互动形式比传统课堂更加多样化，可以进行同地学生间的合作学习，也可以进行两个教学点学生间的互动，有效地利用合作学习，不仅可以达到良性竞争、协作的效果，有利于活跃课堂氛围，而且还有利于增进两个教学点学生间的情感和了解，有利于优化课堂教学互动效果。

### 7.2.5　实践与反思

一、专递课堂学习活动设计实践

选择一堂适合专递课堂的课，结合表 7-5 所示的专递课堂教学设计模板，开启你的专递课堂教学设计之旅吧！

表 7-5　专递课堂教学设计模板

| 学科 | | 教学内容 | |
|---|---|---|---|
| 该内容总课时 | （假设课文共 5 讲） | 专递课堂课时 | （如仅第 3 讲） |

1. 学习内容分析

（教学内容在整个学期的授课时节、在学科知识中的位置，这堂专递课教学内容特色、难点、重点）

2. 学习目标分析

（只写本次专递课堂的学习目标、怎样判断学生是否达到了目标）

3. 学习者特征分析

（只写本次专递课堂学生对学习内容的准备情况，以及可能出现的问题）

4. 课前任务设计

（只写本次专递课堂学生课前要做的准备、要完成的任务及算分方式，教师提供的资源内容、形式）

5. 课上任务设计

（写出一节课如 45 分钟的教学流程，包括活动序列、每个活动形式和用时、每个活动所需的资料、对活动成效的评价方式和评价量规、应变候选方案）

6. 相关环境技术支持

（写出保证专递课堂顺利开展，需要哪些技术或者设备的有效支持）

7. 教学设计反思

（在此解释你对这堂专递课教学设计的用心之处）

### 二、专递课堂学习活动设计反思

仔细阅读设计的专递课堂教学方案，反思专递课堂学习活动设计、教学实施和教学内容的难点和重点，具体见表 7-6。

**表 7-6　专递课堂学习活动反思模板**

你认为什么是专递课堂？专递课堂顺利开展的基础是什么？

你认为如何提升专递课堂效果？

# 7.3　混合式学习

## 7.3.1　释义：什么是混合式学习

20 世纪 90 年代以来随着信息技术的发展，e-learning（即数字化或网络化学习）逐渐走入人们的视野，并在教育领域得到迅速的发展与应用。这种提倡以学生为主体、自定步调进行个性化学习的教学模式，受到越来越多学习者的追捧。然而，随着研究的深入，这种学习与教学模式的不足之处逐渐凸显出来，出现了学生退课率高、知识掌握碎片化等一系列问题。国际教育界对 e-learning 进行反思后提出了混合式学习（blended learning）教学理念，为教学改革提供了一个新的思路和方法①。

一、混合式学习的概念

2003 年 12 月，何克抗教授在第七届全球华人计算机教育应用大会上，首次在我国正式倡导混合式学习，拉开了国内研究混合式学习的序幕。目前学术界对混合式学习还没有一个权威性的定义，不同学者从不同的角度对混合式学习进行了诠释。

何克抗认为 "Blended Learning 就是要把传统学习方式的优势和 e-learning 的优势结合起来；也就是说，既要发挥教师引导、启发、监控教学过程的主导作用，又要充分体现学生作为学习过程主体的主动性、积极性与创造性。只有将这二者结合起来，使二者优势互补，才能获得最佳的学习效果"②。

李克东等指出混合学习是人们对网络学习进行反思后，出现在教育领域尤其是教育技术领域的一种教学方式，其主要思想是面对面教学和在线学习两种学习模式整合，以达到降低成本、提高效益③。混合式学习形式上是在线（on-line）学习与面对面（off-line）学习的混合，但其更深层次是包含了基于不同教学理论（如建构主义、行为主义和认知主义）的教学模式的混合、教师主导活动和学生主体参与的混合、课堂教学与在线学习不同学习环境的混合、不同教学媒体的混合、课堂与虚拟教室或虚拟社区的混合等④。

黄荣怀等提出 "混合式学习" 可以被视为一种基于网络环境发展起来的 "新兴" 教学策略，通常以虚拟学习环境为基础，通过基于计算机的标准化学习系统为在线学习的内容传递提供支持，促进师生在线交流⑤。

二、混合式学习的教学理念

混合式学习的目的是通过可能找到的 "最好" 方式去改善学习。按照伍德（Wood）的观点，学习有两种，一种是以记忆为特征的浅层学习，另一种则是深层学习，强调获得并理解新知识，使新知识和个体已有知识相耦合，整合到个体已有的知识框架（结构）中去。浅层学习仅仅关注信息的回忆，只能是一种低效

---

① 牟占生，董博杰. 基于 MOOC 的混合式学习模式探究——以 Coursera 平台为例[J]. 现代教育技术，2014，24（05）：73-80.

② 何克抗. 从 Blending Learning 看教育技术理论的新发展（上）[J]. 电化教育研究，2004，（03）：1-6.

③ 李克东，赵建华. 混合学习的原理与应用模式[J]. 电化教育研究，2004，（07）：1-6.

④ 李克东，赵建华. 混合学习的原理与应用模式[J]. 电化教育研究，2004，（07）：1-6.

⑤ 黄荣怀，马丁，郑兰琴，等. 基于混合式学习的课程设计理论[J]. 电化教育研究，2009，（01）：9-14.

的学习；而深层学习则包含了学习者的领悟过程，因此是一种问题解决的学习。显然，我们期望混合式学习有助于深层学习。

为促进深层学习的实现，混合式学习强调情境学习和活动学习。在混合式学习中，鼓励学生参加小组的实践学习活动中，并和同伴一起以学徒的身份完成实践活动，观察同伴的行为，使自己的习惯、信念、个性以及技能得到发展。但混合式学习并不局限于此，只要有利于促进学生有效地深层学习，混合式学习对各种可能的方式采取兼容并蓄的态度，包括基于问题的学习、基于活动的学习乃至传统的课堂教学等。

### 7.3.2　解读：混合式学习教学模式

基于对混合式学习相关理论和现实的认识，黄荣怀等学者在 2009 年提出了"混合式学习的课程设计框架"（图 7-6）。按照这个框架，混合式学习的课程设计工作大体可以分为前端分析、活动与资源设计和教学评价设计三个阶段进行。

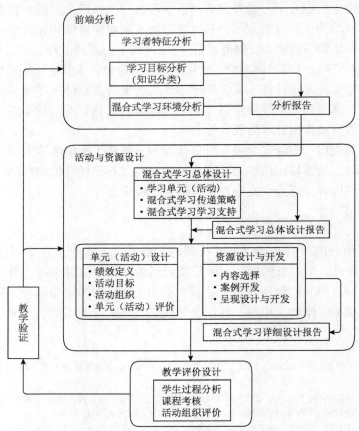

图 7-6　混合式学习的课程设计框架

一、前端分析

在对课程资源和活动等进行具体的设计之前，必须先对课程教学的基本情况进行分析、观测，即前端分析，以便确定该课程是否适合开展混合式学习。前端分析包括三个方面的工作：①学习者特征分析，通过评定学习者的预备知识、学习风格、学习偏好等掌握学习者的相关特征；②基于知识分类的学习目标分析，即根据教学内容的实际情况确定学习应当达到的目标；③混合式学习环境分析，把握课程教学所具备的外部环境条件。前端分析的目的是根据学习者的熟练程度确定学习目标，从而为后续工作提供依据，其结果表现为一份综合上述基本教学情况和教学起点的分析报告。

二、活动与资源设计

这个阶段的工作由混合式学习总体设计、单元（活动）设计和资源设计与开发三个环节组成。在混合式学习总体设计环节，课程设计人员应当在明确课程整体学习目标的基础上，对相应学习活动的顺序做出安排，确定学习过程中信息沟通的策略，并充分考虑为学习过程提供哪些支持。总体设计实际上已经为其他两个环节的设计工作确定了基调，而且总体设计的结果也正是一份详尽的设计报告，将课程设计的主要思路和设想充分地表述出来，使单元（活动）设计环节和资源设计与开发环节不必再为这些基本问题存在疑问，可以专心完成具体的技术工作。总体设计报告是混合式学习课程设计的基础文档，其中对课程目标和学习过程的构想同时也为课程评价提供了基本依据。总体设计环节必须不断追问的问题是：究竟哪些活动和资源适合让学生自学？还有哪些适用于典型的教室情境？

三、教学评价设计

教学评价设计是课程设计的第三个阶段，主要通过学习过程的评价（如使用电子学档）、课程知识的考试（如在线考试）和学习活动的组织情况评定等方式对教学效果进行评价。前面两个阶段所确定的学习活动目标、混合式学习的环境等是进行评价设计的重要依据[①]。

### 7.3.3　剖析：混合式学习教学案例

#### 基于混合式学习的"电视节目编导与制作"实践教学案例[②]

根据混合式学习的概念，以及对课程建设现状的了解与分析，本着"以生为

① 黄荣怀，马丁，郑兰琴，等. 基于混合式学习的课程设计理论[J]. 电化教育研究，2009，（01）：9-14.
② 叶爱敏，郑晓丽. 基于混合式学习的《电视节目编导与制作》实践教学改革[J]. 现代教育技术，2012，22（02）：111-116.

本、尊重学生的个性发展"的理念，叶爱敏等学者构建了"电视节目编导与制作"的实践教学模型，将实践教学分为课堂实验、课外实验、课外实践、专业实习四类，皆采用混合式学习方法，如图7-7所示。

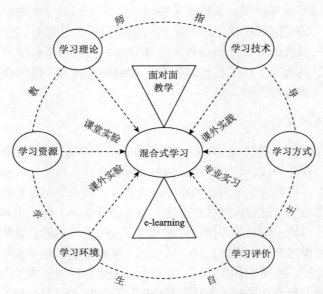

图 7-7　混合式学习的实践教学模型

## 一、基于混合式学习的实践教学模型建构

### （一）面对面教学与 e-learning 的混合

顺应网络媒体时代教学的需要，实行面对面教学与 e-learning 平台学习相混合。在课堂教学过程中，教师通过面授引导、启发和监控整个教学过程，e-learning 作为辅助学习。在课外实验、专业实习过程中学生可参考 e-learning 平台上的资源进行自主学习，与教师进行异地交流，面对面教学机会相对减少。e-learning 平台内容设有实验预习视频、课件、主要问题与答疑、影视文化资源库等，旨在为学生课外实践提供丰富的学习资源，激发学生的创作兴趣，优化教学效果。

### （二）教师指导与学生自主学习的混合

根据穆尔的交互影响距离理论，教师与学习者间的交互距离是对话程度、课程结构灵活性程度和学习者自主性程度三者的函数。根据这个函数关系，学生必须具备自主学习的能力和主动学习的积极性，如果学生的学习策略水平偏低或者自主学习影视技艺的能力偏低，就要求师生之间加强对话联系。如在课堂实验过程中，当学生的影视技能还处于低水平时，教师的指导就需增多；在课外实验、专业实习阶段，学生自主学习能力增强，教师仅作辅助指导。

（三）多种学习环境和资源的混合

在"电视节目编导与制作"实践教学中，不论在实验室，还是在真实的社会环境中，或者在 e-learning 的信息化学习虚拟环境中，都要以学习者为中心，创设协作学习的良好氛围，充分运用教材、录像带、影视媒体设备、互联网等多种学习资源，调动学习者的视觉、听觉、触觉等多重感官参与学习活动，帮助达到理想的学习效果。

（四）多种理论与技术的混合

不论是课堂实验、课外实验，还是课外实践、专业实习，每类实践教学都需要一定的学习理论与技术作为支撑。为了适应不同学习者、不同学习目标、不同学习环境和学习资源的要求，需要多种学习理论指导混合式学习，如建构主义学习理论、传播学理论、影视基础理论、编导理论等，同时又需要整合多种技术，如多媒体技术、图形图像技术、音视频技术等。

（五）多种学习方式的混合

根据实际需要选用多种教学方法，如综合性实验可采取探究法、小组协作、角色扮演等多种方法混合的方式，专业实习中以学生自主学习为主，灵活运用多种学习方法，如任务驱动法、小组协作法、探究法、体验法等。

（六）多种评价方式的混合

采取过程性评价方式，考查学生的实验、实践过程及作品完成情况。作品评价以量规与质性评价相结合，小组评价、自评互评相结合的方式，通过小组的交流和评价，促进影视作品的整改和影视应用能力的提高。

总之，在实践教学过程中，要处处有"混合"理念，时时有"混合"思想，将混合式学习落实到实践的各个方面、各个环节，为优化实践教学效果服务。

二、基于案例的实践过程与分析

《感知温州》纪录片创作是以实验开放项目的形式，由学生自愿报名组成两个小组，每组 6 人。各小组按学生在文案策划、拍摄技术、配音录音、后期编辑等方面的能力强弱混合搭配而成。组内分工明确，整个创作过程在协作学习环境下完成，可分为五个阶段，如图 7-8 所示。每个阶段任务按顺序进行，但不拘泥于线性顺序，每完成一步都及时交流和反思，并做好协调和整改工作。

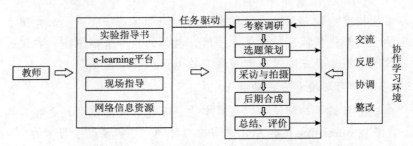

图 7-8　基于混合式学习的纪录片创作实践

**（一）考察调研**

在实践任务的驱动下，实地考察与调研由学生自主发起。教师做好引导和启发工作，给学生提供创作线索，启迪学生的创作灵感。学生通过查阅网上资料及实地环境考察，在组内、组间交流思想，适当进行先期采访，初步掌握需要拍摄和记录的内容，为主题策划、作品构思做准备。

**（二）选题策划**

电视纪录片是一种艺术地展现真实场景、运用纪实手法拍摄制作的电视节目形态。它通过调动多种电视手段，多角度地纵深挖掘生活素材，通过纪实的"真"来表现生活中的美或丑。经过多次的实地考察与调研，一组学生以发绣艺术为题材，另一组以温州九山湖的义务救生队为记录对象，主题定为"救生圈"。

在这个阶段中，学生主要通过网络、现场调查和访问等途径对被记录对象展开多方面的了解，搜集相关文字及图片资料，为文案策划做准备。教师向学生展示 e-learning 平台上的优秀视频案例，提供文案策划的基本框架及要点。学生利用网络平台开展讨论，充分利用多种学习资源完成文案策划初稿。遇到问题，向学习同伴、老师提问，教师利用网络平台进行异地指导，及时反馈信息。

**（三）采访与拍摄**

拍摄前学生做好采访构思，拟定拍摄提纲。充分利用各种学习资源找出优秀案例，琢磨其拍摄手法，熟悉其拍摄要点。在《救生圈》拍摄过程中，学生主动采取交友拍摄的方式，通过分工合作，顺利地拍摄到救生队队员工作和生活细节的镜头。教师在基础拍摄中做好监督与引导工作。在拍摄难点上，采取启发法、情境法、探究法等，注重教师指导与自主学习的合理分配，注重网络交流与现场指导相混合。

难点 1：拍摄守卫在九山湖两侧的队员的姿态、眼神的特写镜头。

湖面很宽，带着"能否拍摄到令人满意的特写镜头，怎样获取最佳镜头效果"的问题，指导教师将小组学生分成两路，分别采取两种办法拍摄。一是站在河对岸拍摄，二是借助救生船靠近被摄主体拍摄。拍摄完毕，两个小组进行组内交流，比较拍摄结果，并进行反馈和整改，如表 7-7 所示。经过多次对比实践，做好最佳镜头记录。

**表 7-7　队员姿态镜头拍摄比较**

| 组别 | 拍摄手法 | 拍摄地点 | 反馈结果 1 | 解决办法 | 反馈结果 2 |
|------|---------|---------|-----------|---------|-----------|
| A | 固定 | 河对岸 | 画面稳定，近景镜头，色彩灰蒙 | 外接长焦镜头 | 画面稳定，特写镜头，色度不够 |
| B | 运动 | 船上 | 特写镜头，画面易抖，色彩层次丰富 | 降低船速、稳步 | 画面较稳，特写镜头，色彩正常 |

难点 2：拍摄真实的救生场面。

纪录片要讲究"艺术真实"，必须在真人真事的基础上反映生活的本质，结合主题需要，拍摄真实的救生过程。学生通过与救生队队员、游客的沟通交谈，发现拍摄真实的救人场景面临很多困难：①事故发生突然，时间上无法预计；②河面又宽又长，事故发生河段不明；③摄像机数量有限，人员有限。面对众多困难，学生想到两种捷径：一是直接将"拉网式"救人演习，谎作真实的救人场景；二是以扮演方式拍摄救生。在这种情境下，指导教师对学生提出严格要求，强调纪录片不允许采取虚构、扮演和导拍的方式。在教师的启发引导下，学生做好耐心"等拍"的准备，在河两岸预设四个拍摄点，一有事故发生，以就近机位拍摄为主（其他三个机位为辅），移动机位进行目的性抢拍。指导教师强调要以"实事求是"的态度对待实践工作，并引入了"长镜头"的拍摄手法。在救生队队员的配合下，由指导教师带领学生进行模拟拍摄，通过救生队队员模拟扮演，教师示范操作完成模拟救生的镜头拍摄。而后，由学生进行自主练习，教师对拍摄内容进行点评和指导。通过不断体验长镜头拍摄，为捕捉到真实的救生场面做好技术准备。

（四）后期合成

后期合成过程中小组既分工明确又互相合作，在合作学习中注重文学、技术与艺术的融合。学生遇到问题通过 e-learning 互动空间提问，教师及时在平台上进行解答，或亲临现场指导。通过 e-learning 平台学习与动手操作学习相混合、教师指导与自主探究相混合的方式，使得学生在和谐互助的氛围中完成任务。

（五）总结、评价

纪录片创作是个循序渐进的过程，每做一步都需要反思和整改。为更加公正合理地评定实践成果，需要制定评价量表。通过小组成员自评、与老师交流，以及跟救生队队员的交流，找出不足之处，通过自评、互评、他评相混合的方式，促进影视作品的整改，最终取得作品的最优化效果。

**【案例剖析】**

　　通过基于混合式学习的实践教学改革的施行，学生在稿本策划和编写、镜头拍摄、后期制作方面的能力不断提高。经过以纪录片创作为代表的实践教学过程，充分验证了基于混合式学习的"电视节目编导与制作"实践教学改革的优越性，教师要为学生创设良好的混合式学习环境，利用多种教学资源，提供多种方式的教学服务。尤其要重视协作学习在实践中的重要作用，重视多种理论与技术的混合，注重影视创作中文学、艺术与技术相混合，充分发挥混合式学习在实践教学中的作用。

### 7.3.4　探究：如何提升混合式学习效果

　　一、混合式学习环境中知识共享的提升策略

　　（1）引导学生维持良好的集体关系

　　成员关系质量是影响学生主观感受的重要变量，也是影响个人知识共享意愿最显著的外因变量。班集体本质上是一个微缩的社会网络，该网络中成员互动频率及成员关系质量直接影响着成员感情归属的强度，进而影响个人对社会网络中其他成员的期许的感受。因此，改善与维持良好的集体关系，不失为一种提高学生知识共享意向的方法。

　　（2）建立知识共享的激励机制

　　预期收益是影响学生进行知识共享的主要变量。袁留亮[1]通过对学术 QQ 群中知识共享的调查发现，互惠动机对个体知识共享行为具有重要的预测作用。因此，建立知识共享的激励机制，从物质或精神层面给予知识共享者一定的奖励，是促进知识共享的有效方法。

　　（3）增强学生学习的自我效能感

　　赵呈领等学者[2]认为，学生的自我效能感直接影响其进行知识共享的意愿。在知识属性不能得到有效改变的情境下，通过提升学习者的自我效能感以减弱知识属性的负面影响，增加学习者进行知识共享的意向，也是可取之法。

　　（4）提供并引导学生合理使用技术工具

　　技术工具的使用对知识共享意向具有显著性影响，因此，为学生提供适当交流及认知工具能够显著提升学习者知识共享的意向。然而，不少研究显示，完善的信息技术系统应用并没有改变个人进行知识共享的意愿，信息技术工具是进行知识共享的必要而非充分条件，在相关机制策略与信息技术工具合理搭配应用的

---

　　[1] 袁留亮. 基于自我决定理论的在线科研社群知识共享研究[J]. 现代情报, 2016, 36(02): 20-24.

　　[2] 赵呈领, 梁云真, 刘丽丽, 等. 基于社会认知理论的网络学习空间知识共享行为研究[J]. 电化教育研究, 2016, 37(10): 14-21.

状况下，其价值才能实现最大化①。

二、联通主义视域下的混合式教学提升

（1）鼓励学生质疑与反思，增强学生自主学习的能力

联通主义理论对学习者的自主学习能力有着更高的要求。首先，要求学习者能够辨别信息的重要性，能够在繁杂的知识中发现最为重要的信息，熟练地掌握获取所需知识的途径，善于发现有价值的节点和网络，并且知晓不同的节点、网络之间的联系。

其次，学习者要在学习中对知识进行质疑和反思，以实现主动学习；要从以教师讲授为中心的教学方式转变为以学习者为中心的教学方式。教师要针对不同类型的学习目标，给学生分配好课前线上学习的内容与课堂要掌握的知识，改变传统的只是利用课堂时间传递知识信息的方式，将课堂面对面的活动设计为学生与教师、学生与学生互动协作的方式，促进学生掌握知识，对知识进行更为深入的探讨。

通过以上策略，学生可以借助内部和外部网络，主动发现有价值的连接，优化自身的知识网络，建立新的学习网络连接。个体根据自身的认知结构对外部世界进行理解和阐释，从而实现主动获取知识和建构新知识网络。

（2）合理设计小组活动，提升学生交互程度

联通主义理论认为，学习者要善于借助人与人、人与外部技术工具的交互协作，根据自身的兴趣和特点建立新的连接，以渗入他人或者组织的网络。提升交互协作水平是联通主义指导混合式学习的关键，流通是联通主义学习的目的。

混合式教学的设计可以借鉴联通主义课程形式，将面对面的课堂讲授与多样性的社会媒体技术教学相结合，给予学生更多选择的机会，加强师生和生生之间的交互协作。在面对面的环境下，教师可随时介入学生的学习活动，针对问题及时反馈，使交流不偏离讨论方向和主题，协助学习者发现和分辨重要的节点知识，从而建立和保持优化连接。在在线环境中，可利用多种多媒体资源进行交流，学生和教师有足够的时间思考问题，提出有深度的观点。在小组交流中，学生共同探究问题的计划、交流的成果、案例分析过程等都可以较为完整地被记录保存。教师通过网络查看学生的学习进展情况，可以对学生存在的共性问题进行总结并发布在网络平台上。

（3）重视学生探究能力的培养，促进其知识的建构

联通主义理论认为，学习者可以通过积极参与不同的网络拓宽和更新自身的知识领域，并且要注意保持和建立各种连接，以促进持续性学习。探究共同体是

① 王国华. 混合式学习环境中知识共享的提升策略研究[J]. 电化教育研究，2017，38(09)：24-28.

一个紧密联系和交互协作的学习者共同体，其目的是批判性分析、建构和明确有意义的知识。混合式学习可以通过多种形式的交流环境，提供重要的反思元素来满足特定的学习需要。比如，可以运用面对面的课堂教学来建立学习共同体，需要反思的复杂问题可以通过在线学习来完成。

教师在课前可以在线创设表述问题项目。学生在课堂教学中，可根据课前对问题的探究情况有针对性地与教师和同伴讨论。教师在课堂教学中，可根据学生课前探究的共性问题和难点进行集中指导、讲解，重点设计学生探究学习的活动来促进学生高阶层地掌握知识。学生在课后，可将课堂上没解决的问题借助社交媒体继续进行讨论、交流。通过上述系列探究之后，学生可撰写反思笔记，深入了解知识点，促进知识的迁移和应用。无论是课前还是课后，教师都要与学生保持互动，建立积极友好的学习共同体，及时给予学生反馈，并根据不同的知识类型运用不同的评价方式。

### 7.3.5 实践与反思

一、混合式学习活动设计实践

选择一门适合混合式学习的课，结合表 7-8 所示的混合式学习教学设计模板，开启你的混合式学习教学设计之旅吧！

**表 7-8 混合式学习教学设计模板**

| 学科 | | 教学内容 | |
| --- | --- | --- | --- |
| 该内容总课时 | | 学科地位 | |

1. 前端分析（学习者特征分析、学习目标分析、混合式学习环境分析）

（前端分析主要对课程教学的基本情况进行调查分析，根据学生特点确定学习目标，为后续工作打下基础）

2. 活动与资源设计[混合式学习总体设计、单元（活动）设计、资源设计与开发]

（这个环节是混合式学习中能否在适当时间，以及通过适当方式的学习达到适当学习效果的关键）

3. 教学评价设计（学习过程分析、课程考核、活动组织评价）

（由于混合式学习综合了多种学习方式，在评价时也应采取多样化的评价方法）

续表

4. 教学设计反思

（解释你对这门课程教学设计的用心之处）

## 二、混合式学习活动设计反思

混合式学习活动反思模板见表 7-9。

表 7-9　混合式学习活动反思模板

你认为什么是混合式学习？混合式学习顺利开展的基础是什么？

你认为如何提升混合式学习效果？

【思考与练习】

1. 信息技术赋能课堂教学的创新应用有哪些？给教学带来了哪些变化？

2. 什么是翻转课堂、专递课堂以及混合式学习？它们之间有哪些联系和区别？

3. 信息技术与教育教学的创新应用对当代信息技术教师提出了哪些新的能力要求？

4. 谈谈你对翻转课堂、专递课堂以及混合式学习应用于实践会遇到的挑战。

5. 观摩爱课程网的"翻转课堂教学法"慕课，选择其中一个具体的翻转课堂实践案例进行点评，并与同伴进行交流。

6. 对你的老师作一次访谈，了解他在翻转课堂、专递课堂、混合式学习中一种或多种教学实施过程中存在哪些问题，然后和同伴就访谈结果进行交流。

**【研究实践】**

对信息技术与教育教学的创新应用的研究需要重点对翻转课堂、专递课堂以及混合式学习的内涵进行剖析，抓住三种不同教学模式的特点及实践方法进行深入思考。以小组为单位，对以下内容进行探讨：

1. 翻转课堂、专递课堂以及混合式学习的实质、内涵及基本特征分析。

2. 翻转课堂、专递课堂以及混合式学习在教学实践中的学习策略。

3. 翻转课堂、专递课堂以及混合式学习中的主讲教师（助教）、学生角色分工。

4. 翻转课堂、专递课堂以及混合式学习中的评价。

# 第8章　信息技术与课程整合的综合应用

随着教育信息化的快速发展，广大教师应适应信息化时代带来的改变并要努力提升信息化教学能力，培养适应时代发展的创新型人才。将计算机技术、通信技术、网络技术等技术与教学活动相融合，已成为技术革新教育的热点。在信息化教学的过程中，如何合理安排教学过程的各个环节和要素，如何利用信息技术为学生提供相应的学习条件和支撑，从而使教学过程最优化，是信息技术支撑的教学设计需要考虑的最基本的问题。把握信息化教学设计、信息化教学评价的内涵，掌握其基本流程与方法，剖析、探讨典型案例有助于教师提升信息化教学能力。

【知识地图】

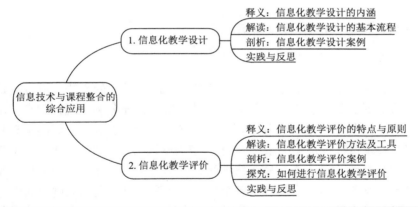

【学习目标】

本章围绕信息化教学设计与信息化教学评价展开讨论，涉及信息化教学设计与教学评价的内涵、方式、方法以及典型案例。通过本章学习，学习者应达到如下学习目标。

1）了解信息化教学设计、教学评价的内涵、外延及其特征。

2）知道信息化教学设计、教学评价的流程、组织策略和方法。

3）通过对典型应用案例的剖析，进一步深刻地理解信息化教学设计、教学评价的具体实施策略。

4）在案例剖析的基础上，进一步探究信息化教学设计、教学评价促进学习质量提升的策略和方法。

5）通过实践操作，进一步加深对信息化教学设计、教学评价的理解，并能迁移到具体的学习主题或任务的教学设计和教学组织中。

【学习导航】

本章的学习内容要注重理论与实践的有机结合，通过讨论、赏析、评价、反思等方法提高设计和分析能力。因此，对于本章的学习，你可以通过：

1）研讨、学习案例，加深对信息化教学设计、教学评价方式、流程等的理解。

2）分析案例，深入浅出地阐明其基本的原理、设计的方法和技巧。

3）结合具体的任务或主题，灵活运用信息化教学设计、教学评价方法，进行实际的应用与分析，加深对信息化教学设计、教学评价的感知。

4）文献阅读，进一步加深对信息技术与课程整合的教学设计、教学实施、教学评价等过程的理解。

# 8.1　信息化教学设计

## 8.1.1　释义：信息化教学设计的内涵

一、信息化教学设计定义

对于信息化教学设计的定义，不同的学者给出了不同的说法。祝智庭认为信息化教学设计是在综合把握现代教育教学的基础上，充分利用现代信息技术和信息资源，科学安排教学过程的各个环节和要素，为学习者提供良好的信息化学习条件，实现教学过程全优化的系统方法①。黎加厚认为，所谓信息化环境下的教学设计（信息化教学设计）是运用系统方法，以学为中心，充分利用现代信息技术和信息资源，科学安排教学过程的各个环节和要素，以实现教学过程的优化②。

尽管对信息化教学设计的定义还没有一个统一的说法，但大家对信息化教学设计的认识却是较为一致的，即信息化教学设计应该关注一个中心、两个方面。一个中心是指以"学生的学"为中心。在两个方面中，一个方面是强调对学习主题和学习活动的设计，教师从学科知识、教学任务和现实生活相联系的角度来设计"问题"或"单元主题"，学习活动以讲解、探究、讨论、协商、协作与反思等方式展开；另外一个方面是注重对信息技术工具和信息资源的使用进行设计，实现它们与学习过程的柔性结合，帮助学生更好地搜集网络资源及其他信息并对它们进行加工整理，提供给学生一些与主题相关的资源和活动建议等，帮助学生

① 祝智庭. 现代教育技术——走向信息化教育[M]. 北京：教育科学出版社，2002：179.
② 黎加厚. 教育技术教程——教育信息化时代的教与学[M]. 上海：华东师范大学出版社，2002：88.

完成问题解决的过程，促进学生的意义建构。

二、信息化教学设计的基本原则

信息化教学设计是信息技术支持的，但"信息技术的支持"仅仅是信息化教学设计的表面特征，它还有两个更为重要的、更为根本的特征：①以学生为中心，关注学生能力的培养；②关注学习过程。这两大特征渗透到学习过程的各个要素中，形成了更具指导意义的设计原则。

（1）注重情境的创设与转换

信息化教学设计应该注重情境的创设，使学生经历与实际相类似的认知体验。同时注重情境的转换，使学生的知识能够自然地迁移与深化。

（2）充分尊重工具和资源的多样性

信息化教学设计注重对信息技术工具和信息资源的使用进行设计。这些工具和资源应当同学生的主题任务相关，能够帮助学生完成问题解决的过程，促进学生的意义建构。比如，提供给学生与教学主题或问题相关的网络资源、典型案例，对学生的学习进行一定的指导和帮助等。信息技术工具和信息资源在信息化教学设计中具有不可替代的作用。

（3）以"任务驱动"和"问题解决"作为学习和研究活动的主线

该原则有几个方面的含义：①学习活动的展开通常可以围绕某一问题或主题，这些内容通常来自现实生活中的一些具体事例；②学习活动具有明确的任务性、目的性，学生知道为什么而做，教师的重点在于如何有效地引导学生；③现实中的任务与问题不同于强加给学生的学习目标或现成答案。学生通过对问题和主题的主动探索体验学习的快乐，培养学习兴趣。

（4）学习结果通常采用灵活的、可视化的方式进行阐述和展现

在学习活动结束时，学生应当对自己的学习结果进行总结和展示，同他人进行讨论和协商，以加深对学习过程的理解和反思，这些内容通常以研究报告、演讲、讨论等形式展开。在这些过程中，教师应当对学生的学习成果进行必要的指导和帮助，帮助学习者更好地将学习成果展示出来。

（5）鼓励合作学习

在信息化教学中，学习者通常是以小组或其他协作的形式展开学习，在学习过程中互相帮助，共同完成某一项任务目标，实现"问题解决"。每个学习者在中间承担一定的任务，担当一定的角色，学习活动过程成为"学习者身份和意义的双重建构"。学生之间相互协作，共享他人的知识和背景，共同实现组织目标。

（6）强调针对学习过程和学习资源的评价

信息化教学设计是一个连续的、动态的过程，在学习过程中，教师通过不断的研究和质量评估，收集数据，使用过程性评价达到改进设计的目的。同时，由于信息化

学习资源种类繁多，为了有效地利用信息化学习资源，也必须对资源进行优化选择。

三、信息化教学设计的评价标准

评价一个信息化教学设计是否成功，可以考虑以下几个方面。

（1）是否有利于提高学生的学习效果

学习目标应该明确，表述清晰，教学设计中应考虑到学生的个体差异，并明确说明如何调整成效标准以适应不同的学习者。教学设计应该能够激发学生的兴趣，符合学生的年龄特征，并有利于学生的学习以及高级思维能力的培养，有利于学生在信息处理能力方面的培养。

（2）技术与教学相整合是否人性化

技术的应用和学生的学习之间要有明显的关联，不能只是为了使用技术而使用技术。技术应该是教学成功必不可少的一部分，计算机作为工具要有助于教学计划的实施，但是不应被视为信息化的全部。

（3）教学计划的实施是否简单易行

教学计划应该方便根据具体教学情况的差异进行修改，以便应用到不同的班级。教师应该可以轻松地应用教学计划中所涉及的技术，并获得相应的软硬件支持。

## 8.1.2　解读：信息化教学设计的基本流程

一、教学设计的一般流程

近年来，教学设计模式的研究取得了很大的进展，出现了数量众多的教学设计模式，尽管这些模式各不相同，但还是具有一些共同的属性。从构成要素来看，所有的教学设计过程模式都包括学习者、目标、策略与评价；从涉及的步骤来看，所有的教学设计过程模式都包括教学目标设计、教学策略设计、教学评价设计。图 8-1 为教学设计的一般流程图。

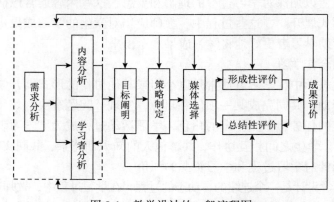

图 8-1　教学设计的一般流程图

二、信息化教学设计的一般流程

随着网络技术在教育中应用的日益广泛和深入，特别是随着数字校园、智慧校园的建设与应用，良好的网络环境为中小学教育提供了丰富的资源，这使网络教学成为现实，因此信息化教学设计越来越受到人们的关注。信息化教学设计包括以下四个内容，如图 8-2 所示。

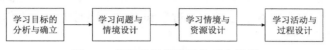

图 8-2　信息化教学设计的基本流程

在信息化教学设计中必须考虑学习目标的分析与确立、学习问题与情境设计、学习情境与资源设计、学习活动与过程设计这四个基本的内容。学习目标是对学习者通过教学后表现出来的可见行为的具体的、明确的表述，学习目标的分析和确立，强调了教育结果的可观察性和可测量性。建构主义认为，知识不是通过教师传授得到的，而是学生在一定的情境，即社会文化背景下，借助教师和同学的帮助，利用必要的学习资源，通过意义建构的方法获得的，因此情境是学习环境的重要部分。通过对学习活动的设计，加深学生对知识的理解，让学生在活动中掌握所学的知识。

三、"Intel 未来教育"信息化教学设计

"Intel 未来教育"是信息化教学设计的成功典范。其主要特点是采用问题设计的办法来完成教学，通过将计算机、网络等现代技术融入教学来加强学生的学习。其设计要点如下。

（1）策划单元计划，设计课程框架问题

教师在讲课前，根据单元教学目标，围绕着一个基本问题设计出若干个相关的单元问题。

基本问题具有这样的特点：指向学科的核心；在某一领域的发展历史和人们学习过程中自然重演；孕育了其他重要问题。单元问题是学科特定和主题特定的，其特点有：为基本问题提供了学科特定及主题特定通道；单元问题是开放性的，这意味着它们有多种研究和讨论的路线；是为了激发和维持学生的兴趣而精心构造的。

（2）给学生布置明确而具体的任务

通过《介绍我的单元》演示文稿，向学生阐明该单元的学习内容、学习目标、课程标准等。

（3）创建单元支持材料

单元支持材料即学生或教师在教学活动中需要用的 Word 文档或模板（如调

查问卷、读书报告、观察报告、实验报告、教学进度等）。教师还要向学生提供一份"学生学习支持材料"，作为学生学习的支架，如一些文字资料、图片素材、网上资源的站点链接等。

（4）创建学生多媒体演示文稿范例

教师以学生的身份创建学生多媒体演示文稿来报告对课程的基本问题和单元问题的研究过程与结果。学生多媒体演示文稿范例和学生网站范例的创建实际上是为了向学生展示研究性学习活动的过程和方法，同时也为学生创建多媒体演示文稿和网站提供样板。

（5）创建学生多媒体演示文稿评价工具

该评价工具用来评价教学实施中学生创建的多媒体演示文稿。创建时要注意评价工具的可操作性。评价工具要从教学目标出发，它的设计非常重要，既是对学生学习的评价，也是对学生学习的引导和支持。

（6）评价单元计划

教师应用"Intel 未来教育"提供的单元计划项目评价量规，对自己的单元计划项目进行评价，若有问题，应进行必要的修正。

（7）修改单元计划

在创建每一项作品（学生多媒体演示文稿范例、学生多媒体评价工具、单元支持材料、学生网站范例、学生网站评价工具、教师支持材料）后，教师都要修改单元计划（包括学习目标、课程标准、教学过程等）。单元计划是在教学设计过程中逐步修改、不断完善的。

这种信息化教学设计方法重在落实学生的主体地位和教师的主导作用，因为学生是问题的发现人、疑问的解决人、演示的操作人、作品的创作人、作品的剖析人，最终成为学习的主人。教师精心设计的教学活动和协作学习过程中画龙点睛的指导，充分体现出教师主导、学生主体的有机结合，教师在教学过程中是真正的组织者、指导者、帮助者、促进者。

### 8.1.3　剖析：信息化教学设计案例

关于"秋天的雨"这节课，教师充分发挥多媒体网络的功能优势，自制主题学习网站，对教材内容进行有机整合，引领学生开展了网络环境下的自主、合作、探究性的学习和活动，使学生身临其境，体会到秋天的美好，感受课文的语言美，较好地完成了教学目标。该案例获辽宁省第十四届多媒体软件大赛整合课例一等奖①。

---

① 该案例选自：王馨，郭丽文. 信息技术环境下教学设计基础[M]. 北京：清华大学出版社，2011.

一、案例背景

设计者：葛丽，营口市站前区红旗小学　高级教师
学　　生：营口市站前区红旗小学三年级一班
教　　材：人教版小学语文第五册
指导者：隋春梅，营口市教师进修学院现代教育技术研训处
　　　　　刘伦昌，营口市教师进修学院现代教育技术研训处

二、教材分析

《秋天的雨》这篇课文是一篇抒情意味很浓的散文，名为写秋雨，实际上是在写秋天。课文把秋雨作为一条线索，将秋天众多的景物巧妙地串联起来，从整体上带出一个美丽、丰收、欢乐的秋天。这篇课文语言美、意境美、篇章结构美。本节课是第二课时。教学的重难点是如何使学生通过课文生动的描写，体会秋天的美好，感受课文的语言美。

三、教学目标

（1）知识与技能
正确、流利、有感情地朗读课文，积累好词佳句，理解写作方法，并能够运用所提供的信息制作电子作品。
（2）过程和方法
利用网站资源，展开自主、合作、探究性学习。通过书网结合，引导学生读中感悟、读中体验、读中积累。
（3）情感、态度与价值观
通过本课教学，培养学生热爱大自然、热爱生活的情感。

四、学习者特征分析

对于三年级的孩子来说，读通课文已经不是最大的难题，但如何通过自主学习，得到美的熏陶，激发他们对大自然的热爱，则是有一定难度的。为此，教师制作了专题学习网站，采用网络环境进行教学。

全班学生已经具有一定的网上搜索和交流以及图片处理的能力，通过网络环境下的学习帮助学生更加有效地进行学习，培养他们网上学习的能力和与人交往的能力。

五、教学策略选择与设计

（1）小组合作法
在课上重点引导学生以自学探究、小组交流等方式进行学习，鼓励学生自学，教师适时点拨，感受秋雨的美。

（2）朗读感悟法

文章是抒情意味很浓的散文，根据文章的特点，主要采用"书网结合，朗读感悟"的方法进行教学。

（3）课件引导法

引导学生直观感受网站中"秋天"的图片或视频，启发学生对秋天的特点形成直观的感受。

## 六、教学资源与工具设计

教学环境：多媒体网络教室。

资源准备：自制"秋天的雨"主题学习网站。

## 七、教学过程

"秋天的雨"教学过程见表 8-1。

表 8-1　　"秋天的雨"教学过程

| 教学环节 | 教学内容与教师活动 | 学生活动 | 设计意图 |
|---|---|---|---|
| 情景导入激发兴趣 | 导语：秋天如一首诗、一幅画，为我们编织着美妙的梦。秋天的雨如同一把钥匙，它悄悄地打开了秋天的大门，现在就让我们随着秋雨一同走进美妙的秋天（播放视频） | （1）观看视频，回顾全文。（2）回想：课文是从哪几个方面来写秋雨的？ | 播放视频，创设情境，引导学生回顾课文的内容，激发学生的阅读兴趣，为新知奠定基础 |
| 引导朗读网上初探 | 指导学习第二自然段，并通过网络监控学生的学习情况设疑：（1）同学们找一找：秋天有哪些美丽的颜色呢？这么多、这么美的颜色放到一起可以用什么词来形容呢？（2）说一说：秋雨把这些五彩缤纷的颜色分给谁了？请同学们读一读课文的第二自然段，再借助网上的资料在小组中谈一谈。（3）引导交流汇报。（4）启发、范读、指导朗读此段 | 学习第二自然段（1）朗读课文，找到秋天里的色彩，并理解"五彩缤纷"的意思。（2）在小组组长的带领下到书本中和资料库中查阅资料。（3）展示学习成果，体会比喻的恰当，并用"……像……"说话。（4）自读、仿读、评价 | 学生朗读课文，以书为本，书网结合，在理解文本的同时，结合网站内的图片、视频、文字等多元化信息，使学生对课文的感悟更加深刻。学生通过视频，体会课文比喻的恰当，感悟到秋天的美 |
| 网上再探自学感悟 | 引导学习第三自然段，并通过网络监控学生学习情况。（1）出示自学要求：秋天的雨有哪些好闻的气味？读了本段，你有什么感受？（2）谁愿意把第三自然段读给大家听？（3）现在就请同学们在组长的带领下自学第三自然段，引导他们汇报出秋天丰收的特点 | 自主学习第三自然段（1）按要求自学。（2）读文。（3）在网上查资料、组内汇报、谈感受 | 出示自学要求，明确目标，起到引领作用。提供专题网站、网络资源以激发学生兴趣，为教材提供形象的补充，使学生更加真切地感受秋天的美。同时自主、合作学习又为学生提供了展示自我的平台 |

续表

| 教学环节 | 教学内容与教师活动 | 学生活动 | 设计意图 |
|---|---|---|---|
| 网上<br>再探<br>自学<br>感悟 | 引导学习第四自然段<br>（1）自学提示：<br>A.冬天要来了，小动物们和植物们都在忙些什么？<br>B.它们的心情怎样？<br>（2）引导学生到资料库中完成练习题，明确小动物在忙些什么，体会它们的心情。<br>（3）引导学生观看视频，体会小动物的快乐。<br>（4）指导朗读，引导尝试背课文 | 自主学习第四自然段<br>（1）根据提示自学：朗读课文，感知小动物在忙些什么。<br>（2）到"练习题"中找寻文本描写的景象，完成连线题，体会小动物的繁忙。<br>（3）借助视频资料，体会小喜鹊、小青蛙快乐的心情。<br>（4）与教师合作、生生合作，朗读课文，背诵课文 | 视频的播放使学生头脑中形成连贯完整的画面，不仅体会到小动物的心情，还丰富了学生的课外积累。利用视频启发背诵 |
| 升华<br>情感<br>拓展<br>积累 | （1）提供网站资源，指导学生到画册中画一画秋天，并用文字写写秋色。网络监控。<br>（2）引导汇报。<br>（3）随着欢乐的律动共唱秋天 | （1）选择喜欢的画片设计秋天的画册。<br>（2）汇报，展示自己的设计。<br>（3）随着欢乐的律动共唱秋天，升华感情 | （1）激发学生对秋天的热爱，培养学生运用信息的能力。<br>（2）运用电脑展示成果 |

八、课后反思与自我评价

《秋天的雨》是一篇抒情散文，作者抓住了秋天的特点，从秋天的到来写起，写了秋天缤纷的色彩、丰收的景象以及深秋各种动植物准备过冬的情景。学生通过课文生动的描写，体会秋天的美好，感受课文的语言美。以往的教学多采用以读代讲的方式，通过反复朗读体会文中内容，教学的效果不太理想，为此，我制作了《秋天的雨》的专题学习网站，并在网络环境下进行教学。下面就谈谈自己执教后的几点体会。

（1）网络环境下的整合教学，使教学内容的呈现方式发生了转变

本课抓住了秋天的颜色、气味和动植物的活动，展现了秋天的美好。为此，我在专题学习网站中设置了内容丰富的相关图片和视频资料，比如，红叶似火的枫树、叶如小扇的银杏树、美若仙子的菊花、果实累累的橘子树等，尤其是小喜鹊搭窝、小青蛙挖洞的动画和视频等相关资料，使原本静止的文本教材动起来了，调动了学生学习的兴趣，他们兴致盎然，妙语连篇，学习思路被打开，同时，也为学生自主学习、合作交流搭建了平台。

（2）网络环境下的整合教学，使教师"教"的方式发生了转变

以往的教学多采用以读代讲的方式，通过反复朗读体会文中内容。语言美是编选这篇课文的主要原因，这也是本篇课文的教学重点。如果只是反复地读或老

师讲解是不够的，教学中我引导学生自主体验，组织他们一起合作探究：你喜欢哪种颜色？为什么？学生在认真读文的基础上，来到教师提供的专题网站中，利用网上资料，书网结合来理解、交流课文内容，学生通过读文、查阅资料、小组交流，以及教师适时监控指导、点拨，润物细无声地解决了教学中的重点。

不仅如此，课文中使用的多种修辞手法，或把秋雨人格化，或把秋雨比喻成生活中常见的东西和事物，或很含蓄地抒发感情，这些被艺术化了的语言，会对学生造成理解上的困难，是教学的一个难点。为此，我引导学生书网结合来学习，帮助学生有效地解决了这些教学的难点。例如：文中把枫叶比作邮票，这个比喻是很抽象的，我便提供了树叶从树上飘落下来落入水中又漂向远方的动画。学生通过读句子，又结合生动的动画，真正感受到了这个比喻句的恰当，并仿写出了优美的句子。这种书网结合的教学方式改变了传统教学中教师一味地讲、学生一味地听的现状，活跃了学生的思维，提高了他们分析问题的能力。

（3）网络环境下的整合教学，使学生"学"的方式发生了转变

书网结合为学生提供了自主学习、展示自我的平台，教学时，我为学生设计制作了"秋天的雨"专题学习网站，学生可以带着问题，书网结合来进行自主、合作、探究性学习，找出问题的答案。在拓展练习环节中，他们又通过独立完成连线题、小组交流汇报，了解动植物是怎样过冬的，通过观看视频感受它们的忙碌和快乐，学生的语言表达能力和学习能力都有所提高。

（4）网络环境下的整合教学，要突出学科教学的特色

我认为网络环境下的语文教学一定要做到书网结合，既要为学生提供丰富的课程资源，拓宽学生的视野，又要时刻紧密结合文本进行语文基本功的训练，只有这样才能更好地完成语文教学任务。

九、案例点评

葛丽老师执教的小学语文课"秋天的雨"，从学生"学"的角度进行教学设计，较好地体现了新课程的教学理念。在教学的过程中，教师充分利用信息技术与网络资源，通过人机互动、师生互动、生生互动的形式，实现了信息技术与语文教学的整合。教学有以下几个特点。

（1）利用信息技术激发学生探索问题、解决问题的兴趣

教师通过动画课件创设了问题情境，并紧紧围绕"课文是从哪几个方面来写秋雨的？"进行教学，引发了学生主动探索和解决问题的兴趣，符合儿童的年龄特点和认知规律。

（2）利用网络平台培养学生自主学习的能力和与人合作的意识，突破了教学的难点

在教学中，教师结合网络环境的特点，启发学生利用网络平台进行自主探索、

合作交流。比如，在引导学生对秋雨色彩描写的理解时，教师引导学生采用书网结合的方法，指导学生在具体的语言环境中正确地使用比喻、拟人等修辞方法，使学生积极主动地参与学习，培养他们合作学习的能力，并在与人合作中开心、快活地学习知识，突破了教学的难点。同时，在学生们掌握了学习方法之后，葛老师又放手让学生自主学习，使学生通过个人阅读和小组合作相结合的方式，理解课文内容，实现教学目标。

（3）充分发挥信息技术的优势，培养学生的综合能力

本节课，教师以网络平台为依托，充分利用网络容量大、信息量大这一优势，突破教材的局限，为学生提供了自主选择信息的空间。自制画册，成为课堂教学的有效延伸，不仅实现了"教"与"学"的互动，也提高了学生信息技术的应用能力。

点评人：隋春梅

（营口市教师进修学院现代教育技术教研员，曾经指导过二十余节优秀课获得国家级、省级奖项，多篇论文在各级刊物上发表，被授予"优秀教研员"称号。）

### 8.1.4　实践与反思

一、信息化教学设计实践

选择某个学科的一节课（或一个专题），结合表 8-2 所示的信息化教学设计模板，开启你的信息化教学设计之旅吧！

表 8-2　信息化教学设计模板

| 课名 | | 教师 | | |
|---|---|---|---|---|
| 学科（版本） | | 章节 | | |
| 学时 | | 年级 | | |
| 教学目标 | | | | |
| 教学重点难点及措施 | | | | |
| 学习者分析 | | | | |
| 教学环节 | 教学内容 | 活动设计 | 活动目标 | 媒体使用及分析 |

二、信息化教学设计反思

反思信息化教学设计的重难点，回答表 8-3 中的问题。

**表 8-3　教学设计重难点反思**

你认为信息化教学设计的基本流程是什么？

你认为一个优秀的信息化教学设计方案应具备哪些特征？

# 8.2　信息化教学评价

### 8.2.1　释义：信息化教学评价的特点与原则

信息化教学评价是全方位的评价。学生是发展中的、具有一定价值观念和文化背景、社会背景的人，新范式下的教育目标是培养积极主动的自我成长者。要实现这一目标必然要求对学生成长的每个阶段的不同时期、每个时期的不同活动制定切实可行的评价标准，用以判断学生是否达到或正在达到符合最终目标价值判断的子目标。教学评价的变革和发展是教育发展的必然结果，信息化教学评价就是借助信息化手段和工具对学生成长的各个阶段、各个时期、各个活动进行全方位、多角度的评价。

一、信息化教学评价的特点

信息化教学评价的特点主要包括以下几个方面[1]。

（1）关注学习过程

传统的教学评价侧重于评价学习结果，只关注学生的学习结果，根据最终结果给学生定级或分类。传统的教学评价往往是正式的、判断性的。而信息化教学评价则是基于学生表现和过程的，用于评价学生应用知识的能力。关注的重点不再是学生学到了什么知识，而是在学习过程中获得了什么技能。这时的评价通常是不正式的、建议性的。

（2）师生共同制定评价标准

传统的评价标准是根据教学大纲或教师、课程编制者等的意图制定的，因此

① 闫寒冰. 信息化教学的助学事件研究[D]. 华东师范大学博士学位论文，2003.

评价标准是相对固定且统一的。而信息化教学强调学生的个性化学习，学生在如何学、学什么等方面有一定的自主权，教师则起到督促和引导的作用。为此，在信息化教学设计中，评价的标准往往可以由教师和学生根据实际问题和学生先前的知识、兴趣和经验共同制定。

（3）关注对学习资源的评价

在传统教学中，学习资源往往是相对固定的教材和辅导材料，因而会忽视对学习资源的评价。而在信息时代，学习资源的来源十分广泛，特别是互联网在学习中的介入，更使学习资源呈现了取之不竭之势。然而这些资源的质量跨度是很大的，在这种情况下，如何选择适合学习目标的资源不仅仅是教师的重要任务，也是学生终身学习必备的能力之一。因而，在学习评价中，对学习资源的评价受到更广泛的重视。

（4）评价与教学过程整合

传统教学中，评价往往是在教学之后进行的孤立的、终结性的活动，其目的在于对学习结果进行判断。而在信息化教学中，培养自我评价的能力和技术本身就是学习的目标之一，评价具有指导学习方向、在学习过程中给予激励的作用，正是由于有了评价，学生才有可能达到预期的学习结果。因此，评价是镶嵌在学习任务之中的，评价的出现是自然而然的，是一个进行之中的、嵌入的过程，是整个学习不可分割的一部分。

二、信息化教学评价的原则

以下信息化教学评价的原则将有助于教师组织、实施评价活动，进而达到预期的学习目标[①]。

（1）学习活动进行前提出评价标准

信息化教学强调以学为中心，学生有较高的主动性和独立性。学习评价已经成为信息化教学中不可分割的一部分。设计良好的评价方案将在学生学习的整个过程中起到导航的作用，学生明确地知道教师、其他学生或其他评价者如何评价他们所完成的学习任务，从而帮助他们调节努力的方向，并最终达到预期的学习目标。为此，教师在设计具体的教案之前，应首先以评估者的身份思考一些问题，例如，我们怎么知道学生已达到了预期的结果和标准？我们可以用什么来体现学生的理解和精通程度？在活动开始前使学生对自己要达到的目标有一个明确的认识。一般来讲，可以通过在活动进行前向学生提供评价工具的方式来实现。

（2）实施分层次的评价

在实施评价时，要注意评价的层次。在强调培养高级思维能力的前提下，教

---

① 闫寒冰. 信息化教学的助学事件研究[D]. 华东师范大学博士学位论文，2003.

师应该在学生完成任务或解决问题的过程中设置好评价的锚点。传统的评价方法，如小测验、测试以及简答等的评估重点可以是必要知识和技能的掌握情况，这些知识和技能将有助于高级思维能力的形成。而量规、档案袋、概念图等工具则不仅能够检验学生在具体情景中使用知识的能力，还提供了较好的、唤起和评估高级思维能力的方法，此时的评估重点要放在如何使学生的这些能力得到发展和提高上，而不仅仅是判断学生的能力如何。

通过多层次的评价，教师和学生可以确证、澄清和校正一些观念，并清楚地认识到要进一步思考和研究的领域。另外，学生在评价中所获得的有意义启示，将帮助他们自己探索、领悟，获得新的学习经验或达到更高的学习目标。

（3）提供互评和自评机会

评价本身就是一种重要的学习经验，在这种体验中，学生的知识、技能将获得长进，甚至飞跃。要发展评价的能力，学生需要有机会制定和使用评价标准，有机会评价自我、评价同侪、评价教师等，这些评价将有助于学生加深对自我的了解，以便调整学习策略，改进学习方法，增强学习的自觉性。

鼓励学生进行自评或互评，并使他们对评价的进程和质量承担责任，这对发展学习者的评价能力，使其成为积极主动的自我成长者是至关重要的。

### 8.2.2　解读：信息化教学评价方法及工具

在教学中，除了采用试卷、调查问卷等评价工具进行教学评价外，在信息化环境下，还可以采用一些其他的评价工具和方法。常见的评价工具及方法包括评价量规、档案袋、学习契约和概念图等。

一、评价量规

（一）概念内涵

美国量规专家海蒂·古德瑞齐（Heidi Goodrich）[①]认为："量规是一个评分工具，它为一个作品或其他成果表现列出准则，并且从优到差明确描述每个准则的水平。"从表现形式上看，量规往往是个二维表格，从与评价目标相关的多个方面详细规定评级指标。从国内外的相关教案中，我们看出在新型的评价工具中，量规是最为普遍使用的，很多时候"提供评价量规"甚至成了"提供评价工具"的代名词。量规具有操作性好、准确性高的特点。

（二）量规的设计

在设计量规时，应当考虑如下几方面。

① Andrade H G. Using rubrics to promote thinking and learning[J]. Educational Leadership, 2000, 57(05): 13-18.

（1）根据学习目标和学生水平来设计量规结构

学习目标不同，量规的结构分量也应不同。例如，在评价学生的多媒体作品时，通常从作品的选题、内容、组织、技术、资源利用等方面设计；而在评价学生的课堂参与度时，又会从学生的出勤率、回答问题情况、作业完成情况、小组合作情况等方面设计。另外学生的水平也是决定量规结构的一个重要方面，不符合学生水平的结构分量在评价时往往是没有意义的。

（2）根据学习目标的侧重点确定权重

对量规中各结构分量的权重进行合理的设置不但可以帮助实施有效的评价，还可以引导学生把握努力的方向，起到目标导向的作用。结构分量的权重设计与教学目标的侧重点有直接的关系。通过权重的设置也能够吸引学生的注意力。

（3）用具体的、可操作的描述性语言

在对量规的各结构分量进行解释时，应使用具体的、可操作的描述语言，避免使用抽象的、概念性的语言。如在评价学生的信息获取能力时，如果标准是"学生具有很好的信息获取能力"，则此条标准形同虚设，如果把标准改为"能够从书籍、网络多种渠道获取信息，并标明信息出处"，就更为明确。

二、档案袋

（一）概念内涵

档案袋是按一定目的收集的反映学生学习过程以及最终产品的一整套材料，这些材料借助信息技术得以很好地组织与管理。档案袋在客观上有助于促进个人的成长，学生也能在自我评价中逐渐变得积极。档案袋中可包含各种形式的学习材料，如录像带、文章、图画等。档案袋分成两种类型：一种是展示型的档案袋，主要收集能够反映个人所取得成就的材料；一种是过程型档案袋，主要收集反映不同阶段个人表现的材料[①]。

（二）档案袋评价的特征

档案袋评价体现的是学生的学习过程，且这种评价方式能弥补传统评价方式的不足，档案袋评价具有以下几个特征。

（1）目标有针对性

档案袋评价的顺利实施首先离不开明确的目标。评价的最终目的对档案袋的制定有着指导性作用，因此三维目标的合理设定是档案袋评价顺利实施的有效保障。

（2）评价主体多元化

档案袋评价与传统评价不同，学生本人是对档案袋内容进行分析、诊断、评

---

① 赵呈领，杨琳，刘清堂. 信息技术与课程整合. 2 版. 北京：北京大学出版社，2015：218.

价的最主要人员，档案袋评价充分考虑学生的主体地位，更加关注学生对自己的评价，同样也可以参考同班同学对该学生的评价，如果条件允许可以把家长和社会的评价意见吸收进来。

（3）资料呈现丰富性

在档案袋评价中，不仅是学生的艺术作品，也可以是学生作品设计思路草图，学生的课前各种形式的资料收集可以是文字资料、图片资料甚至音频资料，这些都可以收集到档案袋中来。

（4）重视反思性

档案袋评价关注学生学习过程的点滴进步，收集了大量的学习过程资料。一个作品最终可能是在他人的指导下完成的，在此过程中学生参考其他同学、老师的评价意见对自己作品进行多次修改。每次修改后的反思都是一次成长。

三、学习契约

（一）概念内涵

学习契约（learning contract）也称为学习合同，是学习者与帮促者（专家、教师或学伴）之间的书面协议或者保证书，它详细地描述了学习者将要学的内容、如何完成、完成的时间划分和评判学习被完成所使用的具体评价标准。学习契约帮助教育者和学习者共担学习责任。这种评价方法来源于真正意义上的契约或合同。

（二）学习契约的制定和实施原则

学习者与指导者可遵循以下基本原则来制定和实施学习契约[①]。

1）教师和学生都应参与契约的制定。在确定目标的过程中，学习者有权利、有责任发表自己的见解。

2）学习目标或教学预期中应包含所要完成某项任务的行为动词（如掌握、了解、判断等）。

3）对学习者来说，学习任务的设定应具有一定的挑战性，能使学习者在完成任务时获得成就感或自豪感。学习者可以选择适合自己特点的目标达成方式。在提供学习途径时，教师应考虑学习者不同的学习风格。

4）在达成个人学习目标的过程中，应给予学习者承担学习责任的机会。遇到失败时，不应给学习者造成压力。

5）指导教师应避免给予过多的指导。

6）应给予学习者总结学习经验的机会。学习者能通过自我反思工具获得学习过程的反馈。

① 赵呈领，杨琳，刘清堂.信息技术与课程整合[M]. 2 版. 北京：北京大学出版社，2015：217.

四、概念图

（1）概念图的内涵

作为评价工具，概念图可以方便地表征课、单元或知识领域的组织结构。概念图是用来组织和表征知识的工具，是一种促进意义学习的教学技术。概念图包括概念和概念之间的关系，概念通常用圆圈或方框表示，概念之间的关系通常用一条连接两个概念的线来表示，线上的词称为连接词，用于说明两个概念之间的关系。学生可沿着空间或时间的维度创建概念图，以此识别、澄清和标识概念间的相互关系。

在实际应用中，教师可以和学生在进行"头脑风暴"的基础上共同"织就"一幅概念图，也可以让学生凭借回忆就某一主题自己"织就"概念图。这一显示主题和有关子主题的"网"对于学习活动的进行和评价有重要的意义，有助于学生用一种具体的、有意义的方式表征概念，促进思维外化和学习反思。教师也可以将学生所绘制的概念图与理想的概念图进行比较，从中不但能发现学生理解上的问题所在，还可以发现学生的学习风格和思维习惯。

（2）概念图的应用案例

概念图的绘制过程，体现了对知识的整合能力，概念图在物理、化学、生物等学科中均得到广泛的应用。绘制概念图的工具有 Inspiration 等。图 8-3 用概念图的方式展示了概念图的概念。

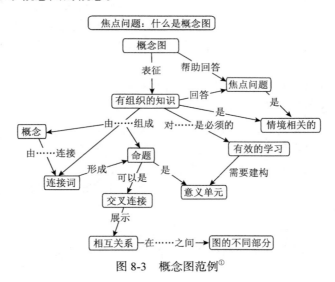

图 8-3　概念图范例[①]

① 赵国庆,李欣媛,路通,等. 从认知地图到认知图谱:相似概念的跨学科审视[J]. 现代远程教育研究,2021,33(05)：14-25.

此外，学习活动前、中、后使用的评价方法与工具也有所不同，如表 8-4 所示。

**表 8-4　评价方法与工具**

| 阶段 | 方法 | 工具举例 |
| --- | --- | --- |
| 学习活动前 | 认知状况评价 | 思维导图软件 |
|  | 学习准备评价 | 问卷星 |
| 学习活动中 | 教学过程观察与记录 | 照相机、摄像机、录音笔、电子白板、移动终端等设备 |
|  | 测验与练习 | Excel、现场投票器 |
|  | 学生反思日志 | 博客（指导语） |
| 学习活动后 | 作业批阅 | Word 的审阅 |
|  | 成绩统计 | Excel |
|  | 数字化作品评价 | 量规、观察表、评分指南 |

### 8.2.3　剖析：信息化教学评价案例[①]

　　冯红等人在"首师大虚拟学习社区"网络学习平台的支持下，在北京八大处中学高中三年级开展了题目为"我看东北发展"的多学科综合研究性学习课程，设计采用小组学习方式，从学生实际出发，使学生从语文、英语、历史、地理、政治、数学等学科角度去探讨东北发展的问题，培养学生用综合观点来研究问题的能力。教师遵循小组学习活动周期对学生各阶段活动进行了设计和指导，并设计了相应的评价量规。

　　小组学习活动周期一般由以下各个阶段构成：
- ◇　确定感兴趣的参与者。
- ◇　确定小组促进者，鼓励参与培训和做反思日记。
- ◇　举行方向会议来审核小组要解决的问题，并在下次会议之前，每个参与者确定并反思与这个小组相关的个人学习需求。
- ◇　举行计划会议，规划活动程序（主题、日期等），当然要与参与者学习需求相关。
- ◇　小组成员积极参与活动，并保持反思日记。
- ◇　周期末尾举行成果审核会议，并反思小组学习成果。

---

　　① 冯红，胡春梅，严洁，等. 小组学习活动设计与评价方式应用——"我看东北发展"多学科综合研究性学习课教学案例[J]. 电化教育研究，2004，(09)：20-22，27.

一、小组的形成

本次活动主要遵循两个原则：①参与者可以分享共同的兴趣；②对于困难的研究案例，可以得到同学的建议和评论。学生根据学科和兴趣所在，自愿组合成小组。

二、确定小组中的促进者

促进者本身也是小组成员，同时愿意或志愿承担额外的工作来帮助小组高效运作。小组促进者并不意味着完全承担小组的管理责任，管理可以由促进者或其他志愿者完成。小组学习成功的关键是小组促进者（领导者）的能力。因此，需要给予小组促进者适当的支持和培训。每个小组选择一个学生担当促进者的角色，同时由教师给予一定的支持。

三、召开方向会议，明确学习目标

方向会议是小组的第一次正式会议。之所以称为方向会议是因为它的目的是确定小组学习的基本研究方向。这个会议给每个参与者提供一个机会：

1）认识其他参与者，了解大家加入小组的原因。

2）就小组的主要目标达成一致。

3）确定小组促进者。

4）确定小组成员分担的小组职责。

5）确定一套准则用于使小组高效运作。

四、召开计划会议，确定学习需求

针对方向会议确定的小组学习目标，小组的所有成员都将在计划会议上提出个人的学习需求。在计划会议上，小组成员将列出所有学习需求，并确定小组如何达到这些共同的学习需求。计划会议将完成下列工作：

1）分享与小组一致目标相关的个人学习需求。

2）确定如何最好满足这些学习需求。

3）准备活动程序提纲。

4）确定最后成果审核日期。

五、参加活动并填写反思日记

在开展活动近一个月的过程中，各小组利用论坛、留言板和聊天室进行讨论，并多次召开小组会议来加强组员间的交流与合作，完善小组的学习成果。当各小组取得初步成果时，各组要将自己的研究成果撰写成研究报告，通过虚拟学习社区进行展示和交流。在参加活动的过程中，每位小组成员都记录了主要学习目标及个人学习目标，以及达到的目标程度，如图 8-4 所示。除此之外，参加小组学习的成员还要针对小组的运作情况进行评价，评价量表如图 8-5 所示。并且，许多小组成员在虚拟学习社区中不仅填写了反思日记，还记录下了自己的感受。

| | 达到目标的程度 | | |
|---|---|---|---|
| | 完全没有　　非常出色 | | 评论 |
| 成员1 | □1□2□3□4 | | |
| 成员2 | □1□2□3□4 | | |
| 成员3 | □1□2□3□4 | | |
| 成员4 | □1□2□3□4 | | |

图 8-4　学习目标完成程度的自我反思

| | 较差 | 一般 | 较好 | 优秀 |
|---|---|---|---|---|
| 小组的效率 | □1 | □2 | □3 | □4 |
| 你的贡献 | □1 | □2 | □3 | □4 |
| 促进者的贡献 | □1 | □2 | □3 | □4 |

图 8-5　小组运作情况评价量表

## 六、成果审核会议

小组就最后提交的学习成果进行最后的讨论和审核，并对小组学习成果及个人贡献进行评价。各小组利用幻灯片进行成果汇报展示。教师在开始评价前利用虚拟学习社区的支持功能，为学生提供了组间评价量规，让小组之间进行互评。然后，教师根据小组互评结果及各组陈述表现、小组研究报告和整个活动过程中的记录等对各小组进行评价，并给出具体指导意见，这一评价结果作为各小组的最后成绩。

针对小组成员个人的评价，使用评价量规，即由小组成员 A 评价小组成员 B、C 和 D 所做的工作；再由 B 评估成员 A、C、D……最后将结果汇集并进行讨论，如图 8-6 所示。其中，3=主要贡献，即"在这方面比组中大多数成员要好"；2=一定贡献，即"这方面在组中居平均水平"；1=较少贡献，即"不如组中的大多数成员"；0=无贡献，即"在这方面根本没有帮助"；-1=小组的负担。

| 成绩归于 | A | | B | | C | |
|---|---|---|---|---|---|---|
| 打分者 | B | C | A | C | A | B |
| 搜集资料 | 3 | 3 | 2 | 1 | 1 | 2 |
| 分析信息 | 1 | -1 | 3 | 2 | 1 | 1 |
| 撰写报告 | 2 | 2 | 3 | 2 | 1 | 1 |
| 总计 | 10 | | 13 | | 7 | |

图 8-6　小组成员个人评价

由图 8-6 可知：平均得分=（10+13+7）/3=10；学生 A 的等级为 10/10=1.0；学生 B 的等级为 13/10=1.3；学生 C 的等级为 7/10=0.7。这里，教师给这个小组的项目报告打分为 72 分，并把它作为每个学生分数的 50%，另外 50%来自小组成员个人的评价。例如，学生 A 得分为 36+1.0×36=72；学生 B 得分为 36+1.3×36=82.8；学生 C 得分为 36+0.7×36=61.2。小组之间的评价也采用类似的方式。

## 【案例点评】

该案例从学生实际出发，追踪高考热点，注重学生和教师在研究过程中综合能力和实践能力的提高以及信息素养的培养。在教学实施过程中，充分运用了网络资源，并利用"首师大虚拟学习社区"网络教学平台进行管理和交流。利用网络技术支持研究性学习不仅增强了学生的学习兴趣，而且可以加大形成性评价的力度和提高评价效率。在实施过程中，学生由知识的被动接受者转变为学习的主人，在教师的指导下，学生学会计划、组织、管理和评价自己的学习。

教师通过设计评价量规，使用评价技术，能够指导学生处理好个别学习与小组合作学习的关系。在小组学习中，小组成员的个人责任是确保其在小组学习中能够加强解决实际问题的能力，每个小组成员应该能够在小组学习后，更好地独立完成类似任务。因此，教师在设计评价量规时，既要设计对小组整体的评价指标，还要设计对小组成员个人的评价指标，以使学习者能够清楚自己对学习所负的责任，认真对待个别学习，不产生依赖性，同时还能够在小组学习中积极贡献个人的力量，促进小组合作学习。

### 8.2.4　探究：如何进行信息化教学评价

按照不同的划分标准，教学评价可以划分成不同的类型。例如，根据评价功能的不同，可分为诊断性评价、形成性评价和终结性评价；根据评价参照标准的不同，可分为相对评价、绝对评价和自身评价；根据评价分析方法的不同，可分为定性评价和定量评价；根据评价对象的不同，可以分为对教师的评价、对学生的评价和对学习资源的评价。

一、诊断性评价、形成性评价和终结性评价

诊断性评价也称前置评价，是为了确定学习者已有的学习准备程度或者教学设计基础而进行的评价活动。形成性评价是在教学过程或者教学设计和产品开发过程中，为使教学设计、教学过程更为完善而进行的对学生学习结果的评价。终结性评价是在教学活动、某个计划和产品设计完成之后对其最终的活动成果进行的评价，如期末考试、毕业会考、产品鉴定会就是这种评价。由于终结性评价总是在活动完成之后进行的，所以也常常被称为事后评价。

二、相对评价、绝对评价和自身评价

相对评价是在被评价对象的集合中选取一个或若干个个体为基准，然后把各个评价对象与基准进行比较，确定每个评价对象在集合中所处的相对位置。为相对评价而进行的测验一般被称为常模参照测验。它的取样范围广泛，测验成绩表明了学生学习的相对等级。绝对评价是在被评价对象的集合之外确定一个标准，这个标准被称为客观标准。评价时把评价对象与客观标准进行比较，从而判断其优劣。评价标准一般是教学大纲以及由此确定的评判细则。自身评价既不是在被评价群体之内确立基准，也不是在群体之外确立基准，而是对被评价的个体的过去和现在进行比较，或者是对他的若干侧面进行比较。自身评价尊重个性特点，照顾个体差异，通过对个体内部的各个方面进行纵横比较，判断其学习的现状和趋势。

　　三、定性评价和定量评价

　　定性评价是对评价资料作"质"的分析，是运用分析和综合、比较与分类、归纳和演绎等逻辑分析的方法，对评价所获得的数据、资料进行思维加工。定量评价则是从"量"的角度，运用统计分析、多元分析等数学方法，在复杂纷乱的评价数据中总结出规律性的结论。可以说，定性评价和定量评价是密不可分的，两者互为补充，相得益彰，不可片面强调一方面而忽视了另一方面。

　　四、对教师、学生和学习资源的评价

　　信息化教学评价的内容主要包括两点：一是教学过程和教学效果，二是教学过程中的人和物。这两点我们可以归结为对教师、学生和学习资源的评价。对教师的评价，包括对教师在信息化环境下的教学设计能力与教学实施能力及教学评价能力的评价，也就是对教学中的"教"进行评价。对学生的评价，包括对学习开始之前的诊断性评价，以及学习过程和学习结果的评价。学习资源是指那些学生能够与之发生有意义联系的人、材料、工具、设施、活动等。这些学习资源来自两个方面，一方面是现实世界中原有的可利用的资源，另一方面是专门为了学习目的而设计出来的资源。我们在这里讨论的学习资源主要是指后一种，面向学习资源的评价主要是根据教学目标，测量和检验学习资源所具有的教育价值。

## 8.2.5　实践与反思

　　一、信息化教学评价设计

　　请根据一节课的教学过程，针对一至两个具体的教学活动进行评价设计，在表 8-5 中呈现你设计此项评价的目的、所采用的评价方法及需使用的评价工具。

**表 8-5　信息化教学评价设计模板**

| 本课的名称 | | | |
|---|---|---|---|
| 本课的教学目标和教学内容 | | | |
| 教学活动 | 评价目的 | 评价方法 | 评价工具 |
| | | | |

二、信息化教学评价设计反思

反思信息技术化教学评价的难点和重点，具体见表 8-6。

**表 8-6　信息化教学评价反思模板**

你认为信息化教学评价的主要内容包括哪些？

如何选取合适的教学评价工具？

【练习与思考】

　　1. 简述教学设计的一般流程。

　　2. 简述信息化教学设计的基本流程。

　　3. 信息化教学评价的功能是什么？

　　4. 选择本课程某章的学习内容，制定一个面向学习过程的评价计划，说明所用的评价工具及收集资料的内容及方法。

【研究实践】

　　信息化教学相关研究需要在教学设计理论的指导下进行，可以从理论层面进行思考。以下内容需要进行深入探讨。

　　1. 信息化教学设计的内涵、基本流程。

　　2. 信息化教学设计的原则。

　　3. 信息化教学设计的策略。

　　4. 信息化教学评价的方法。

# 第9章 信息技术教育创新应用与发展

　　智能时代的到来对信息技术教育创新应用与发展提出了新要求。智能时代下，技术通过作用于知识、学生、教师及社会来推动课程论的转变，对信息技术教育创新应用提出了新的挑战。智能时代的课程具有与传统课程不同的形态，产生了新的变化，微课、MOOC、移动学习、沉浸式学习、STEAM 教育等成为智能时代下信息技术变革教育教学的新载体。在这一章节中，通过把握核心概念、剖析典型案例、理解组织策略、思考教学模式来进一步探索信息技术教育创新应用产生的影响，彰显新时代下课程的智能特色。

## 【知识地图】

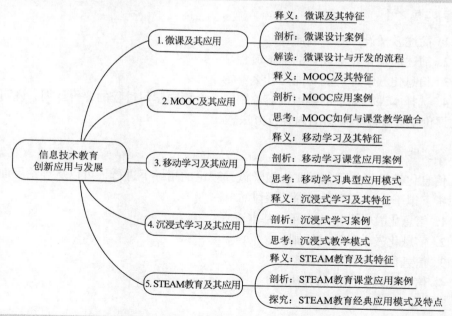

## 【学习目标】

　　本章围绕信息技术教育创新应用与发展展开讨论，涉及微课、MOOC、移动学习、沉浸式学习、STEAM 教育等信息技术支持下的典型教学形态和模式。通过本章学习，学习者应达到如下学习目标。

　　1）了解微课、MOOC、移动学习、沉浸式学习、STEAM 教育的概念及内涵。

2）知道微课、MOOC、移动学习、沉浸式学习、STEAM 教育等典型应用模式。

3）结合典型应用案例的剖析，进一步深刻地理解微课、MOOC、移动学习、沉浸式学习、STEAM 教育的学习需求分析、学习活动设计、学习实施策略等。

4）通过实践操作，进一步加深对相关教学模式的理解，并能迁移到其他学习主题或任务的教学设计和教学组织。

**【学习导航】**

本章的学习内容是新时代信息技术教育创新应用与发展。因此，对于本章的学习，你可以通过：

1）案例研讨和学习，加深对新的教学形态、模式的内涵、活动设计、操作流程等的理解。

2）结合具体的任务或主题，开展微课、MOOC、移动学习、沉浸式学习、STEAM 教育的教学设计，并通过初步应用，加深对新模式特征的感知。

3）文献阅读，进一步加深对信息技术教育创新应用的教学设计、教学实施、教学评价等过程的理解。

# 9.1　微课及其应用

## 9.1.1　释义：微课及其特征

一、微课的概念

微课的英文有 minicourse、microlecture 等。例如，美国艾奥瓦大学附属学校于 1960 年首先提出微型课程（minicourse），也可称为短期课程或课程单元；2004年 7 月，英国启动教师电视频道，每个节目视频时长为 15 分钟，频道开播后得到教师的普遍认可，微课视频节目资源的积累达到 35 万分钟；2008 年秋，美国新墨西哥州圣胡安学院的"一分钟教授"戴维·彭罗斯（David Penrose）因首创了影响广泛的"一分钟的微视频"的"微课程"（microlecture）而声名远播，其核心理念是要求教师把教学内容与教学目标紧密地联系起来，以产生一种"更加聚焦的学习体验"。

华南师范大学焦建利教授认为"微课是以阐释某一知识点为目标，以短小精悍的在线视频为表现形式，以学习或教学应用为目的的在线教学视频"。这一定义也是国内引用较多的一个定义。

微课与传统视频课在很多方面均存在一定的差异，具体的比较如表 9-1 所示。

**表 9-1　微课与传统视频课的比较**

| 比较项目 | 传统视频课 | 微课 |
|---|---|---|
| 开发理念 | 一个或多个知识点，注重教师的"教"，更突出体现教学过程 | 针对一个知识点，注重教师的"教"，更突出对学生的"学"的设计 |
| 开发难度 | 难，需要专业技术人员 | 易，任何人都可制作 |
| 资源粒度 | 粒度大，时间长，不易搜索，不易传播 | 粒度小，时间短，易于搜索，易于传播 |
| 资源结构 | 资源结构紧密、固化封闭，难以扩展和修改 | 资源半结构化，可扩充开放、生成和修改完善 |
| 适用对象 | 教师为主 | 任何人 |
| 应用范围 | 备课、课堂教学观摩和学生学习 | 课堂教学、课外自学、远程学习、移动学习，支持自主、协作、探究学习的情景式学习 |

二、微课内容组织

（1）微课要"微"

因为它具有时间短、内容少的特点。微课一般只是一个小知识点，最后会被记录为教学短视频。相较于一节完全由教师主导的 40 分钟正课而言，微课具有教学时间短、内容精细、主题突出等优势，整节课只围绕一个核心问题去讲解，对于可移动学习非常有利，亦是对先人所提倡的"吾生也有涯，而知也无涯"的一种践行。

（2）微课还是"课"

微课以教学视频为基础。微课教学视频应该包括教学过程演示和相关的学习资源，如课堂实践视频和教学课件等。教师通过这种方式，不单单能够在授课之后进行更深一层的研究，也可以将授课感受和积累的相关经验分享给同行以供参考，又在无形之中践行了无处不在的学习。

（3）"在线学习"和"移动学习"二者构成了微课学习的中心方法

在线学习（online learning），顾名思义，是一种以移动互联网工具为媒介进行训练或学习的途径。移动学习（mobile learning）有别于在线学习，尽管也是一种远程学习模式，但是它主要通过跨地域使用现代通信终端（如移动电话和 PAD）让学习者进行远程学习。授课教师通过移动互联网发布利用数字媒体技术制作的微课，教师可以随时随地制作微课，学习者也可以随时进行在线学习。

（4）微课系列化

微课越来越系统化，它不能脱离课程单独存在，而是逐渐形成了统一主题的一系列课程，最终形成了"微建构"。微课内容应结合现阶段学生学习的特点、以教材以及相关知识为核心，从而达到让学生能进行自主学习的目的。最后根据微观评估和反馈，不仅督促学习者在教师的指导下选择独立的学习路径，又在无形之中为其提供有效且稳定的学习规划，使其将自主学习的目标"收于囊中"。

三、微课理论基础

（1）建构主义理论

建构主义理论是由瑞士的皮亚杰在 20 世纪 80 年代提出的，皮亚杰对构建主义学习理论进行了比较系统的阐述。他强调学习是一个主动的过程，应该作出更多的努力使学生对学习产生兴趣，主动地参与学习，并且从个人方面体验到有能力来对待外部世界。建构主义理论主要是站在学生的角度而言的，应该更多地调动学生学习的积极性和主动性。微课的目的就是改变原有的以教师为中心的教学方式，真正做到以学生为中心，以生为本。这符合建构主义的基本理论。

（2）情境认知理论

情境认知理论强调学习的设计要以学习者为主体，内容与活动的安排要与人类社会的具体实践相联通，最好在真实的情境中，通过类似人类真实实践的方式来组织教学，同时把知识的获得与学习者的发展、身份建构等统合在一起。该理论重视把理论知识放到具体的生活情境中去展示，让学习者能更好地亲身体验，更好地感知其中的道理。微课就倡导在讲解的时候运用情境认知理论，把每一个小的知识点放到具体的情境中去。学生通过观看视频，在情境中学习知识、理解知识、运用知识。

（3）认知负荷理论

认知负荷理论认为，人类的认知结构由短时记忆和长时记忆组成。短时记忆一次只能存储 5～9 个词或词组，短时记忆只有在加工转换为长时记忆后才能储存。但是在学习过程中，过多的或无关紧要的信息会占据短时记忆，产生认知负荷，影响学生的学习效率。所以我们要在较短的时间讲解重要的知识，学生的精力也能够更集中，不会产生疲劳，这样效率也会更高。微课一般控制在 10 分钟以内，时间过长就会影响学生学习的效率，所以符合认知负荷理论。

## 9.1.2　剖析：微课设计案例

### 一条染色体的自述
#### ——有丝分裂过程中染色体的变化[①]

案例微课的制作采用的是"手绘+故事"的表现形式。与最常用的 PPT 录制式的微课不同，在手绘的形式中，伴随着教师的讲述，用笔尖绘出一些知识和简图，给学生一种身临其境的感觉。在多媒体发达的今天，通过简单的一支笔来表

---

① 作者张年逢，江苏省江阴市华士高级中学生物教师。

现，反而有一种特殊的表现力，为使微课生动，运用了故事化和情境化的手法，而不是平铺直叙地介绍知识。

## 一、主题的确定

由于手绘动画这种形式比较适合表现动态的变化过程，经过思考，作者最终决定选用"细胞的有丝分裂"这个主题。接下来具体考虑"有丝分裂"内容的呈现。细胞有丝分裂过程变化非常多，如果面面俱到，课程可能会显得冗长，不如抓住一个方面的变化或者核心变化来展开讲解从而做成一个微课。在有丝分裂过程中，核心的变化是染色体的变化，因为染色体上含有遗传物质 DNA，有丝分裂过程的核心目的就是要实现染色体上 DNA 的复制和平均分配。于是作者确定从染色体的变化切入，专门讲有丝分裂过程中染色体的变化，而且就讲一条染色体的变化过程。确定主题后，还要考虑如何把这个内容讲得生动有趣，该设计一个什么样的故事情境来一步步呈现染色体的变化。作者思考后决定采用"拟人化"的手法，把染色体看成一个人，让"她"去描述自己的每一步变化，这样整个微课就活了。

微课的题目也就最终确定为《一条染色体的自述——有丝分裂过程中染色体的变化》。在微课的讲解中有这样一些语句："我的家住在细胞的细胞核中。""我们是好姐妹。""虽然我们很舍不得，但为了我们的子代细胞，我们只能这样了。"……把一个染色体的变化过程描述得形象而温情，增加了微课的表现力和感染力。

## 二、微课制作

微课的制作方式为录屏式，采用视频、音频分开录制，最后同步合成的方式。具体流程如下。

（1）撰写稿本

力求呈现一种有创意的微课。作者首先进行了逐字稿的创作，经过多次反复推敲修改，最终写出了满意的稿本。

（2）录讲解音频

稿本写完后，首先用 Camtasia Studio 软件进行录音。讲解时，作者特别注意"拟人化"的口吻和温情的基调，以增强整个微课的情境感。

（3）录制手绘视频

录音完成后，作者根据稿本在计算机中进行了手绘视频的录制。采用数位板作为输入设备，Camtasia Studio 作为录屏软件。

（4）音视频合成剪辑

通过 Camtasia Studio 将音视频文件合成在一起，并进行精细化的调整，使音视频能够完全合拍,视觉呈现更加恰当,主要包括音视频节奏的合拍、剪切错误片段、增加批注和强调效果等,直至每段视频与讲解音频的时长完全匹配为止。

(5)生成微课视频

剪辑完成后生成微课视频,然后进行反复完善打磨。

三、微课应用与再创作

"一条染色体的自述——有丝分裂过程中染色体的变化"微课发布到网络后,获得了很多同行的好评,也有很多网友希望能看到更多"续集"。后来,作者张年逢就与山东聊城幼儿师范学校的喻正莹老师合作创作了一个类似的微课"分泌蛋白的形成"。

【案例剖析】

知识是科学描述事物内在规律,由一系列具有特定含义的"概念""术语"及特定的"逻辑关系""推理方法"等构成。正是由于知识必须要具备通用性、无歧义性、可扩展性,因而知识也必然是抽象的、去情境化的,而这也正是知识难以理解的根源。因此,教学的本质就是将抽象的知识重新还原其情境。情境越具体、越丰富,离学生越近,其所蕴含的知识就越容易被理解。故事化设计,正是利用"故事"这种最符合人类认知特点和心灵结构的方法,为知识赋予具体情境,帮助学生理解知识的教学设计方法。

在这方面,"一条染色体的自述——有丝分裂过程中染色体的变化"微课无疑是一个典范。该微课最大的突破和创新,就是采用了"拟人化"的故事设计手法,将染色体比拟为一个等待分家的女孩,借此对染色体的分裂过程进行了生活化的描述。拟人化的故事设计,再加上手绘视频的呈现效果,会对学习效果产生多方面的提升作用。

首先,该微课会使学生感到新奇,进而吸引学生,增强学生的学习投入,一定程度上提升其学习效果。其次,抽象的概念和发展过程都被融入"女孩分家"这样一个故事场景中,并被赋予了许多生活化的描述,如用"房子"指代胞体、用"好姐妹"指代"姐妹染色单体"、用"房子解体"指代细胞膜的消失等。从心理学认知负荷理论的角度来说,就是引入"相关认知负荷",化陌生为熟悉,促使学习者在熟悉的事物与陌生的概念之间建立起类比。这种类比使得抽象的知识有一个可比照的事物,一方面,为抽象知识赋予一定的意义感,学习者会乐于接受,也知道大体上该如何理解,不会因感到陌生而排斥。另一方面,学习者在回忆知识时,也就有了更为可靠的提取线索,能通过熟悉的比照物,将不熟悉的概念和过程提取出来。以上对于"学习的内部心理过程"的分析,就是故事化设计为什么能突破难点的原理所在。

　　最后，编出一个好故事固然极为关键，但在微课中如何充分进行"视觉化表达"，也是影响表达效果的重要因素。由于人类对于视觉场景的印象更为深刻；而且将抽象概念用直观的视觉手段呈现出来，就促进了大脑对语义信息（概念）和表象信息（直觉感受）进行"双重编码"的过程，大脑就更容易理解抽象概念。

　　在知识的视觉化表达方面，微课只是采用了在 PPT 中书写的方法，就将一个一个的概念和整体发展的动态过程，生动形象地展现了出来，可谓"大道至简"。微课的形式虽然简单，但亦很直观，而且画面流畅，过程完整，动感十足，这些效果是用高清图片的方式难以实现的。

### 9.1.3　解读：微课设计与开发的流程

　　微课设计与开发应遵循一定的流程与规范。我们将微课的设计与开发总结为如图 9-1 所示的流程。

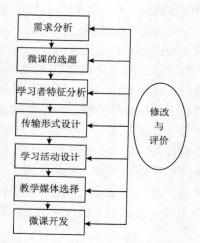

图 9-1　微课设计与开发的一般流程

一、需求分析

　　需求分析的主要目的是确定学习目标和学习内容，主要包括在什么情况下使用微课和使用微课来解决什么问题。

二、微课的选题

　　微课的选题应注意以下几个问题：一节微课通常只讲解一个知识点或典型问题，如果该知识点牵扯到另一个知识点，则应制作一个微课资源；制作微课的知识点要足够"微"，即能够在 10 分钟左右的时间内讲解完；微课的内容应能够解决学习者的实际问题。

三、学习者特征分析

学习者特征分析的主要内容包括：学习者有何特点、学习者的知识基础如何以及学习者在学习过程中可能使用的终端设备有哪些。

四、传输形式设计

微课以何种方式进行传输主要取决于两点：微课本身的表现形式和学习者可能使用的终端设备。

五、学习活动设计

微课并不是简单地呈现学习内容，而应整合一定的学习活动，让学习者可以参与知识传递的过程。学习活动可以是单向的，也可以是使师生交互的互动类的学习活动。

六、教学媒体选择

媒体的选择主要依赖于三个因素：微课的学习内容、学习者特征和学习者的学习环境。

七、微课开发

完成微课的设计之后，开始进行微课的开发。录制和开发过程可以借助各类录屏软件、摄像工具或者录播教室等进行制作。

上海师范大学教育技术系黎加厚教授给出了微课设计的 17 条具体建议。

1）时刻谨记你的微课程用户是学生。

2）一个微课程只说一个知识点。

3）尽量控制在 10 分钟以内。

4）不要轻易跳过教学步骤，即使很简单的内容。

5）要给学生提供提示性信息（例如：用颜色线标识，屏幕侧边列出关键词，用符号图形标注等）。

6）微课程是整个教学组织中的一个环节，要与其他教学活动环境配合。记住：在微课程中的适当位置设置暂停或者后续活动的提示，便于学生浏览微课程时转入相关的学习活动，让学生在学习单的统一调度下学习微课程。

7）微课程应有恰当的提问，要恰当安排基本问题、单元问题和核心问题，灵活使用多样化的提问策略以促进学生思考。

8）每一个微课程结束时要有一个简短的总结，概括要点，帮助学习者梳理思路，强调重点和难点。

9）对于一些重要的基本概念，要说清楚是什么，还要说清楚不是什么，让学生明确基本概念和原理；对于关键技能的教学，要清楚地说明应该如何做，不应该怎么做。

10）用字幕的方式补充微课程不容易说清楚的部分，注意：只需呈现关键词语，不必像电视剧一样将所有的台词都打出字幕，这会增加学生的阅读认知负荷。

11）教师要培养学生养成良好的自主学习的习惯，例如，要根据学习单的指导来看视频，看完视频以后要回到学习单来讨论、练习；要告诉学生使用微课程的技巧，例如，遇到没有听懂的地方可以暂停并重听。

12）在学习单上将微课程和相关的资源与活动超链接起来，方便学生在学习单的统一调度下跳转学习。

13）一门课程开始的时候，要清楚地介绍课程的评价方法和考试方式，引导学生根据教学目标学习。

14）开始时，要介绍主讲教师本人的情况，让学生了解教师。

15）注意研究借鉴其他优秀微课以及与你的课程类似的课程所采用的教学方法。

16）留心学习其他领域的设计经验，注意借鉴、模仿与创造，例如，从电影、电视、广告等大众媒体中寻找可以借鉴的创意。

17）有关微课程制作的操作技术细节：鼠标不要在屏幕上乱晃；字体和背景的颜色要搭配好；讲解课程时，鼠标在屏幕上的速度不要太快；画面要简洁，与教学内容无关的图标、背景、教师人头像等，都要删除；录制视频的环境要安静，不要有噪声。

# 9.2　MOOC 及其应用

## 9.2.1　释义：MOOC 及其特征

### 一、MOOC 的概念和特征

MOOC（massive open online course）即大规模在线开放课程，是近年来开放教育领域出现的一种新课程模式，其理念是通过信息技术和网络技术将优质教育送到世界各个角落。西蒙斯（Siemens）、科米尔（Cormier）等对 MOOC 概念进行了解析："大规模"指参与学习的学习者数量众多，一门课程的学习者可以成百上千；"在线"指学习资源和信息通过网络共享，学习活动发生在网络环境下；"开放"指学习是一种开放的教育形式，没有限制。

（1）大规模

大规模首先体现在学习者的规模上。2019 年发表的《中国慕课行动宣言》指出，中国已上线慕课达 12 500 门，学习人次超过 2 亿，6500 万人次大学生获得慕课学分。①除此之外，国内外慕课平台呈喷涌式增长。影响力较大的慕课平台的课程建设情况如下：MOOC 中国收录了来自全世界最好大学的 1381 门在线课程，Khan Academ 平台有 3500 多个教学视频，中国大学 MOOC 有 3000 多门慕课课程，OpenLearning 平台有 4260 门慕课，edX 开设 3000 多门课程，学堂在线开设超过 3000 门课程，Coursera 有 2000 多门课程，网易公开课有 2000 多门课程。

（2）开放性

开放性首先体现在对学习对象的全面开放，在传统教育中可能成为学习障碍或入学门槛的地域、年龄、语言、文化、种族、收入等因素，不再是开放网络时代人们学习的障碍。任何人在任何时间，只要具备上线条件，就可以利用 MOOC 平台进行学习。其次体现在教学与学习形式的开放性。在 MOOC 平台上学习的过程中提出疑问可以得到世界各地的学生或老师的回答，还可以针对具体的问题进行讨论，充分发挥群体的智慧。再次体现在教学内容与课程资源的开放性。向学生提供可用于学习和参考的免费数字化内容和开源软件与工具。最后体现在教育理念的开放性。世界上所有的学校或组织机构的资源都可以实现有效的传递和充分应用。

（3）在线

在线首先体现在教师或教育机构可以随时随地地上传课程内容到平台上，也可以随时随地地组织教学活动。其次在线还意味着任何人在任意地点、任意时间，只要具备上线条件，就可以安排自己的学习活动，并且能够得到及时的学习反馈。

（4）课程

首先，在课程的内容上强调重组。各个领域的专家或教师都可以制作多样化的网络课程和学习资料以上传到 MOOC 平台上，这些资源可以作为独立的教学单元，也可以按照一定的逻辑、目的进行有效的整合。其次，在课程的学习方式上注重交互。在 MOOC 平台上，众多学习者可以以多种方式进行互动学习，还可以自发组织学习小组，充分利用群体智慧。

二、MOOC 教学设计的基本原则

为了实现 MOOC 教学设计的规范化，需遵循汇聚原则、混合原则、转用原则以及推动分享原则。

（1）汇聚原则

通过网页或课程通信等形式汇聚课程内容以提供给课程的使用者，这些内容是无止境的，学习者应该根据自己的兴趣选择要学习的内容。

---

① 教育部. 中国慕课行动宣言[EB/OL]. http://www.moe.gov.cn/s78/A08/A08_ztzl/ztzl_zxkf/201904/t20190418_37 8663.html.[2019-04-17].

（2）混合原则

学习过程中学习者将课程中的内容和课程外的内容相混合，将学习者自己的资源和课程资源混合，比如发一些博客，写一些日志等。

（3）转用原则

根据学习者自己的目标转用聚合的课程资源以及混合后的资源。课程的目标不是让学习者重复课程已有的内容，而是鼓励他们在此基础上有所创新。学习者可以基于课程已有知识根据自己的理解和想法编撰新的内容。

（4）推动分享原则

学习者应该积极与课程的其他学习者以及课程外的所有人分享自己所创作、混合或转用的创意和内容，引起更多的回应和评论。分享的内容可以是新资源、新观点、新见解等，这些内容中有价值的部分也会被课程协调人聚合到课程通信中。

### 9.2.2　剖析：MOOC 应用案例

#### 基于 MOOC 资源的数理统计课程翻转课堂教学案例①

一、基于 MOOC 资源的翻转课堂教学模式

基于 MOOC 资源的翻转课堂教学模式概括为"两翻转"和"三阶段"。"两翻转"包括形式的翻转和内容的翻转。形式的翻转体现在"课堂结构翻转""时间翻转""师生角色翻转"。"课堂结构翻转"即翻转了知识传递和内化的顺序；"时间翻转"即学生学习行为的先后顺序发生了转变；"师生角色翻转"即在进行 MOOC 学习时教师是学生的学习同伴，此时扮演了学生的角色，能更深入地发现教学中的问题，以便改进教学方法，课堂上师生讨论解决教学中的问题时教师的角色被还原，而此时学生的角色既是"师"又是"生"。"三阶段"分别是课前、课中、课后。课前主要是师生共同在 MOOC 平台上学习，属于知识传授阶段；课中师生一起完成课堂练习并讨论、解决教学中的学习问题，属于内化阶段；课后回忆知识，进行梳理归纳，属于知识管理阶段。具体模式如图 9-2 所示。

二、教学案例设计的内容与步骤

该案例以 MOOC 资源的翻转课堂教学模式为基础，结合良构知识的特点及教学设计的内容与步骤，画出适合良构知识学习的基于 MOOC 资源的翻转课堂教学设计图：该教学设计图选择良构知识的教学为例。首先，课前学生自主学习主要是对知识点的概念和原理的学习和理解，对概念和原理的运用主要通过课中师生教学 8 步骤完成，而该方案主要针对有特定的解答方法的学习内容，即所学内容

---

① 沈加敏. 基于 MOOC 资源的翻转课堂教学模式应用研究[D]. 云南大学硕士学位论文，2016.

或问题只有一种或固定几种解决方案，且其涉及有限的知识点，而不一定适用于
非结构性知识的学习。

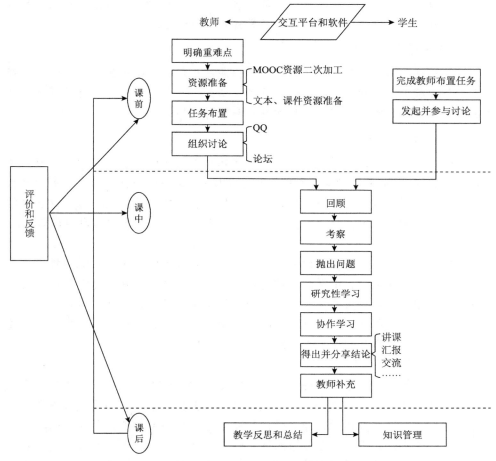

图 9-2　基于 MOOC 资源的翻转课堂教学模式图

（一）前期分析

　　学习者分析：教学立足于教师的教和学生的学，要想提高教学效果，必须以
学生为出发点，立足于学生的具体情况进行教学。案例主要从基础知识和学习风
格两个方面对学习者进行分析。在基础知识方面，案例学生群体目前是大学二年级，
已经学习过高等数学的基础知识，已经具备学习数理统计的基础知识。在学习风格
方面，根据诸多研究者所采取的学生分类，将学生分为视觉型、听觉型和触觉型，
采取问卷调查的方式，发现93%的学生都是视觉型，更偏爱视频形式的学习资料。

　　学科特点分析：数理统计这门课程中的知识点以"先概念后运用"的形式呈

现，即先对概念和原理进行介绍和阐述，然后通过例题的练习巩固对概念和原理的理解和运用，概念和原理已经是较为成熟的知识结论，在对概念和原理的运用过程中，解答的方法只有一种或特定的几种，符合良构知识的概念和特点，而这样的知识点布局非常符合以翻转课堂教学模式进行教学。

## （二）教学内容分析

案例选用吴赣昌主编、中国人民大学出版社出版的《概率论与数理统计（经管类·第四版）》为参考教材，选择了第7章第2节为教学内容。然后进行了教学内容分析，包括教学内容、典型例题及所需时长等。

## （三）教学策略选择

教学过程中所采用的手段和方法，具体体现在教学的交互过程中。本研究中教学设计是基于MOOC资源的翻转课堂教学模式，该翻转课堂教学模式突出学生的主体地位，课前以自主学习为主，课中以研究、协作学习为主，课后以自主学习为主。结合教学内容，选取自主学习、研究性学习、协作学习三种教学策略。

（1）自主学习

案例的自主学习是在学校的网络自主学习平台进行的，学生对教师提供的资源进行学习，在学习过程中遇到的难题可以在论坛中发帖或者在QQ群中提问。自主学习中学生对自己负责，整个过程中并不是没有教师的存在，教师会随时关注学生在论坛中发起的帖子以及在QQ群里提出的问题，在讨论过程中起到把关和引导作用，避免学生在对知识点的误解上越走越远。

（2）研究性学习

案例采用的研究性学习主要通过提出问题、分析问题、解决问题、成果汇报、评价、总结与改进六个环节进行。首先，学生提出在课前自主学习过程中遇到的问题，对问题进行交流探讨，非共性问题在小组成员内部解决，共性问题在组间协作解决后汇报，汇报完成后在小组间互评，然后由教师点评；其次，教师对各小组的表现进行总结，提出需要改进的地方，并且对各小组未涉及的知识点进行补充和完善。

（3）协作学习

案例中课中小组协作学习主要采用课堂讨论、角色扮演两种形式进行。课堂讨论即教师在课堂的前10分钟让小组自由讨论，主要讨论课前自主学习过程中遇到的问题。角色扮演即将小组成员分配为汇报分享者、评价者、总结者等角色。在小组协作学习过程中，小组成员间存在伙伴协同关系，在有问题时及时讨论，成绩较好的学生可辅导和带动成绩稍差的学生；小组间的竞争关系，主要表现在对负责汇报的问题的阐述清晰度、科学性、活跃度、参与性等，最后由教师做出最终的评价。

（四）教学活动的设计

基于 MOOC 资源的翻转课堂教学模式包括课前、课中、课后三阶段。本研究的教学活动包括教的活动和学的过程。其中，课前和课后的师生活动是分开进行的，而课中的教学活动是师生一起在课堂上完成的。

（1）课前教学活动设计

课前教师活动主要包括四个方面的内容：明确重难点、资源准备、布置任务、组织讨论。案例的课前教学任务如表 9-2 所示。可根据实际教学内容和需求设计课前学生活动，案例的课前学生活动主要包括完成教师布置的两大任务、完成检测、参与或发起讨论三个部分的内容。

**表 9-2  课前教学任务表**

| 序号 | 教师活动 | 具体内容 |
|---|---|---|
| 1 | 明确重难点 | 根据教学大纲罗列出教学中的重难点，为资源准备和课中讨论做准备 |
| 2 | 资源准备 | 对 MOOC 资源进行二次加工，并准备相关文本资料、课件资料等 |
| 3 | 布置任务 | 分组：将 47 个人的班级分为 6 组，为课中小组协作学习做好准备 |
| | | 学习：要求学生结合教师所提供的课件完成对 MOOC 资源的自主学习，并完成检测题 |
| | | 记录学习困难：要求学生将学习过程中遇到的问题记录下来 |
| 4 | 组织讨论 | 自主学习期间，组织学生在平台上讨论关于学习的问题，教师不定期地给予回复。从讨论中发现学生的学习困难，准备在课中进行讨论和讲解 |

（2）课中教学活动设计

课中师生按教学 8 步骤进行教学，分别是回顾、考察、抛出问题、研究性学习、协作学习、得出并分享结论、教师补充、评价与反馈。案例的课中师生任务如表 9-3 所示。

**表 9-3  课中师生任务表（部分）**

| 序号 | 师/生活动 | 具体内容 | 预计时间 |
|---|---|---|---|
| 1 | 回顾 | 教师带领学生回忆上节课知识；假设检验的两类错误；假设检验的一般步骤 | 2 分钟 |
| 2 | 考察 | 一是课前自主学习的知识点，目的是进一步检测学生是否完成了自主学习。 | 8 分钟 |
| | | 二是学习过程中遇到的难题，目的是快速补充和确定接下来所要讨论的问题。 | |
| | | 问题 1：在检验关于总体均值 $u$ 的假设时，该总体中，哪个参数是否已知会影响到对于检验统计量的选择？ | |
| | | 问题 2：在总体均值的假设检验中，根据参数方差是否已知，一般分为哪两种情形进行讨论？ | |

续表

| 序号 | 师/生活动 | 具体内容 | 预计时间 |
|---|---|---|---|
| 3 | 抛出问题 | 方差已知的情形：经典问题 1、2<br>方差未知的情形：经典问题 3、4<br>总体方差的假设检验：经典问题 5、6 | 2 分钟 |
| 4 | 研究性学习 | 学生带着教师给出的问题，逐一进行探究 | 5 分钟 |

（3）课后教学活动设计

课后教师主要完成教学反思和总结，学生对所学知识进行管理，促进知识的内化。

（五）教学评价

案例的教学评价过程考虑了学习过程和学习能力，采用了定性评价和定量评价相结合、形成性评价和结果性评价相结合的评价方式。定性评价主要是观察学生的表现，定量评价主要通过检测的完成率与完成情况以及章节检测的成绩进行，教学评价方式如表 9-4 所示。

**表 9-4　教学评价方式**

| 教学阶段 | 评价类型 | 评价方式 | 具体内容 |
|---|---|---|---|
| 课前 | 定性 | QQ 群交流、论坛发言 | 论坛里发帖、QQ 群中有效发言度 |
| | 定量 | 检测 | 检测题的完成率和正确率 |
| 课中 | 定性 | 参与度 | 提问的主动性、交流的活跃度、回答问题的正确率 |
| 课后 | 定性 | 知识的管理 | 对所学知识进行管理，形成自己的知识网络 |
| | 定量 | 知识点检测 | 完成检测题 |

【案例剖析】

基于 MOOC 资源的翻转课堂教学模式，通过引进 MOOC 资源的这种方法，能缓解优质教学资源不足的问题。在工作量方面，教师对资源的二次加工相较于自己录制视频，工作量相对减少；在知识互补性方面，教师在对资源进行二次加工的过程中，可以不断吸取和学习优秀教师的教学方法和对知识点的模块划分的处理方式，同时，MOOC 资源进行课堂翻转，体现了教师知识的互补，更加符合本地学生的认知规律，为课堂的顺利翻转提供了资源保证。

激发师生的热情和积极性。基于 MOOC 资源的翻转课堂使得课堂更加活跃，师生关系更加融洽，交互及时能及时答疑，使得学生在学习过程中不断减少学习困难，自我效能感得到提升，学习更有兴趣。教师带着愿意主动学习和帮助提问的学生群体，教学幸福感得到提升，教学积极性提高。

基于 MOOC 资源的翻转课堂教学模式具有较强的执行性和操作性。模式纵向分为课前、课中、课后三个阶段，横向分为教师和学生的活动，每个环节都有具体的任务。教学实践证明，该模式对大部分学生有促进学习效果的功能，激发了学生和教师的积极性。首先，课中教师的引导起着至关重要的作用。在问卷调查中，几乎所有的学生都认为，课前自主学习对所学知识并不能达到完全理解，还需要教师在课中的适当引导、纠正和补充。其次，课后学生对知识进行管理这一任务得到学生的好评，主要是帮助学生找准知识点间的关系，使其形成自己的知识脉络，对所学知识有一个明确、清晰的印象，有助于对新知识的学习和理解。

### 9.2.3　思考：MOOC 如何与课堂教学融合

MOOC 教学以视频为知识传播窗口、以网络为运作平台，它作为目前新型的教学模式，无时间与空间限制，可以将教学在线、师生互动、测试汇报汇集于一体，集中突出学生自主学习的模式，这些优点给当今的教育教学改革带来了新视角和新观点[①]。传统教学的优势也是十分明显的，通过与学生面对面的授课能对学生的知识背景、学习态度以及学习能力有一个比较清楚的认识，教师可以把握教学进程、负责教学内容的调整和核查学生的学习水平，在教学过程中具有充分的教学灵活性，可以调节课堂气氛。但传统教学也有一些不足，教学目标更注重学生的应试能力，教学与关注学生个体学习程度的差异性结合不紧密，与 MOOC 教学模式相比较无法实现大规模的个性化教学，学生的主动学习能力以及教师对学生学习的过程考核相对较差，较难提高学生的自主创新能力。在信息时代只有把MOOC 与传统教学相融合，使得教学形式多样化，才能真正实现优质资源的充分共享与使用[②]。这样既能发挥教师面对面的引导、启发和监控教学过程的主导作用，又能体现出学习者在学习过程中的主体作用，让学习者获得知识和实践能力，从而达到最好的学习效果。

一、知识传播的途径方式的相互融合

对于 MOOC 知识传播途径，教师面对的是镜头，学生面对的是屏幕，教师与学生的交流缺乏直接的眼神交流，学生的信息反馈不能代替课堂教学的实时观察、面对面交流直接了解学生的动态变化。在教学中做到 MOOC 和课堂教学的良好融

① 谢海芬，牟海川，许飞，等.MOOC 与传统教学相融合的教学模式在课程教学中的实践[J]. 教育教学论坛，2020，（35）：219-220.
② 瞿振元. 以 MOOC 发展为契机促进信息技术与高等教育深度融合[J]. 中国高教研究，2014，（06）：1-4.

合，通过"静态"与"动态"知识传播的结合，会促进课程教学质量的提升。MOOC是"静态"知识传播途径，可有效地支撑学生的课前预习、课后复习和拓展学习等，学生可自由掌握学习的时间。以 MOOC 支撑的静态知识传播为基础，课堂教学可作为"动态"知识传播途径，学习者带着问题进入课堂，教师将课堂时间策略性地用于集体或个性化教学活动来提高整体教学效果。通过差异化教学、项目式学习、问答式学习等不同的学习方式，把集体空间变成一种动态的、交互的学习环境，使学生在课堂时间获得更丰富、更有意义的学习体验。

### 二、评价体系的相互融合

教学评价考核是教学管理中重要的环节，是提高教学质量的保障措施。该课程的教学是由 MOOC 教学与传统教学的融合来实现综合评价的。由于 MOOC 是基于网络数据的信息采集，会产生大量的学习数据，可以提供过程性评价和反馈，及时准确地向教师告知学生的学习情况，帮助教师进行有针对性的教学干预，督促学生投入学习；同时为教学提供及时的反馈、引导、激励和调整方面的支持，提高在线学习效率和质量。这样可以在课堂教学中用面向过程和结果的综合评价取代面向结果的考核。评价体系的相互融合应用实现从单一评价到综合评价，对学习者的独立思考、团队协作、创新等能力提出更高的要求，做到知识、能力和素质的相互统一。

## 9.3　移动学习及其应用

### 9.3.1　释义：移动学习及其特征

移动新技术在教育领域的应用催生了一种崭新的学习形式——移动学习。移动学习这种新型的学习形式具有诸如教学个性化、学习便捷性、情境相关性、跨时空性、交互性、移动性、及时性、超媒性以及泛在性等特点，可以为学习者创造出因时、因地、随需要而发生的数字化学习，这就决定了它在未来教育中将创造一个全新的学习和教学模式，从而达到现在的教学模式无法达到的一些效果。

### 一、移动学习的概念

移动学习是移动技术与数字化学习技术相结合产生的一种新型数字化学习形式。国外一般以 m-learning 或 m-education 来指称移动学习，而我国一般表述为移动学习或移动教育。国外研究者从不同的角度给出了为数众多的定义。奎因（Quinn）认为移动学习是移动计算和数字学习的结合，它包括随时随地的学习资源、强大的搜索能力、丰富的交互性、对有效学习的强力支持和基于绩效的评价。格奥尔基耶夫（Georgiev）等认为移动学习是远程学习和数字化学习发展过程中新的发展阶段。尼里（Nyiri）等将移动学习定义为学习发生于人与人之间的移动交流。教育部高等学校教育技术专业教学指导分委员会给出的定义是：移动学习是指依托目前比较成熟的无线移动网络、国际互联网，以及多媒体技术，学生和教师通过利用目前较为普遍使用的无线设备（如手机、掌上电脑、笔记本电脑等）来更为方便灵活地实现交互式教学活动，以及教育、科技方面的信息交流。

综合上述来看，移动学习是指学习者在非固定和非预先设定的位置发生的学习，或有效利用移动技术所发生的学习。包括以下几个方面的基本内涵。

（1）学习形式是移动便捷的

移动学习是借助于一些便携式移动设备，在没有时间、地点的制约下任意开展的学习活动。

（2）学习内容和活动是互动有效的

移动学习设备必须能够有效地呈现学习内容，而且通过移动技术提供学习者与教授者之间、学习者之间、学习者/教授者和资源之间的有效交互。

（3）实现方式是数字化的

移动学习依赖于移动通信技术与数字化学习技术实现教育内容与教育服务信息的无线网络化传输，实现学习设备的数字化和学习资源的数字化。

（4）学习活动是情境相关的

移动技术为情境学习提供了支持，移动学习将学习者置身于可信的、适当的使用情境中，依据学习者所处情境的变化而创造出有意义的学习资源，学习者利用移动学习设备，无论走到哪里都可通过技术实现交互和学习，并使教与学真正突破时空限制，使学习发生在真实的自然、社会情境中，实现真正意义上的"活学活用"。

（5）学习是因时、因地、随需要而发生的

学习者可以灵活支配时间，把握时空，在最需要的时候获取知识信息，满足当时当地的需求，可以利用零碎时间，在工作、生活或社交等非正式学习时间或地点进行学习。

二、移动学习的特征

移动学习以移动互联网为基础，具有如下的特征：移动性、情境性、即时性、普及性、跨时空性、自主性、挑战性等。

（1）移动性

支持移动学习的终端设备具有可携带性（portability）、无线性（wireless）、移动性（mobility）等特点。随着技术的不断发展，这些移动设备的体积也越来越小，功能上也呈现出互补性。学习者利用这些移动设备就可以随意支配时间，把握空间，获取信息与学习材料。

（2）情境性

学习内容具有情境性。学习者并非被动地接受知识，而是内化这些知识，将所学的新知识迁移到具体工作或学习环境中。情境有利于增强学习的意义。情境式学习理论认为，学习者只有在有意义的情境中学习，才能真正地掌握知识。

（3）即时性

提供即时的学习内容。移动学习作为相对于正式学习的一种非正式学习形式，它的最大优势是学习能够发生在学习者真正有学习需要时。这种因时、因地、随需要发生的学习方式被称为"just-in-time"的学习。

（4）普及性

各类便携式的移动设备层出不穷、功能繁多，同时这些设备越来越廉价、越来越普及，这就为移动学习的普及打下了坚实的基础。任何持有移动设备的人都可以成为移动学习中的学习者或教育者。

（5）跨时空性

学习者可以在任何时间、任何地点进行学习，教师也可以在任何时间、任何地点教学，从而突破了时空的局限。

（6）自主性

给学习者以强烈的归属感。现代教育观念倡导个性化学习，强调学习者根据自身情况，掌握学习进度、学习时间、学习地点、学习内容等。移动学习的学习过程就是以学习者为中心，符合个性化学习的理念。

（7）挑战性

移动学习的设计与应用面临更多的挑战。与常规的 e-learning 学习不同，移动终端具有屏幕较小、处理能力较弱、稳定性和传输速度受到通信链路的影响等特征。这也给移动学习内容的设计和学习活动的实施带来巨大的挑战。

三、移动学习设计的特点

移动学习设计是以学习理论和教学理论为指导，充分发挥无线移动技术的优势，围绕学习者需求设计移动学习体验，并达到最优化学习效果的创造过程。移动学习设计会表现出以下的特点。

（1）移动学习设计强调学习的主动性、建构性和社会性

移动学习作为一种新的学习模式，其核心仍然是学习。知识能力的变化必然是移动学习设计的主要目标。为了促进学习的发生，旨在激励和支持学习的教学是移动学习设计的必要组成因素。建构主义理论对教学设计的影响是巨大且不容忽视的。在移动学习中，学习者是学习过程的主动参与者和决策者，因此，移动

学习的设计过程更加强调学习的主动性、建构性和社会性。

（2）移动学习设计应充分发挥移动技术的优势，体现移动性

移动技术的最大优势在于其移动性、便捷性和不受时空的限制。应用移动技术，可以随时随地呈现动态的、可交互的、个性化的学习内容，可以提供强大的学习管理和支持，也可以使学习活动与工作、日常生活等有机融合在一起，可以实施更为灵活的跨越时空的教学指导活动和基于情境的协作探究活动。因此，在移动学习设计过程中，应该尽可能地发挥移动技术的最大优势，体现移动学习的情境性、碎片性等特点。

（3）移动学习设计应以学习者为中心，体现人本主义精神

移动学习的设计首先应该是需求驱动的设计、以学习者为中心的设计。教学人员或者技术开发人员按照自己的主观意愿设计开发移动学习产品或活动，结果却可能对学习者来说非常难用或者效果很差。为了避免出现这种情况，在进行移动学习设计前，应该对用户的移动学习需求进行分析和调研，并在设计和开发的各个阶段都以用户的评价为基础来进行验证和修改。人本主义的原则是以人为本，遵循人发展的基本规律，学习必须使学习者感受到学习的个人价值和意义，不仅满足知识和技能发展的需求，而且还要满足人类审美、交流、健全人格、解放本性、释放潜能及整个生活方式的需求。移动学习设计也应遵循上述原则，符合人类认知的基本规律，最大限度地促进人的发展。

### 9.3.2　剖析：移动学习课堂应用案例

#### 微信支持下的 "VF 程序设计" 课程移动学习案例[①]

闫英琪以 "VF 程序设计" 课程为例，基于杨开城 "以学习活动为中心的教学设计理论"，构建了移动学习环境中以学习活动为中心的学习模式[②]。为了取得更好的学习效果，一定要把教学设计的思想和方法融汇于移动学习活动的设计中，而且重视学习者的移动学习经验。根据活动理论有效作用于微信进行移动学习的阐述，闫英琪提出了基于微信的移动学习活动模式，如图 9-3 所示。

首先在微信公众平台申请公众号，然后在微信平台设计学习活动，开发 "计算机二级考试讲解 VF" 移动学习平台，开展微信支持的移动学习活动模式在高校教学中的应用研究，继而验证微信支持下的移动学习活动模式的效果及可行性。

---

① 闫英琪. 微信支持下的移动学习活动设计与实证分析——以 "VF 程序设计" 课程为例[J]. 电化教育研究，2016，37（02）：88-94.

② 杨开城. 以学习活动为中心的教学设计理论：教学设计理论新探索[M]. 北京：电子工业出版社，2005.

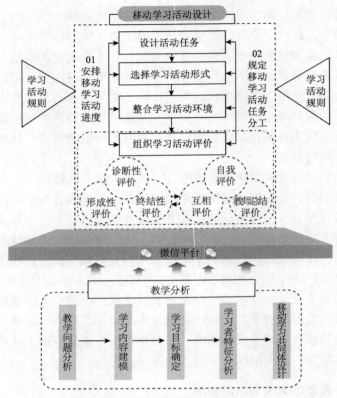

图 9-3　移动学习活动模式

一、教学分析

　　"VF 程序设计"是一门操作性比较强的选修课程。每学期均有选修权限，选修年级不限，课时为 30 学时，是为大学生顺利通过计算机二级考试开设的一门程序设计类课程。案例作者发现，在以往的教学中普遍存在教学时间不够，只能完成一半的教学任务的问题；由于该课程操作性强，学生对课堂教学内容不能全部消化，课余时间也得不到及时辅导，所以学习效果很不好，进而严重影响计算机二级考试的通过率。在移动学习活动的设计中，针对这些存在的问题，要做到有的放矢，设置合理的学习活动。

　　在对"VF 程序设计"课程进行学习内容建模时，严格按照知识建模分析法进行，整个章节的知识点建模为三大组块，然后依据这三大组块设计学习任务，明确每个知识点的学习目标，如表 9-5 所示。

**表 9-5 知识内容与目标分析**

| 知识组块 | 知识内容 | 任务 | 认知目标 | | | | | |
|---|---|---|---|---|---|---|---|---|
| | | | 记忆 | 理解 | 应用 | 分析 | 评价 | 创造 |
| 1. 查询的创建 | 打开"查询"设计器 | 认识"查询"设计器,并探究使用"查询"设计器创建查询的方法;在创建查询过程中比较不同方法的异同 | √ | √ | √ | | | |
| | 选择表 | | | | √ | | | |
| | 添加字段 | | | | √ | √ | | |
| | 建立表间联系 | | | | √ | √ | | |
| | 条件筛选 | | | | √ | | | |
| | 排序设置 | | | | √ | | | |
| | 生成设置 | | | | √ | √ | | √ |
| 2. 函数 | 求均值函数 | 认识并能够正确使用这 5 种函数 | √ | √ | | | | |
| | 求计数函数 | | √ | √ | | | | |
| | 求最大值函数 | | √ | √ | | | | |
| | 求最小值函数 | | √ | √ | | | | |
| | 求和函数 | | √ | √ | | | | |
| 3. 表达式 | 算术运算符 | 认识并能够使用 4 种运算符的格式,知道它们的优先级关系,能够计算出表达式的结果 | √ | √ | | | | |
| | 字符运算符 | | √ | √ | | | | |
| | 关系运算符 | | √ | √ | | | | |
| | 逻辑运算符 | | √ | √ | | | | |

　　本课程面向全校学生,学生的水平良莠不齐,针对这些特征,研究者将学生按学科、性别交叉搭配分组,每小组 6 人,共 10 组,然后由他们自己创建微信群,形成 10 个微信群,教师加入每个小组,当然所有学生都隶属于教师建立的公共群,学生既可以在自己的小群协作学习,也可以在公共群学习讨论。这样就建立了良好的移动学习共同体。

　　二、移动学习活动设计

　　微信公众平台对课程内容及教学活动的支持是全方位的,教师使用微信公众平台建设课程资源,并且推送至每一位学生;使用关键字查询设置索引,方便学生查找学习内容;能够利用微信中的各种互动方式进行教学评价。

　　(1)课程资源建设

　　在微信公众平台中,使用"自定义菜单"可以很好地建设课程资源,将课程资源分类存放,方便学生学习使用。本课程设置了三个主菜单,即学习资源、考点分析和教学论坛,其中教学论坛由微信的微社区构成,它内嵌在微信公众号里,具有发帖、回帖等功能。各主菜单下又有相应的子菜单,将知识点分得更详细。学习资源主要有文本、图片,另外教师会将讲解的音频发布在公共群里,学生可以随时播放音频反复学习。一部分操作类的学习视频可以上传在精品课平台中,也以链接的形式发布在公共群。

（2）发布学习主题,分配学习任务

教师登录微信,在微信群发布学习主题,例如在学习"表达式"这节内容时,发布的内容为:"今天的学习主题是表达式,请登录公众号关注推送的表达式内容,也可以点击菜单直接选择表达式进行学习！学习完毕后登录考点分析进行测试,然后小组讨论,小组内解决不了的问题发布到公共群。"教师在发布学习主题的同时,还发布奖惩机制,如积极回答其他同学提出问题的平时成绩加分等。

（3）推送学习内容,设置关键字查询

教师登录微信公众平台,用手机扫描二维码进入"计算机二级考试讲解 VF"公众号,打开公众平台内容管理中心,通过"群发功能"推送学习主题至微信公众平台,这些学习主题也可以设置在自定义菜单中。为了方便学生进行课程内容的查询,还可以通过"自动回复"中的"关键字回复"功能设置关键字查询,实现整个课程需要进行的交互活动。学生进入公众号,根据提示信息输入与学习内容相关的关键字就可以检索到相关学习导航,也可以直接进入自定义菜单进行学习。

（4）互动设置

首先,教师在微信群统一发布学习主题,学生登录微信看到学习主题后关注公众号进入相应菜单进行学习。如果需要协作完成任务,各微信学习小组在收到任务后在各自的微信组进行任务分工,协作完成学习任务。其次,完成学习任务后,学生可以在微信小组展开自评、互评；教师在微信群提出问题,引导学生回答,及时了解学生对学习内容的掌握情况。最后,教师将疑难问题及解答过程上传到教学论坛中供所有学生学习与互动。

三、移动学习活动规则设置

从微信学习共同体系统中可以看出,在微信公众平台中学习要遵循学习活动监管等规则。在学习进程中教师和学生共同遵守的行为规范即监管规则,微信公众平台中的监管规则有多种,主要有安排学习活动进度、规定学习活动中的任务分工等。

四、学习效果分析

微信课程平台首次应用于 2014 年秋季学期的课程教学,通过对微信公众平台的后台分析发现,学生对课程的关注率呈逐渐上升趋势,开学初始选修该课程的人数是 60 人，而到学期末关注该课程的人数已经达到 504 人。通过发放问卷及客观数据对微信公众平台的运行状态、学习评价等进行了调查，95%以上的学生对课程的教学模式感兴趣，对设计的学习任务能够及时完成；学生完成了课程教学大纲覆盖的所有内容，这在以往的教学过程中是不可能实现的。学生对教师从微信公众平台推送学习资源的关注度比较高，绝大部分学生能够及时地将消息添加到收藏夹，或者分享到朋友圈，回复信息也比较及时，回复率均在 100%，学生在等级考试中的合格率为上学期的二倍。

【案例剖析】

　　案例在活动理论的支持下，基于微信及其公众平台对移动学习的支持功能，从教学设计的角度出发，将微信与移动学习活动有机结合，创新了微信平台支持下的移动学习活动模式。将微信支持下的移动学习活动模式应用到计算机等级考试课程中，在为期半年的应用实践中取得了良好的效果，新颖的学习模式更能激发学生的学习兴趣。案例虽然构建了基于微信的移动学习活动模式，但是在模式的应用中还存在微信公众平台不能很好地支持学习资源的呈现，微信公众平台与微社区不能很好地进行整合等问题，需要在后续研究中进一步完善。

### 9.3.3　思考：移动学习典型应用模式

一、从知识传递到情境认知

（1）基于知识传递与反馈的移动学习

　　在移动学习兴起的初级阶段，人们自然会想到利用移动设备的便携性、移动性和无处不在的通信，开始将原来在电脑上运行的课件迁移到手持式设备中，使用移动通信技术传递原来通过网络传递的内容，增强教师与学生以及学习者与内容之间的交互。这种学习范式的主要理论基础是行为主义学习理论和认知主义学习理论。其典型应用有：即时课堂反馈系统、基于内容推送的移动学习服务和播客等。

（2）移动技术支持的情境学习

　　随着学习理论从行为主义范式到认知主义范式，再到建构主义范式的不断发展，人们对学习的认识也逐渐从单纯的信息加工、知识传递向情境学习转变。移动学习模型从基于行为主义和认知主义的知识传递与反馈向基于建构主义的情境学习转变。

　　情境学习强调知识应具有情境性，同时学习者应该在情境中获得和应用知识；学习者最好在真实活动和文化背景中学习；情境学习提倡通过小组、团体的方式来进行学习，认为通过写作与互动学习效果更佳。因此，基于情境学习的上述特点，移动终端设备和移动通信技术为我们在真实的问题情境、工作活动、文化背景中开展情境学习提供了独特的机遇。在移动技术支持的情境学习中，移动设备不再是传统的内容传递和信息犯规工作，而更多的是学习者知识建构的工具，帮助学习者在特定的情境下进行意义建构，支持、指引和扩充学习者思维过程或心智模式，促进知识内化与问题解决。其典型应用主要有：基于即时问题解决的移动学习、移动技术支持的探究性学习、情境感知学习、参与模拟的体验式学习。

二、从个别化学习到社会性学习

（1）移动技术支持的个别化学习

个别化学习是学生在教师的指导下，通过多种方式和途径，进行能动的有选择的学习活动。在个别化学习中，移动技术和设备既可以作为知识传递的工具，也可以作为情境认知的工具。如欧洲的 MobiLearn 项目、美国普渡大学的 BoilerCast 网站、英国利物浦约翰·莫瑞斯大学支持关于乳腺癌治疗的移动学习项目、博物馆的参观导航系统等都是支持个别化学习的移动学习系统。

（2）移动技术支持的协作学习

移动技术支持的协作学习（MCSCL）能克服传统协作学习（CL）和传统计算机支持的协作学习（CSCL）的一些障碍，如可移动性差、与现实情境的整合性差等。从世界范围来看，MCSCL 已经取得了一定的成果。很多研究结果表明，MCSCL 能够弥补 CL 和 CSCL 的弱点，当小组成员在一个相同的空间中开展协作学习时，无线交互的移动设备在交互行为和小组规模上具有较大的灵活性，促进社会化的交流和真实活动场景下的交流，提高协作学习质量。此外，移动设备小巧、便携，而且辐射强度要比桌面电脑低得多，降低了影响学生的身体健康等的副作用。

（3）移动技术支持的社会性学习

目前协作学习应用在学校教学中，主要还是一种由教师组织、设计和指导的学习活动。随着社会日益学习化和学习日益社会化，学习的社会特征也越来越明显，学习将会在更广泛的交互范围内发生。从学习者心理发展、知识、学习者等角度分析，学习本身就具有社会性。同时 Web2.0、社会性软件等理念和技术的出现使学习的社会性特征更加彰显出来。移动通信技术与社会性软件的结合也成为移动学习研究中的一个热点。例如，英国诺丁汉大学开发了 My Art Space 平台，学习者可以利用手机将在博物馆的学习经历发表到平台中的个人空间，并与其他人分享。

三、从正式学习到非正式学习

传统的信息技术在教育中的应用主要在正式学习场合中，如课堂环境、校园环境、e-learning 企业培训等。移动技术不仅能强化正式学习环境，更能促进非正式学习的发展。非正式学习的主要特点是在非正式学习时间和地点发生、学习过程由学习者自我调控和自我负责。移动学习在正式学习和非正式学习中均可以应用。其典型的应用场景如：移动技术应用于课堂教学中、移动技术对户外学习进行支持、移动技术对公共教育进行支持以及移动技术对个人非正式学习进行支持等。

# 9.4　沉浸式学习及其应用

## 9.4.1　释义：沉浸式学习及其特征

### 一、沉浸式学习的概念

沉浸式学习（immersive learning）是指通过虚拟现实技术（包括 VR、AR、MR）为学习者提供一个接近真实的学习环境，借助虚拟学习环境，学习者通过高度参与互动、演练而提升技能。虚拟现实具有三个基本特征，即想象性（imagination）、交互性（interaction）和沉浸性（immersion），简称 3I 特征[①]。想象性、交互性、沉浸性三大特征极大地克服了传统教学环境的限制，有利于激发学习者的学习动机，增强学习体验，实现情境学习和知识迁移。国外已有相当多的企业采用沉浸式学习来作为培训与学习的模式，例如，国际商业机器公司（IBM）在 Second Life 上的运营的培训体系；联合国、美国国防部等也大量地采用沉浸式学习的方式来对军人进行训练；沉浸式学习也被应用在医学方面，例如，运用虚拟仿真技术，不仅可以将手术、问诊的程序 3D 虚拟化，甚至可以模拟整个医院运作的环境。

### 二、虚拟现实技术与沉浸式学习的融合

心理学家米哈里·契克森米哈（Mihaly Csikszentmihalyi）提出了沉浸理论（flow theory），即当人们在进行活动时如果完全投入情境当中，注意力集中，并且过滤掉所有不相关的知觉，就进入沉浸状态。沉浸学习是将沉浸理论运用到学习领域的成果，当学生的学习达到沉浸状态时，完全无视其他的干扰因素，充分享受学习带来的快乐，获得忘我的体验，达到最佳的学习状态。因此将沉浸理论应用于教学实践，不仅能够充分发挥学生的认知主动性，提升学习效果，而且能够激发学生的灵感，培养创造力。还有学者将虚拟现实技术与沉浸式学习做了对

---

① 百度百科. 沉浸式学习[EB/OL]. https://baike.baidu.com/item/%E6%B2%89%E6%B5%B8%E5%BC%8 F%E5%AD%A6%E4%B9%A0/15656594?fr=aladdin.[2020-10-12]

比（表9-6），由此可以看出，虚拟现实技术与沉浸式学习可以完美融合。

**表 9-6　沉浸式学习与虚拟现实技术对照**

| 沉浸式学习 | 虚拟现实技术 |
| --- | --- |
| 明确的目标 | 教学内容为一项技能的练习、一个概念的学习和理解，目标明确，不存在其他学习内容的干扰 |
| 迅速的反馈 | 交互进入高级阶段，快速高精度的反馈，根据用户的输入可使呈现界面发生迅速的变化，进而使用户产生真实感 |
| 挑战与技能之间的平衡关系 | 以学生的认知水平为基础，创设适合不同年龄段的虚拟环境，教学任务富有挑战性、趣味性，以此激发学生的学习兴趣，保持学习动机 |
| 行为与认识相结合 | 学生亲自操作虚拟环境中的物体，不仅可以感受到物体的重量、边缘、质地等特征，还能反复练习技能，在学习知识的同时提高操作能力 |
| 消除干扰 | 通过硬件设备，使学习者完全与外界隔离 |
| 失败无不良后果 | 帮助学生避免在真实实验操作过程中有可能面临的各种危险，使学生能够放心大胆地去尝试 |
| 对时间的感觉发生改变 | 当学习者"沉浸其中"时，会产生一种潜心于体验的感受 |
| 自我意识消失 | 达到的沉浸效果既可以是物理的感觉，也可以是纯粹的精神状态。使用者会产生"临场的感觉"，会完全融入环境 |
| 带有目的的行动 | 每个虚拟现实教学内容的设计，都是围绕一个特定的主题 |

从技术特点和技术应用来看，虚拟现实技术都试图对虚拟学习空间和现实的物理空间进行突破、淡化，努力打造接近于社会现实的仿真或真实的学习环境，突出学习过程的交互性、真实性、情境化和个性化，使学习者通过多模态形式的学习，增强学习兴趣，提升学习效果[①]。

### 9.4.2　剖析：沉浸式学习案例

#### "计算机硬件组装与维护"中的沉浸式虚拟实验设计[②]

孙少明针对中职"计算机硬件组装与维护"课程，设计、开发了沉浸式虚拟现实环境下的虚拟实验，并对教学过程中的各个要素进行了系统、科学的设计。

一、学习者分析

中职计算机应用专业学生不同于普通高中学生以学习文化知识为主，也不同于培训机构学生以短期学习特定技能为主，中职计算机应用专业学生在学习过程

---

① 梅明玉，朱晓洁. 基于沉浸式具身学习的商务英语教学研究[J]. 现代教育技术，2019，29(11)：80-86.
② 孙少明. 基于沉浸式虚拟现实环境下虚拟实验的设计与实现[D]. 云南师范大学硕士学位论文，2019.

中既要重视理论知识上的学习，也要强调技能的训练。"计算机硬件组装与维护"是中职计算机应用专业学生必修的核心课程之一，学习者已经学习过一些计算机基础、计算机网络以及编程语言等方面的课程，对计算机各硬件有一定的了解，具备一定的理论基础，但只有少部分学生对如何正确地组装一台计算机以及当出现一些常见故障时应如何解决有初步的了解，多数学生仍然处于不了解的状态，同时这门课也为后续课程的学习打下了基础。

由于中职学生大多都是中考成绩不佳，因此在他们身上普遍存在以下几个问题：首先，在文化课方面，中职学生的基础比较差，底子比较薄，但是他们在动手实践方面比较强，愿意主动去探究存在的问题。其次，由于经受了中考的失败以及初中学习过程中的挫败感，中职学生在对自我价值观的认定上存在一些缺失，导致信心不足，但在新的环境下能激发起他们的表现欲，而且在学习过程中慢慢对事物的认知产生了很多独特的见解。最后，由于中职学生在初中阶段成绩普遍不太理想，所以他们在学习时积极性不高，对学习充满了厌倦，学习动机不强，但由于中职学生具有极强的好奇心，愿意尝试用新的媒体或工具来辅助自己的学习，思维比较活跃。

## 二、教学目标分析

在三维目标的基础上，通过分析教材内容《计算机硬件组装与维护》确定该虚拟实验的三维教学目标，为后续的教学内容设计打下基础，具体内容如图9-4所示。

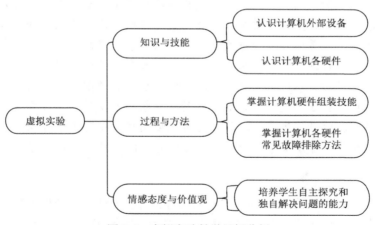

图 9-4　虚拟实验教学目标分析

## 三、教学现状分析

"计算机硬件组装与维护"这门课目前大多是采用理论与实践相结合的方式进行授课，但在实际授课过程中，理论课时数要明显大于实践课时数，这使得学习者在实践能力方面参差不齐。目前，实验课主要有教学模式单一、硬件设备落后、存在安全隐患等问题。

## 四、可行性分析

虚拟现实技术在辅助和促进学生学习方面发挥了巨大作用，为改善传统教学模式提供了新的途径。用 3Ds Max 作为建模工具，采用 Unity3D 作为开发平台，以 Mojing SDK 作为虚拟现实效果的开发工具，以智能手机为虚拟实验运行环境，并配合暴风魔镜 VR 头显和白日梦体感手柄作为虚拟现实显示设备和交互设备，实现基于沉浸式虚拟现实环境的计算机硬件组装虚拟实验的构建，以此来解决由以往虚拟实验沉浸感不强、无法创建真实教学情境而导致的学习效率不高这一难题。

## 五、需求分析

目前所开发出来的虚拟实验大多基于电脑端环境运行，学习者在使用过程中只能通过键盘、鼠标等外设与虚拟场景中的物体进行交互，缺乏沉浸感和交互性。此外，虚拟实验还需要具备反馈机制，提供给学习者更多的反馈信息。

## 六、教学内容设计

在学习者分析、教学目标分析、教学现状分析、可行性分析、需求分析的基础上，对计算机各硬件的名称、功能、模拟组装计算机、常见硬件故障处理方法以及习题测试等教学内容进行设计，使得教学内容更具有针对性。在知识点呈现上，依据学习者认知规律采用循序渐进的设计原则，避免不必要的干扰以免影响学习者的学习，在最大程度上激发学习者的求知欲，提高学习效率和积极性。其中在教学内容设计这一部分，为了能够更好地指导后续的开发工作，结合具体章节的教学目标设计，从虚拟实验的心理、认知机制的角度对教学内容设计过程中的具体知识点进行了再次细分，其目的是在后续的开发过程中根据知识点的分类来完成虚拟实验的开发工作，以便学习者在使用过程中对整个虚拟实验在教学内容的呈现和操作方面从简单获得观察的经验和做的经验向抽象的经验转变。

## 【案例剖析】

通过将 3Ds Max 和 Unity3D 技术相结合，搭建出计算机硬件组装虚拟实验并发布成安卓应用程序运行在智能手机上，之后借助虚拟现实眼镜和体感手柄作为呈现平台和交互方式，让学习者产生身临其境的沉浸感，使虚拟实验更加真实。突破了以往计算机硬件组装虚拟实验大多基于 Virtool 技术开发运行在 Windows 平台上，学习者在使用过程中只能通过键盘、鼠标等方式与虚拟场景中的物体进行交互，缺乏沉浸感和交互性这一局限，基于沉浸式虚拟现实环境的虚拟实验运用在教学过程中能够极大地提升学生的学习兴趣，提高学生的实践动手能力，并为传统实验教学方式的改变提出新的途径。

### 9.4.3　思考：沉浸式教学模式

一、沉浸式教学模式介绍

沉浸式教学首先在欧美国家兴起，因其独特的教学形式和良好的教学效果，而为其他国家所学习，并不断地向各地传播。沉浸式教学法始创于 1960 年，是加拿大法语区开创的一种全新的第二语言教学模式。它是指以非母语的第二语言为直接教学语言的基本教学模式，即将学生"浸泡"在目的语言环境中。在教学活动中，教师既要使用目的语言教授目的语言，又要用目的语言教授其他课程。此后，沉浸式教学在世界各个国家被广泛应用到第二语言的教学和学习中，取得了良好的教学效果，并为其他学科所接受，被用于相关领域的教学中。

现在所讲的沉浸式教学更多是指为学生创造特定的情景，让学生融入当前的学习任务。沉浸式教学并非以单向的授课方式完成教学大纲任务，而是把大纲融入角色扮演和更广的社会范畴里的尝试和体验，只有当学习者发现他们所学的知识能够真正运用到现实生活中时，他们的学习兴趣才会被激发起来。基于倡导并传播这种创新型的教学模式，现在欧美国家已联合成立了沉浸式教育倡议协会，总部位于奥地利首都维也纳，定期举办沉浸式教育峰会，峰会面向全球学术和商业组织以及来自沉浸式、模拟仿真、游戏教学、虚拟现实、增强现实、混合现实、机器人以及 3D 打印领域的专家。从现有文献来看，在外语教学中应用沉浸式教学模式最为常见。在国内，同济大学设计创意学院已率先尝试使用了这一教学模式。

二、典型的沉浸式教学模式

（一）项目沉浸式教学模式

项目沉浸式教学偏重实践，在训练学生技能的同时，也要对学生的思维方式进行训练，通过项目实践培养学生技能，通过项目提高学生应用知识的能力，实施过程主要分为项目预热、项目实施和项目总结等三个阶段。

（1）项目预热

项目启动阶段对项目沉浸式教学的开展具有重要意义，在专业知识学习结束后，可以把以前指导教师做过的项目整理成案例和实验指导书，由指导教师示范整个项目的开展过程，突出项目过程中的问题以及解决问题的关键所在。然后把数据提供给学生，根据实验指导书的要点由学生模仿数据分析的过程。这个阶段学生遇到的问题会比较少，主要是熟悉数据分析项目思路。

（2）项目实施

项目实施过程是整个教学中最重要的环节。在该过程中，学生在实际问题中加深对已经掌握的知识的理解，还需要学习项目分析过程遇到的新知识和新工具，这就要求学生有足够强的学习能力，此时教师就需要根据项目经验引导学生完成对问题的理解、项目优化以及评估等阶段的处理。学生在完成项目的过程中，需要将项目中新用到的知识、技能进行整合，构建自己的知识网络，并结合实际项目深入理解、巩固和提高。

（3）项目总结

项目总结阶段是一个不可缺少的环节，起到提炼、强化技能和扩展知识体系的作用。这个阶段是学生对整个项目进行总结回顾、理清的过程，突出项目中遇到的问题和求解方法，从而将其作为新的案例和实验素材。

上述项目沉浸式的教学过程是一个反复的过程，每次顺利地完成一个项目，教师也会增强对实际项目的理解，并积累更多的实践经验；而学生顺利地完成项目，会增强对知识的认识并强化解决问题的技能。

（二）体验式沉浸式教学模式

（1）设置沉浸式教学目标

教学目标是体验式沉浸式教学实施的首要环节，首先应根据相关课程教学特点，设置沉浸式教学目标，并做好前期的相关工作。教学目标对课程优化和教学改革具有积极的导向价值，并直接影响着教学实效，对课堂教学起到宏观调控、前导定向与激励激发的作用。在教学目标的设计中，可按照课前、课中和课后三个阶段进行设计，也可根据学生的个体差异，分类别差异化设计教学目标。

（2）确定沉浸式教学内容

实际教学过程中，首先要根据课程的特点及学生自身的实际水平确定沉浸式教学内容，选择合适的课程组织形式。

（3）应用沉浸式教学过程

教师要积极引导学生融入模拟或现实的工作情景中，并讲解具体的工作流程和情境，激发学生自主思考问题并寻求解决问题的方法。为此，教师应全面考虑沉浸情景的过程，精心准备关键的沉浸情景和流程。此外，还要准备相关的课程资源，如可以借助多媒体技术、沙盘模型、动漫演示等模拟实际的工作情景。

（4）提高沉浸式教学效果

由于沉浸式教学过程实践性较强，在课堂上能否真正达到教学目标和教学效果，需要及时进行教学总结。教师在课堂教学中运用沉浸式教学模式，一定要注重教学反馈，不断提高沉浸式教学效果。在条件允许的情况下，可以开展学校内部或者学校与学校之间的交流学习，以达到不断改进沉浸式教学方法和方式的目的。

# 9.5 STEAM 教育及其应用

## 9.5.1 释义：STEAM 教育及其特征

一、STEAM 教育的内涵

STEAM 是科学（Science）、技术（Technology）、工程（Engineering）、艺术（Arts）、数学（Mathematics）五门学科英文首字母的缩写。20 世纪 80 年代，美国国家科学委员会（National Science Board，NSB）提出"STEM（Science，Technology，Engineering，Mathematics）教育集成"的建议并发展成为国家战略。21 世纪以后，美国弗吉尼亚科技大学的 Yakman 教授在原有 STEM 教育的基础上，将艺术作为一个重要的人文因素加入其中，进一步发展成为 STEAM 教育。

作为当今国际教育领域的研究热点，虽然学界已经对 STEAM 教育的本质展开了较为热烈而深入的讨论，但在理解上却不尽相同。美国弗吉尼亚理工大学的 Sanders 教授认为，STEAM 教育是在建构主义和认知科学理论的指导下，以科学、技术、工程、艺术和数学知识为基础对问题或项目进行探讨，因而跨学科整合是 STEAM 教育最根本的本质属性。范文翔综合多种定义认为，STEAM 教育是在真实情境中以跨学科整合的方式培养创新人才的一种教育类型，是依托工具与资源，以基于项目或问题的方式培养学生 STEAM 素养的一种技术教育。此外，还可以从其他不同的视角来解读 STEAM 教育的本质特征：从教育内容的角度，STEAM 教育是跨学科整合的教育；从教育主体的角度，STEAM 教育是多元主体共同参与的教育；从教育开展方式的角度，STEAM 教育是做中学的教育；从教育技术支持的角度，STEAM 教育是以机器人、编程、3D 打印为主要载体的教育。作为一种技术教育，STEAM 教育涉及跨学科整合的教育、做中学的教育、创新意识、基于项目与问题的教育、依托工具与资源的教育和真实情境下的探究教育 6 个方面的内涵。

二、STEAM 教育的教学特征

（1）跨学科

在 STEAM 教育中，教育工作者不再将重点放在某个特定学科，而是将重心放在特定问题上，强调利用科学、技术、工程或数学等学科相互关联的知识解决问题，实现跨越学科界限、从多学科知识综合应用的角度提高学生解决实际问题的能力的教育目标。

（2）趣味性

STEAM 教育在实施过程中要把多学科知识融于有趣的、具有挑战性、与学生生活相关的问题中，问题和活动的设计要能激发学习者内在的学习动机，问题的解决要能让学生有成就感，因此需有趣味性。STEAM 教育强调分享、创造，强调让学生体验和获得分享中的快乐感与创造中的成就感[1]。

（3）体验性

STEAM 教育不仅主张通过自学或教师讲授习得抽象知识，更强调学生动手、动脑，参与学习过程。STEAM 提供了学生动手做的学习体验，学生应用所学的数学和科学知识应对现实世界的问题，创造、设计、建构、发现、合作并解决问题。因此，STEAM 教育具有体验性特征，学生在参与、体验获得知识的过程中，不仅获得结果性知识，还习得蕴含在项目问题解决过程中的过程性知识[2]。

（4）协作性

STEAM 教育具有协作性，强调在群体协同中相互帮助、相互启发，进行群体性知识建构。STEAM 教育中的问题往往是真实的，真实任务的解决离不开其他同学、教师或专家的合作。在完成任务的过程中，学生需要与他人交流和讨论。

（5）技术增强性

STEAM 教育强调学生要具备一定的技术素养，强调学生要了解技术应用、技术发展过程，具备分析新技术如何影响自己乃至周边环境的能力。在教学中，它要求利用技术手段激发和简化学生的创新过程，并通过技术表现多样化成果，让创意得到分享和传播，从而激发学生的创新动力。STEAM 教育主张技术作为认知工具，无缝地融入教学的各个环节，培养学生善于运用技术解决问题的能力，增强个人驾驭复杂信息、进行复杂建模与计算的能力，从而支持深度学习的发生。

三、STEAM 教育的应用现状

（1）搭建教育平台

进入"创客"时代，需要更多的智能装备投入 STEAM 教育创新中。美国的 STEAM 教育已逐渐发展成为一种国家战略，而中国刚接触 STEAM 教育，相关教育实践和研究较少，缺乏美国"全民总动员"的发展环境及强有力的民间组织来推动 STEAM 教育运动。目前，美国的学校正在加强和政府、企业、高等教育机构的合作，为学生创设高科技、合作性的学习环境，明尼苏达大学 STEM 教育研究中心和麻省理工学院成立了 STEM 中心网站。韩国教育部 2011 年发布了《搞

---

① 孙健. 初中信息技术教学中创新能力培养初探[J]. 科学大众(科学教育)，2019，(01)：35.
② 刘广利，汤慧丽. 杜威的"从做中学"教学理论及对我国基础教育的启示[J]. 继续教育研究，2008，(05)：84-86.

活整合型人才教育（STEAM）方案》。中国的 STEM 教育正与高校、学会、协会、科技场馆等社会资源进行合作交流，如"福特 STEM 项目"帮助南京师范大学附属中学成立机器人实验室；青少年科技创新教育的服务性机构"STEM 机器人科技创新教育中心"、STEM 教育平台上海 STEM 云中心、南京创客教育空间、"STEM 实验工坊"等教育研究平台也纷纷涌现。

（2）研发教育产品

自从物联网和创客教育进入"科教兴国"战略的议题，越来越多的智能硬件产品进入教育市场。目前主流的 STEAM 教育是机器人教育、编程教育以及 3D 打印，多体现为中小学编程类、媒体制作类软件在综合实践课程、信息技术课程、通用技术课程中的应用（如"3D 打印技术"等课程），从而使得科学教育产品不断涌现，如鲨鱼公园、小牛顿、博识、乐高、乐博、机器人、电子积木智能教玩具、3D 产品等。此外，2015 年乐高教育和北京西觅亚科技有限公司联合提出"语言文学与工程教育相融合"的双促进理念，推出了"STEAM 跨学科学习创新教育理念"的 StoryGames 故事创意大赛；上海组建了服务广大青少年科学创新爱好者的 STEAM Club，旨在将 STEAM 本土化、课程化和资源配套化。

（3）拓展应用领域

STEM 教育在欧美国家已实行多年，全球 1400 多家创客空间显示这个领域拥有强大的前景。国外的 STEM 教育多涉及中小学阶段及实践领域，例如，美国联邦教育部和美国国家科学基金会提出了 K-16 数学教育方案；哈佛大学专门设立了 K-12 和社区计划部门；韩国教育科学技术部向以 STEAM 模型为基础的综合技术教育转向；索尼国际教育公司推出以 STEM 为中心的教育应用服务及更多的全球化竞赛。在国内，浙江省温州市的中小学正围绕 STEAM 教育创新进行课程改革；METAS 作为儿童创客教育领航者就"体验"和"多元"，从硬件提供、师资培训、课程植入等方面和学校展开全方面合作，展示了 STEAM 校企合作的新力量；同时，西北工业大学举行"中国梦——3DSTEAM 创新教育研讨会"，由《中国电化教育》杂志社主办、北京中庆现代技术有限公司协办的"STEM 教育项目交流研讨会"等活动不断涌现。这充分展现出 STEM 教育应用领域的不断拓展。

### 9.5.2　剖析：STEAM 教育课堂应用案例

#### 初中信息技术"流程图与生活"STEAM 教学案例[①]

昝陈慧等学者构建了基于首要教学原理的 STEAM 学习模式，并根据该模式的设计理念构建了初中信息技术"流程图与生活"的教学案例，该课程主要通过

---

① 昝陈慧，郭理. 基于首要教学原理的 STEAM 学习模式构建与案例分析[J]. 中国教育信息化，2020，（02）：17-21，25.

引导学生利用流程图细化操作过程的思维方式,通过小组合作完成一个笔筒制作,在制作过程中要求学生将同学的分工内容利用流程图进行体现,在笔筒设计中引导学生利用已学过的数学、工程、艺术等领域的知识,结合课程新知完成作品。

一、教师活动

教师首先需要创设本课的学习环境,即根据翻转课堂的理念制作微课让学生课前学习本节新课,在课堂上分配时间解答学生的疑问;其次,教师根据本课新知提出问题,即让学生结合流程图和学科知识完成笔筒的制作;同时,在活动过程中需要观察学生的活动情况,调整课程进度;在作品评价环节,先由学生互评互学,引导学生发现新问题然后进行修改完善,最后由教师总结学生在解决问题过程中的总体情况,进行鼓励并提出更高要求。

二、学生活动

学生活动是实现 STEAM 教育与学科课程融合的核心内容,在学生活动设计中运行基于首要教学原理的 STEAM 学习模式,既体现了学科课程的内容,也突出了 STEAM 教学理念在学科教学中的融合。

具体活动如下:

第一步,观看微课。学生复习上节课,预习本节新知,为活动提供知识基础。

第二步,预习反馈。学生通过观看微课,提出学习问题,由师生共同讨论解答。

第三步,明确问题。完成以上步骤后,学生将进一步明确教师提出的生活问题,根据内容进行分工和讨论。

第四步,协作分析。学生根据分工利用本课新知完成工作流程图。

第五步,旧知梳理。学生根据问题梳理涉及的旧知与新知,比如科学,引入环境保护理念从而对笔筒材质进行选择;技术,利用空间思维构造笔筒的结构;工程,利用物理知识,对笔筒的受力进行分析;艺术,美化笔筒外观;数学,笔筒材料的剪裁和制作等。

第六步,新知结合。根据旧知分析和本课新知提示,将新旧知识进行结合。

第七步,新知实践。细化了问题解决方案后,将通过实践进行验证。

第八步,作品初成。通过小组协作,使作品初步形成。

第九步,分享交流。学生在完成作品后,以小组为单位从分工流程、材质选择、笔筒设计方案、制作细节和制作心得等方面进行心得分享和经验分享。

第十步,互评互析。分享的同时,各小组的学生在教师的引导下互相评价,评价包括优点和不足。

第十一步，发现新挑战。互评过程中，如发现新问题或需要进一步完善的方法，分享后小组采纳，将重新进入第三步到第九步从而对问题进行分析和完善。

第十二步，总结反思。学生逐步完善作品，在教师的引导下，总结本课的学习经历。

第十三步，问题解决。

完成以上步骤后，完成本课学习内容。

【案例剖析】

案例主要在 STEAM 教育理念和首要教学原理的指导下，从实际生活出发，从常见的生活现象中设计问题，在学生的学科知识基础上进行延伸。在该教学案例学习过程中，学生将掌握一套科学分析问题的思维方法，同时将学科知识和本课知识进行有效的衔接，提高了知识的实用性，通过小组互评，进行头脑风暴，不断优化作品，通过总结反思，强化了本课运用的学习方法和相关知识，最终根据流程图分工协作，完成笔筒的制作。

实现学科课程之间的情景交融。STEAM 教育一直倡导培养学生对真实问题的解决能力，因此基于首要教学原理的 STEAM 学习模式的问题设计主要是从实际生活出发，从常见的生活现象中设计，在学生的学科知识基础上进行延伸，以实现学科课程之间的情景交融。在学习过程中，学生始终围绕教师给出的生活问题进行讨论、研究、实践，在首要教学原理的指导下，开展学生活动。

重视学生逻辑思维的循环锻炼。在学生活动环节，学生将根据教师提出的问题与小组同学进行分析；在实践环节，学生将在教师的引导下回顾之前学过的知识，并根据问题分析，选择将可能帮助解决问题的旧知与新知进行融合，最终为解决问题提供方法。在问题解决过程中，该模式为学生提供了一个内在的思维逻辑分析方法，在作品互评环节锻炼学生的逻辑分析能力。同时教师将引导他们发现新的问题，使学生再次进行协作分析、实践探究、作品交流等环节，在这种循环的交流和练习过程中锻炼他们的思维逻辑。

### 9.5.3　探究：STEAM 教育经典应用模式及特点

通过前期的文献调研以及实地调研，笔者发现 STEAM 教育在学校常见的实施形式有：校本课程、工作坊以及活动。校本课程即将 STEAM 课程作为学校的特色课程，带到学校的课堂当中去，是基于课堂的 STEAM 教育，对象是全校学生；工作坊则是几个甚至十几个学生根据自己的学习需求，在课外的时间跟着指导教师学习 STEAM，学生既可以是本校的学生，也可以是外校的学生；活动是学校定期开展 STEAM 教育的专题活动，邀请校外的专家或者学校的教师来给学生进行 STEAM 知识的教学和指导，凡是对 STEAM 教育感兴趣的学生都可以参加。

一、基于课堂的 STEAM 教学模式

基于课堂的 STEAM 教育，学习环境是在教室内，但并不是传统的教室，教室需要经过精心的设计，需要有学习工作台、电子白板、学生作品展示架、器材设备储存区等布局。基于目前 STEAM 教学存在的问题，以"问题生成—猜想与假设—假设的检验—结论表达—问题延伸"的课堂教学模式为基础，构建了基于课堂教学的 STEAM 教学模式，基本结构和实施步骤如图 9-5 所示。

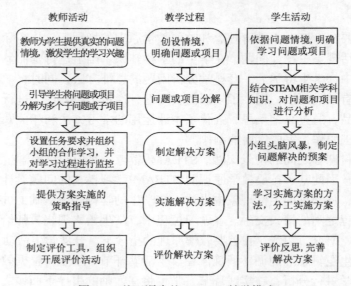

图 9-5　基于课堂的 STEAM 教学模式

（1）创设情境，明确问题或项目

在开始 STEAM 教学前，教师需创设相应的问题背景或者项目情境，激发学生的学习兴趣，并帮助学生从情境中提取出关键问题或项目。STEAM 教学的内容需来自现实世界真实的问题或者项目，为什么需要来自现实的问题呢？主要是基于以下考量，真实的问题涉及非良构的知识，解决真实问题的过程需要运用多个学科的知识，通过解决问题可以培养学生的 STEAM 知识素养以及各种能力。针对问题的设计，STEAM 教师和 STEAM 课程开发者要结合学生的认知水平、认知基础分析，问题或项目不能过难和过易。

（2）问题或项目分解

STEAM 关键问题的解决，是在解决一个个子问题或子项目的基础上实现的。确定问题或项目之后，学生对问题或项目进行分析，将其分解为多个子问题或子项目，在这个过程中，需要教师的正确引导，也需要学生结合 STEAM 相关学科的知识来完成。这个环节决定后面环节是否能够正常运行。

（3）制定解决方案

解决方案的制定，需要使用多种途径和手段，其中，小组头脑风暴是最普遍的。通过思维火花的碰撞，可以激发和挖掘出学生的潜力以及创新能力。方案的制定和实施都需要以小组的形式来完成。在制定解决方案环节，主要的任务是分组以及对组员任务的分工。

（4）实施解决方案

解决方案的实施，即对解决方案有效性的检验，需要教师在实施前明确各种要求，给学生以目标指引和导向。并且教师还需要对小组合作的过程进行监控，确保有效的小组合作。对于学生在实施过程中的不当行为要制止并给予正确的引导。

（5）评价解决方案

解决方案的评价，即对解决方案的制定和实施效果进行反馈，需要使用相应的评价工具。在此之前，教师需要准备好评价工具，既可以自己来制作评价工具，也可以使用现成的评价工具。在评价之前，教师需要引导学生如何展示自己的成果，引导其他同学如何来进行评价。在这个环节，既可以让学生了解自己解决方案的优点和缺点，帮助后期解决方案的完善；同时培养学生进行科学评价。

二、基于活动的 STEAM 教学模式

STEAM 教育的教学过程是在一个开放的教学空间实施，教学活动的开展不一定都要在课堂环境下进行。陶行知提出的"教学做合一"理论，提倡一种实践性的、活动性的、生活化的教育教学形式。STEAM 教育着重于学生创新的能力、跨学科解决问题的能力以及协作学习能力的培养，这些能力需要在实践活动中形成。

目前，STEAM 教育作为新兴的教育理念及教育方式，需要新兴技术的支持，例如 3D 打印技术、虚拟现实技术和机器人等技术，这些技术需要花费较大的财力、物力。许多学校在探索阶段，采取跟教育公司合作的方式，来开展一些 STEAM 教育活动，通过活动体验培养学生的 STEAM 兴趣。然而在实施过程中，仍然存在课堂搬家的情况，很多指导教师只是把课堂上的内容放在课外活动中来完成，没有发挥好活动的真正效果。在以"创境—感悟—生成—升华"的情境体验为中心的课堂教学模式的基础上，李正艳[①]构建了基于活动的 STEM 教学模式，其基本结构和步骤如图 9-6 所示。

---

① 李正艳. 中小学 STEM 教育模式的构建与应用研究[D]. 广州大学硕士学位论文，2017.

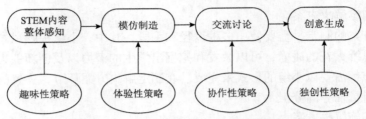

图 9-6　基于活动的 STEM 教学模式

（1）STEM 内容整体感知

开展 STEM 教育活动，包含多个主题的内容，有 3D 打印、虚拟现实、无人机等多项主题内容，各个主题设置了不同的活动区域，学生可根据自己的兴趣爱好对 STEM 主题进行选择，相应主题的内容设置需要结合趣味性策略，这样能够吸引学生参与活动。

（2）模仿制造

任何创意的生成都是从模仿开始的，学生在刚接触任何新事物的时候，需要通过模仿的方式掌握新事物的规律。体验往往是点燃灵感的火花和发明创造的源泉，在模仿制造环节，教师需要使用体验性策略，从而让学生进行具体的动手操作。

（3）交流讨论

创意的生成还来自同伴间、师生间的交流讨论，在初步完成作品或体验新事物之后，学生会不自觉地想要分享自己的感受和看法。通过交流讨论，学生之间会相互点评对方的作品，以发现自身的优势和不足，从而激发出更多的灵感。

（4）创意生成

由于每个学生都具有独立的知识结构，对于外界的同一刺激，每个学生的感受和经过自我构建的知识也是有差异的，这就体现出创意的独特性。经过整体感知、模仿制造以及交流讨论几个环节，最后学生每个人对同一事物都会产生差异性的认识。

【思考与练习】

1. 访问中国微课网（http://dasai.cnweike.cn/），了解全国微课大赛的评价标准，你认为微课未来的发展趋势是什么？作为一个未来的教学工作者，你认为现在的微课在哪些方面不能满足你的教学需求？列出 3 点你的思考。

2. 访问中国微课网（http://dasai.cnweike.cn/），从中选择几个微课，比较它们的优点和缺点，并说出你的理由。

3. 从文献中查找几种多媒体课件的设计与开发模式，指出它们的特点和异同。

4. MOOC 教学设计的特点是什么？

5. MOOC 的实施需要遵循哪些原则？

6. 简述 MOOC 的两种主要类型及其发展。

7. 请列举 3 个常见的移动学习终端。思考移动学习的应用模式有哪些。

8. 查阅文献，试说明移动学习设计的一般过程是什么。

9. 分组讨论：沉浸式学习的优势与挑战是什么？探讨其未来的发展趋势。

10. 查找现有的沉浸式学习案例，试分析其优缺点，并为其提出几个改进意见。

11. 谈谈你对 STEAM 教育的认识和看法。

12. 以小组为单位，精选一知识点进行信息技术支持下的 STEAM 课堂教学设计。具体要求如下：

1）在教学中要体现出信息技术的支持作用。

2）符合 STEAM 教育理念。

3）小组内试讲、评议、改进。

4）小组派代表进行全班展示与交流。

【研究实践】

在智能时代，新技术的不断涌现为信息技术教育创新应用与发展带来了新的机遇与挑战。为此，我们需要辩证地看待新技术对教育教学的影响，从实际的教学效果出发来探究新技术在教育教学创新应用上的有效策略与模式，以小组为单位，对以下问题进行探讨：

1. 新技术为教育教学创新应用的发展带来了哪些新的机遇与挑战？

2. 新技术支持的教育教学创新应用应遵循哪些原则？

3. 人工智能支持的教育教学创新应用有哪些？这些创新应用还有哪些不足？

# 参 考 文 献

陈玲，刘禹. 2011. 跨越式实现高效课堂：信息技术与课程整合高效教学方案评析[M]. 南京：
　　江苏教育出版社.

都兴芳，刘平. 2005. 探究式学习与学习策略[J]. 中国教育学刊，（08）：41-42.

范文翔，张一春. 2018. STEAM 教育：发展、内涵与可能路径[J]. 现代教育技术，28（03）：99-105.

龚玉清，张红松. 2004. 信息技术与语文课程整合——合作学习模式下的案例探究[J]. 中小学电
　　教，（01）：20-23.

郭清顺，苏顺开. 2007. 现代学习理论与技术[M]. 广州：中山大学出版社.

郝志军，等. 2012. 当代国外教学理论[M]. 修订版. 北京：教育科学出版社.

何克抗. 2012. 学习"教育信息化十年发展规划"——对"信息技术与教育深度融合"的解读[J].
　　中国电化教育，（12）：19-23.

何克抗. 2014. 如何实现信息技术与教育的"深度融合"[J]. 课程·教材·教法，（02）：58-62，67.

何克抗，吴娟. 2008. 信息技术与课程整合的教学模式研究之二——"传递—接受"教学模式[J].
　　现代教育技术，（08）：8-13.

何克抗，吴娟. 2008. 信息技术与课程整合的教学模式研究之三——"探究性"教学模式[J]. 现
　　代教育技术，（09）：5-10，27.

贺立路. 2018. 教学设计与案例——信息技术与学科课程整合优秀成果[M]. 沈阳：沈阳出版社.

胡航，董玉琦. 2017. 技术促进深度学习："个性化-合作"学习的理论构建与实证研究[J]. 远
　　程教育杂志，35（03）：48-61.

胡俊平，刘妍，毕慧敏，等. 2016. 基于微课的"物理化学实验"翻转课堂教学案例设计[J]. 化
　　学教育，37（14）：45-48.

胡正亚. 2005. 当代国外教学理论[M]. 呼和浩特：远方出版社.

黄静. 2014. 基于学生互评的翻转课堂构建——以南通大学文献检索课为例[J]. 中国医学教育
　　技术，28（01）：13-17.

霍华德·加德纳. 2017. 多元智能新视野（纪念版）[M]. 沈致隆，译. 杭州：浙江人民出版社.

姜岩. 2005. 浅析合作学习的优势[J]. 当代教育科学，（17）：55.

蒋永贵. 2008. 美国科学教育评价标准评析[J]. 外国中小学教育，（07）：35-38.

教育部. 2010. 国家中长期教育改革和发展规划纲要（2010—2020 年）[EB/OL]. http://www.moe.
　　gov.cn/srcsite/A01/s7048/201007/t20100729_171904.html. [2021-04-06].

教育部. 2012. 教育部关于印发《教育信息化十年发展规划（2011—2020 年）》的通知[EB/OL].
　　http://www.moe.gov.cn/srcsite/A16/s3342/201203/t20120313_133322.html. [2021-04-06].

教育部. 2014. 教育部办公厅关于印发《中小学教师信息技术应用能力标准（试行）》的通知[EB/OL].
　　http://www.moe.gov.cn/srcsite/A10/s6991/201405/t20140528_170123.html. [2021-04-06].

教育部. 2018. 教育部关于印发《教育信息化 2.0 行动计划》的通知[EB/OL]. http://www.moe.
　　gov.cn/srcsite/A16/s3342/201804/t20180425_334188.html. [2021-04-06].

教育部. 2019. 教育部关于实施全国中小学教师信息技术应用能力提升工程 2.0 的意见[EB/OL].
　　http://www.moe.gov.cn/srcsite/A10/s7034/201904/t20190402_376493.html. [2021-04-06].
柯清超，陈蕾. 2013. 信息技术与教育深度融合的新发展——首届全国中小学信息技术教学应用
　　展演述评[J]. 中国电化教育，(08)：35-39.
克努兹·伊列雷斯. 2014. 我们如何学习：全视角学习理论[M]. 2 版. 孙玫璐，译. 北京：教育
　　科学出版社.
李玲，王强. 2013. 新课标下中学化学高效探究教学设计与研究——基于信息技术与课程整合的
　　视角[J]. 西南师范大学学报（自然科学版），38(11)：175-180.
李芒. 2004. 论信息技术与课程整合的含义、意义及原则[J]. 电化教育研究，(05)：58-62.
李晓文，王莹. 2000. 教学策略[M]. 北京：高等教育出版社.
林众，冯瑞琴，罗良. 2011. 自主学习合作学习探究学习的实质及其关系[J]. 北京师范大学学报
　　（社会科学版），(06)：30-36.
陆宏，孙月圣. 2010. 信息技术与课程整合的理念与实施[M]. 北京：首都师范大学出版社.
马宁，余胜泉. 2002. 信息技术与课程整合的层次[J]. 中国电化教育，(01)：9-13.
马维和. 2009. 以学习活动为中心的信息技术与课程整合[M]. 哈尔滨：黑龙江教育出版社.
梅明玉，朱晓洁. 2019. 基于沉浸式具身学习的商务英语教学研究[J]. 现代教育技术，29(11)：
　　80-86.
苗逢春. 2003. 信息技术教育评价：理念与实施[M]. 北京：高等教育出版社.
南国农. 2002. 教育信息化建设的几个理论和实际问题(下)[J]. 电化教育研究，(12)：20-24.
裴嵘军. 2008. 对接受式学习的再认识[J]. 太原大学教育学院学报，(01)：7-9.
彭绍东. 2010. 从面对面的协作学习、计算机支持的协作学习到混合式协作学习[J]. 电化教育研
　　究，(08)：42-50.
皮连生. 2009. 教学设计[M]. 2 版. 北京：高等教育出版社.
秦伟，李海峰. 2013. 信息技术与课程整合存在的问题及对策[J]. 教育探索，(11)：30-31.
邱崇光. 2002. "教学结构"和"教学模式"辨析——与何克抗教授商榷[J]. 电化教育研究，(09)：
　　10-13.
任长松. 2002. 探究式学习：18 条原则（上）[J]. 教育理论与实践，(01)：47-50.
桑新民. 2017. 学习科学与技术——信息时代学习能力的培养[M]. 2 版. 北京：高等教育出版社.
单丽. 2013. 基于学科本体分析的整合方法研究——以语文学科为例[J]. 中国电化教育，(11)：
　　121-125.
史瑶. 2008. 基于"问题解决式"的信息技术课堂教学模式[J]. 中国教育信息化，(16)：42-43.
涂艳国. 2007. 教育评价[M]. 北京：高等教育出版社.
万伟，秦德林，吴永军. 2004. 新课程教学评价方法与设计[M]. 北京：教育科学出版社.
王济华. 2010. "基于问题的学习"（PBL）模式研究[J]. 当代教育理论与实践，(03)：98-100.
王坦. 2002. 论合作学习的基本理念[J]. 教育研究，(02)：68-72.
王伟，赵桐，钟绍春. 2014. 基于翻转课堂模式的网络学习空间设计与案例研究[J]. 远程教育杂
　　志，32(03)：71-77.
王志涛. 2018. 教学罗盘：基于构建主义的整合教学模式[M]. 北京：中译出版社.
吴文侃. 1990. 当代国外教学论流派[M]. 福州：福建教育出版社.
谢海芬，牟海川，许飞，等. 2020. MOOC 与传统教学相融合的教学模式在课程教学中的实践[J].

教育教学论坛，（35）：219-220.

许凌云，郑长龙. 2013. 论信息技术与课程整合背景下课堂教学行为转变[J]. 现代远距离教育，（03）：27-32.

闫英琪，阿不来提，郭绍青. 2008. 基于 Moodle 平台的学习活动设计[J]. 现代教育技术，（06）：70-74.

杨开城. 2016. 以学习活动为中心的教学设计实训指南[M]. 北京：电子工业出版社.

杨明全. 2015. 传承与建构：课程与教学理论探索[M]. 济南：山东教育出版社.

杨宗凯. 2016. 中国教育信息化十年：2011—2020[J]. 中国教育信息化，（01）：3-4, 28.

于秀，张一莉. 2006. 合作学习操作过程的基本要求[J]. 黑龙江教育（中学版），（12）：90-91.

余飞. 2016. "案例载体—活动导向"的翻转课堂模式研究[J]. 现代教育技术，26（08）：96-101.

余林. 2006. 课堂教学评价[M]. 北京：人民教育出版社.

余胜泉，吴娟. 2005. 信息技术与课程整合：网络时代的教学模式与方法[M]. 上海：上海教育出版社.

余胜泉，杨晓娟，何克抗. 2000. 基于建构主义的教学设计模式[J]. 电化教育研究，（12）：7-13.

袁维新，吴庆麟. 2010. 问题解决：涵义、过程与教学模式[J]. 心理科学，（01）：151-154.

张冬梅. 2019. 深度学习视角下合作学习教学效果的优化策略[J]. 教学与管理，（18）：101-103.

张奇. 1999. 学习理论[M]. 2 版. 武汉：湖北教育出版社.

张伟远. 2004. 网上学习环境评价模型、指标体系及测评量表的设计与开发[J]. 中国电化教育，（07）：29-33.

张文兰. 2012. 信息技术与课程整合[M]. 西安：陕西师范大学出版社.

赵呈领，杨琳，刘清堂. 2010. 信息技术与课程整合[M]. 北京：北京大学出版社.

赵呈领，杨琳，刘清堂. 2015. 信息技术与课程整合[M]. 2 版. 北京：北京大学出版社.

赵俊芳，崔莹，郑鑫瑶. 2018. 我国高校翻转课堂的实践问题及对策研究[J]. 现代大学教育，（06）：89-93.

郑燕林. 2020. ARCS 模型视角下翻转课堂的教学设计与实践[J]. 现代远距离教育，（03）：18-23.

钟志贤. 2001. 新型教学模式新在何处（下）[J]. 电化教育研究，（04）：11-18.

钟志贤. 2006. 信息化教学模式[M]. 北京：北京师范大学出版社.

钟祖荣，伍芳辉. 2003. 多元智能理论解读[M]. 北京：开明出版社.

朱凌云，罗廷锦，余胜泉. 2002. 网络课程评价[J]. 开放教育研究，（01）：22-27.

祝智庭. 1999. 关于教育信息化的技术哲学观透视[J]. 华东师范大学学报（教育科学版），（02）：11-20.

祝智庭. 2012. 教育信息化的新发展：国际观察与国内动态[J]. 现代远程教育研究，（03）：3-13.

祝智庭，魏非. 2018. 教育信息化 2.0：智能教育启程，智慧教育领航[J]. 电化教育研究，（09）：5-15.

National Science Board. Undergraduate science, mathematics and engineering education[EB/OL]. https://files.eric.ed.gov/fulltext/ED313248.pdf.[2021-06-06].

Sanders M. 2009. STEM, STEM education, STEMmania[J]. Technology Teacher, (04): 20-26.

See S, Conry J M. 2014. Flip My Class! A faculty development demonstration of a flipped-classroom[J]. Currents in Pharmacy Teaching&Learning, 6(04): 585-588.

Yakman G. STEAM Education: An overview of creating a model of integrative education[EB/OL]. http://steamedu.com/wp-content/uploads/2014/12/2008-PATT-Publication-STEAM.pdf.[2021-06-06].